■ 未来研究所(Washington, DC, USA)
■ 国际林业研究中心(Bogor, Indonesia)

中国的森林

——有全球意义的市场改革经验

William F. Hyde, Brian Belcher, 徐晋涛　主编

中国林业出版社

Original English – language version titled China's Forests：Global Lessons from Market Reforms ［IS-BN 1 – 891853 – 67 – 8 (cloth) and ISBN 1 – 891853 – 66 – X (paper)］, edited by William F. Hyde, Brian Belcher, and Jintao Xu.

Copublished by Resources for the Future and the Center for International Forestry Research.

Copyright 2003 by Resources for the Future,

1616 P Street NW, Washington, DC, 20036, USA.

Chinese – language version licensed by Resources for the Future, Washington, DC, USA.

英文版原著 China's Forests：Global Lessons from Market Reforms ［ISBN 1 – 891853 – 67 – 8 (cloth) 和 ISBN 1 – 891853 – 66 – X (paper)］由 William F. Hyde、Brian Belcher,及 Jintao Xu 编著。

该作品由未来研究所和国际林业研究中心合作出版。

未来研究所(1616 P Street NW, Washington, DC, 20036, USA)2003 年版权所有。

中文版由未来研究所(Washington, DC, USA)授权出版。

图书在版编目(CIP)数据

中国的森林:有全球意义的市场改革经验/(美)海德(Hyde，W. F.)，(美)贝尔彻(Belcher, B.)，徐晋涛主编. – 北京:中国林业出版社,2005. 12

书名原文:China's Forests：Global Lessons form Market Reforms

ISBN 7-5038-4148-6

Ⅰ. 中⋯ Ⅱ.①海⋯ ②贝⋯ ③徐⋯ Ⅲ. 林业经济 – 经济体制改革 – 经验 – 中国 Ⅳ. F326. 22

中国版本图书馆 CIP 数据核字(2005)第 130396 号

出版　中国林业出版社(100009　北京西城区德内大街刘海胡同 7 号)

E-mail:cfphz@ public. bta. net. cn　电话:(010)66184477

网址　www. cfph. com. cn

发行　新华书店北京发行所

印刷　北京地质印刷厂

版次　2005 年 12 月第 1 版

印次　2005 年 12 月第 1 次

开本　787mm×1092mm　1/16

印张　13

字数　250 千字

印数　1～1000 册

定价　35. 00 元

未来资源研究所（RFF）和未来资源研究出版社 （RFF Press）简介

未来资源研究所（RFF）通过独立高质量的社会科学研究提高了全世界范围内的环境和自然资源的政策制定水平。自1952年成立以来，未来资源研究所立志于利用经济学方法寻求有效的自然资源的开发利用保护政策。未来资源研究所的学者专家坚持以社会科学方法分析当前重要的资源环境问题，研究领域包括污染控制、能源政策、土地和水资源利用、有毒固体废弃物、气候变化、生物多样性和发展中国家面临的环境挑战等等。

未来资源研究所出版社（RFF Press）负责出版未来资源研究所的研究成果，这些研究涉及大量的自然资源和环境领域的研究和管理方法。它的作者和编辑包括未来资源研究所的职员，其他大型学术和政策研究团体的研究者和记者。未来资源研究所出版物的读者包括政策制定过程的全部环节的参与者——学者、媒体、支持者团体、非政府组织、商业和政府部门的专业人员和普通大众。

国际林业研究中心（CIFOR）简介

国际林业研究中心（CIFOR）作为国际农业研究（CGIAR）咨询团体的一部分，在全球广泛关注森林消失和退化引起的一系列社会、环境和经济后果的背景下于1993年成立。国际林业研究中心的研究在改善依赖林业为生的人们的福利方面和帮助热带国家管理森林资源以获得可持续收益方面积累了一定的知识和管理方法。国际林业研究中心在大量合作者的配合下在全球二十几个国家开展研究。自从成立以来，国际林业研究中心在影响世界和各国的林业政策制定方面起到了重要作用。

贡 献 者

William Hyde 从事林业经济和政策研究工作超过30年，期间曾就职于美国林业部、杜克大学和未来资源研究所。目前他加入了国际林业研究中心（CIFOR）和瑞典歌德堡大学的研究工作，他同时还是20多个国际组织在30多个国家的咨询专家。个人著作主要包括：《林产品供给和土地配置》，《林业部门干预》（合作者 Roy Boyd），《林业收益研究》（合作者 David Newman 和 Barry Seldon），《林业和农村发展经济学：来自亚洲的经验证据》（合作者 Gregory Amacher）

Brian Belcher 国际林业研究中心（CIFOR）的资深科学家，专业领域是自然资源和人民生计问题。他在中国开展了一系列的研究项目，这些项目主要集中在中国竹业的经济和政策方面。目前正在领导着一项非木材林产品商业化案例的国际比较研究和林业在印度尼西亚经济发展中潜力和变化作用的研究。和他人合作出版了《刻画未来：热带雨林，生计和国际木雕贸易》一书。

徐晋涛 中国科学院农业政策研究中心副主任，主要研究领域包括自然资源的模型化、中国造纸工业、森林退化和农村林业改革。

Vince Benziger 斯坦福大学亚太研究中心社会科学研究协会，本书章节作者，目前是 Illinois，Champaign 的咨询专家。

陈绪和 中国林业科学研究院教授，国际竹藤网络中心副总干事。

David Edmunds 国际林业研究中心助理研究员，本书章节作者，目前工作于 Red Nation Consulting。

傅懋毅 中国林业科学研究院亚热带林业研究所研究员、首席科学家，中国·浙江（富阳）。

黄季焜 中国科学院农业政策研究中心主任，中国·北京。

Shashi Kant 加拿大多伦多大学助理教授。

Jari Kuuluvainen 芬兰赫尔辛基大学教授。

Natasha Landell-Mills 英国国际发展研究所研究员。

刘大昌 泰国 Khon Kaen 大学湄公河（Mekong）研究中心学术主任，西南林学院副教授，中国·昆明。

刘金龙 中国林业科学研究院副教授。

Scott Rozelle 美国加州大学戴维斯分校农业和资源经济系教授。

Manuel Ruiz Pérez 西班牙马德里自治大学助理教授，国际林业研究中心（CIFOR）资深研究员。

Jeffey A. Sayer 原国际林业研究中心总干事。目前是世界自然基金会

（中国）资深研究员和 Utrecht 大学国际自然保护教授。

孙昌金　中国社会科学院生态与环境经济学研究中心主任。

Jussi Unsivuori　芬兰赫尔辛基大学学术研究员。

杨校生　中国林业科学研究院亚热带林业研究所副研究员，中国·富阳。

尹润生　美国密西根州立大学助理教授。

张道卫　奥本大学教授。

张久荣　中国林业科学研究院副院长。

张耀启　芬兰赫尔辛基大学博士，加拿大多伦多大学博士后。目前是奥本大学助理教授。

中国人对林业重要性的认识由来已久。在张钧成先生的《中国林业传统导论》一书中记载，自公元前 1066 年周朝建立以来，即有有关林业的论述。同样的传统在西方也是历史久远。有关林业的认识在所罗门王穷尽其雪松资源建立高塔的时候即已存在。

森林在今天更加重要。森林不仅具有商业价值，其在为世界上成千上万贫穷家庭提供收入和基本生计方面的作用也不可忽视。在 20 世纪，由于人口增长、收入增加，全球环境趋于恶化，森林的环境价值日益显著。它不仅为野生动植物提供栖息地、作为碳汇为减缓全球气候变化做贡献，还能提供清洁水源、减少水土流失，从而保护农业生产力。

中国农民对森林的市场和非市场价值有自己独特的认识。1980 年以后的 15 年里，中国农民自有的森林面积扩大了 60%。这是小规模造林运动所创造的世界纪录。尽管森林的大面积恢复，中国的森林——特别是国有林——仍然是环境管理方面存在的难题。这一点对全中国和全世界都同样重要。中国由于幅员辽阔，其森林的变化对全球环境有很大影响。由于这个原因，世界银行在对其全球林业战略进行评估的时候，将中国列为 6 个参与评估的主要国家之一。中国森林问题也是中国环境与发展国际合作委员会林草问题课题组所关注的焦点。

《中国的森林：有全球意义的市场改革经验》一书汇聚文章作者和编者的心血，对当代中国林业所面临的复杂问题提供了全面的分析。本书的作者们都是熟悉中国和世界林业问题的知名学者，他们从不同角度，对中国的政策改革对林业发展的影响提出了重要的见解。他们揭示了 1978 年改革开放以来中国在林业方面的成功经验，为本国和世界林业发展提供借鉴。与此同时，他们还指出了林业发展依然面临的挑战及其相应的政策含义。

　　毫无疑问,此书的出版有里程碑的意义。不仅对中国,也将对世界林业政策发展的思路产生重要影响。

Uma Lele

世界银行林业战略评估项目负责人

世界银行高级顾问

中国环境与发展国际合作委员会林草问题课题组组长

　　林业和林业政策对保护中国的自然环境、促进可持续发展均有至关重要的作用。前总理朱镕基将可持续发展列为21世纪中国两大基本问题之一。江泽民主席在1999年3月13日召开的人口、资源与环境大会上进一步强调了环境保护的重要性。可持续林业是环境保护工作的核心内容。

　　《中国的森林：有全球意义的市场改革经验》一书的作者们完成了一项重要的工作——对过去1/4世纪中国林业政策的丰硕成果和中国林业的成长进行了全面回顾。与此同时，这些学者也对未来中国林业政策的发展和农村环境的保护提出了新的命题。我们的乡村林业取得了很多成就，但是，我们面临降低过高的林业税费、在西部开发中合理发挥林业的作用、在国有林业企业建立良好的承包责任体制等许多任务。本书的作者们发现了这些问题，并向我们展示了对多种政策方案经过严格的分析加以科学评估的能力。在我们思考未来的时候，本书将成为可资借鉴的精神财富。

陈根长

国家林业局政策法规司司长

前　言

　　近年来森林资源在全球政策讨论中的作用越来越重要。现代林业政策主题是和林地管理的可持续性和制度安排相关的。这些主题通常在某种意义上等同于林业资源管理从国家部门管理到地方机构管理的地方分权（decentralization）概念。两种制度安排得成功与否依赖于他们是否能够提供可持续利用的市场和非市场的林产品和服务流——包括原木和薪材、水果、坚果、草料、饲料、橡胶、传统药物、流域服务、自然生物多样性和可以减轻全球气候变暖趋势的碳吸收等等。

　　没有哪一个国家的林业政策像中国一样发生如此巨大的变化，这些变化只是中国所有经济部门正在发生的地方分权改革的一部分。中国在快速变化当中取得的经验值得我们思考——我们期望这些经验对于仍在进行中的中国林业部门改革有建设性的作用，同时我们也希望这些经验对于世界上正在进行林业政策改革尤其是林业管理的地方分权改革的其他国家有所帮助。

　　一些研究学者、项目官员和政府官员已经认识到了上述问题，并就一些主要观点达成一致，他们于 2001 年 6 月在中国四川省都江堰举行了一次研讨会，回顾并总结了我国农业、工业和金融改革对我国林业部门影响的研究。先前的工作很少，关注的焦点集中在产权的演变上面。产权演变是我国农村改革的核心特征，同时也将是 21 世纪初期中国林业改革的一个重要特征。对于这一点他们达成共识，同时还认识到整体经济的持续增长将会增加对林业（林产品）的需求，认识到了对森林非市场环境服务和不断加大的农村家庭收入的区域差异的问题。大多数与会者将继续会谈交换彼此在这些问题上的看法。《中国的森林：有全球意义的市场改革经验》将总结他们讨论中的基本看法观点。

　　中国一系列不同的部门都发生了针对自身的改革，因此我们的团体也包括了来自于不同部门的参与者。在都江堰最初的讨论会的标题是"政策改革和中国林业：中国和国际的经验"。会议由以下单位联合举办：国际林业研究中心（CIFOR）、中国国家林业局、中国社会科学院生态和环境经济研究中心、中国林业科学研究院、中国科学院农业政策研究中心和四川省林业厅。与会者包括国家和国际上的林业和农业政策研究者、研究管理人员，来自不同部门和各级政府的政策制定者，来自各种发展项目的研究人员，一些本地区其他国家的代表，来自资助和发展机构的代表。

讨论会围绕以下一系列议题展开：历史和改革的重大主题，地方分权，价格、税收和管制，林业投资，对林业的跨部门的政策影响，对贫困和农村家庭的影响，对环境的影响。每个议题首先讨论一篇或者几篇文章，这些文章是按照公认的研究或者分析基础挑选出来的（组织者力图避免"opinion pieces"的现象）。议题主持人综合这些文章中的基本观点，指出尚未回答的问题和出现的议题，同时指导在每个主题上进行充分的讨论。一般性的讨论超出了林业问题的界限，涉及在动态的环境下影响资源管理和发展的一系列互相作用的因素。

本书的章节来自于讨论会中一些提交的论文以及延伸的讨论内容。实际上，在我们的讨论会之后，国际环境和发展学会（IIED）、森林趋势（Forest Trends）、中国环境和发展国际合作委员会林草课题组各自举办了他们自己的讨论会讨论中国林业政策问题。这些会议给我们很多与会者一个机会可以精练他们在本书中陈述的观点。

致　谢

我们非常感谢这次会议的协办者以及我们的资助者——福特基金会、澳大利亚国际农业研究中心、国际发展研究中心和世界自然基金会（中国），国际林业研究中心（CIFOR）提供了最主要的支持，是他们的努力使得本书得以面世。我们的指导委员会包括：国际林业研究中心（CIFOR）Jeffrey Sayer，现在工作于世界自然保护基金会（中国）；金普春，国家林业局对外项目合作中心；张久荣，中国林业科学研究院；孙昌金，中国社会科学院生态与环境经济研究中心；黄季焜，中国科学院农业政策研究中心；Brian Belcher，国际林业研究中心（CIFOR）；William Hyde，英属哥伦比亚大学和歌德堡大学；刘大昌，国际林业研究中心（CIFOR）和昆明西南林学院；David Edmunds，国际林业研究中心；胡元辉，国家林业局对外项目合作中心。此外，我们还要特别感谢美国密西根州立大学的尹润生教授，他给了我们最初的建议；国际林业研究中心（CIFOR）和西班牙 Autonomous 大学的 Manuel Ruiz Perez 先生，他指出了本书的价值并支持了最初的启动工作；刘大昌先生，他在整个过程中给予了我们密切的配合；未来资源研究所的 Don Reisman 先生，他鼓励我们把自己的想法变成本书出版。

在准备这次研讨会和这本书的两年多的时间里，我们还得到了以下人士的支持鼓励，他们启迪性的批评和有益的建议、指导让我们铭记于心。他们是：Ian Bevege 和 John Fryer，澳大利亚国际农业研究中心；John Graham 和 Stephan McGurk，国际发展研究中心；朱春全和 Jim Harkness，国际自然基金会（中国）；王森，英属哥伦比亚大学；Hein Malee，福特基金会；Mafa Chipeta，曾在国际林业研究中心工作，现就职于联合国粮农组织。国际林业研究中心（CIFOR）的 Titin Suhartini 和 Rita Mustikasari，她们在会议的组织和通讯联系方面提供了大量的帮助。

最后，我们特别说明在英文版中我们以西方习惯顺利（名＋姓的格式）列出了中文人名。本书的中文版将使用中文的习惯列出中文人名。

我们真诚地感谢所有给予我们支持和鼓励的个人和组织。希望我们的努力不负众望，也希望这本书能够成为中国乃至国际上森林管理、政策改革和林业发展的主要参考书。

William F. Hyde

Brian Belcher

徐晋涛

目 录

第一章 导 论

William F. Hyde，徐晋涛，Brian Belcher

自 1978 年农村改革以来，中国经历了翻天覆地的变化。改革的成果是有目共睹的：平均每年的 GDP 增长率超过 10%，人均收入增长翻了四番。农村改革使农民家庭成为改革开放最早的获益者，而随后的工业、金融、贸易改革，使中国社会所有的阶层都获得了好处。

然而随着改革开放和经济发展，新的问题也应运而生。20 年的经济发展产生了诸如地区收入不平衡以及环境破坏等问题，森林资源管理中的问题也日益显现出来。

本书研究了中国的改革开放对林业部门的影响。林业改革在时间和结构上都是跟随着农业改革进行的，但是在林业部门内部，无论是市场改革还是管理改革，都没有农业部门改革那样来得彻底。并且，林业较长的生产周期使得对林业改革有效性的检验很困难。鉴于这些原因，改革对于林业的影响，并没有表现出农业那样的辉煌成绩。比如，中国的农业生产产值已经增加了 4 倍，而森林覆盖面积仅仅翻了一番，每年的木材开采量从 1978 以来几乎没有变化（中国统计年鉴，2000）。

与农业不同，林业部门受其他部门改革的影响（溢出效果）比较大，这些部门的政策对林业部门的影响可能超过林业部门自身的政策，而农业部门的改革则使所有的经济部门受益。

最后，中国林业部门的情形对审视中国当前的收入分配和环境问题提供了一个有趣的视角。在很多地方，以林业为基础的社区和依靠林业生存的家庭都比其他社区和家庭贫穷，并且收入波动性也较大。中国的社会主义制度提倡平等和消除地区间发展不平衡和家庭财富不均，所以这些问题对于中国社会来说尤其重要。各国的林业主管部门、国际援助机构以及非政府组织，都希望通过林业活动来消除这种贫富不均的现象。但是，无论是中国还是世界上的其他地区，对林业在消除贫困方面所面临的限制还知之甚少。

那么在环境方面呢？森林就像一个拥有很大环境价值的宝库。在中国，随着家庭收入的提高，森林的价值随之增加，中国人对长期价值也有了新的认识和接受能力。然而经济发展对环境产生的净影响是很复杂的。中国总的森林面积已经有所提高,在抑制风蚀和沙漠化这两个最严重的环境危害方面起到了积极作用。与此同时,由于采伐、毁林开荒和放牧等原因,中国天然林面积及其蕴涵的生物多样性都已经下降。并且,工业发展已经成为严重的污染源,如纸浆和造纸工业这两个林业的重要组成部分,已经成为中国农村环境最大的污染源。理解森林环境影响的复杂性以及中国改革对环境产生的影响,无疑是提高中国百姓长期福利的重要一步。

一、目 标

本书的目的是对 1978 年以来中国林业部门在各种林业以及林业以外的政策改革的作用下所发生的变化加以考察。本书的作者们采用经验研究的方法,对林业部门发生的各种变化及其诱因进行了分析。他们在文献回顾的基础上,增加了自己的见解。书中所及,既有多年以来一直悬而未决的老问题,也有新近产生的新问题。

本书提供的经验教训对于中国是很重要的,对于世界上其他地区和国家,也同样重要。作者对中国那些已经实行的政策及其效果进行了严格的验证,并且与农业改革的文献作了对比。农业改革是从一系列局部试验中逐渐发展起来的,而林业改革已经出现了比农业改革更多的花样,比如各种形式的土地使用契约、税收体系、市场政策以及管理;还有出现的收入分配不均的问题。

本书分析所及各种新老问题,有助于我们对中国改革的影响进行预测。我们看到,林业部门劳动力占了全国总人口的 3%,而老百姓消费的林业产品和林业环境服务十分巨大。中国政府力图保持经济发展速度和改善整体国民福利。对这些影响的分析应该会成为未来改革政策决策中的重要成分。

2003 年,中国成为了世界贸易组织(WTO)的成员国,目前还正在实施西部开发计划和天然林资源保护工程。这些都会对未来的森林发展有重要影响。中国国内的森林采伐量已经下降,原木进口迅速增加(在天然林资源保护工程实施后的 2 年里,进口从 $480 \times 10^4 m^3$ 提高到 $1360 \times 10^4 m^3$,增加了 183%)。这些新项目的影响,还有很多问题有待继续探讨。本书中有关早期改革的分析,有助于我们理解这些新项目中出现的问题,这些分析也有助于预测新近发生的改革的效果,并在林业政策的设计方面,为决策者提供了思路。

从中国得出的教训对于世界上其他国家和地区也是十分重要的。比如,许多东欧国家和亚洲的国家也在进行从中央计划经济到市场经济的转轨。其他如印度尼西亚和菲律宾,正在从高度集中的政治权力和市场权力体制向多元化市场经济转型。还有如印度,正试图拓宽市场开放的程度,所有这些国家都可以从中国的经验中受益。

中国的经验甚至有更广的可借鉴性。世界上多数发达和发展中国家的森林和过去的中国一样,相当大一部分是在中央集中管理之下。中国和很多其他国家一样,面临着这样一个难题,即地方利益存在强势的情况下,中央如何进行森林的集中管理。实际上,森林管理的分散化以及制定一套能迅速反映地方经济和社会压力的森林管理体系,可能是现代林业政策中最具国际化的议题。分散化管理形式,在美国和加拿大叫做"社区参与",在印度叫做"联合森林管理";在玻利维亚、哥伦比亚、墨西哥、尼泊尔、菲律宾、坦桑尼亚、赞比亚等国家,叫做"社区林业"或者"以社区为基础的资源管理"。而中国在将土地使用权由中央集中管理转移到地方甚至个人家庭管理的过程中,有着比其他国家更多的经验。

对于这些转变,一个通常的问题是,当森林还具有广泛的公共利益时,政府能把分散化管理深化到什么程度,或者是否会私有化。一种反对分散化管理的意见是,农民种树的经验太少,甚至说,即使他们有种植经验,他们也不愿意种树。而现在中国有 20 年的经验来驳斥这一根深蒂固的观念。另一个类似的反对意见是,个体农户对造林创造环境效益不会有积极性,因为这些效益在很大程度上被共享了。持此观点的人说,大部分环境效益都被周边地区或者更远的居民享受了,因此,个体行为是不可行的,而一定程度的公共行为对于提供这些环境服务是必要的。但中国的经验同时否定了这一个观点。

从中国的经验所得出的结论是具有说服力的,因为中国广阔的面积和快速的经济增长意味着其数据包含了很多的变化。而数据的多样性对于得出具有统计意义的结果是十分必要的。我们可以将中国华北平原和北美大平原做一比较。北美大平原有些成功的经验,但新增造林的数量很小,而且难于将不同的市场因素和政策因素的影响分离出来。在中国,自 1978 年以来,华北平原某些地区种植树木的数量几乎增加了 2 倍。尽管因为市场和政策因素所导致的树木种植增加的效果可能和北美大平原相近,但是因为中国已经经历了巨大的经济变化,所以可以把各个影响经济发展的因素区分开来,并监测它们各自的效果。对于一个具有高度变化性、多样性和发展中的经济体,在种树这个例子中存在的情况,在其他经济活动中也是存在的。就是说,在世界其他地方已有的经验在中国的背景中可以更加清晰地反映出来。

二、背 景

本章总结了 1978 年以来那些影响中国林业的因素,并按年份回顾了中国总体改革及其效果。本章最后部分回顾了林业部门自身的改革。最后是对书中各章节的一个简介。

（一）1978 年以来的中国林业

虽然中国林业的历史可以追溯到几千年之前，可是它当前的经验却集中体现在过去 25 年发生的变化。20 世纪 30 年代以来的连年战乱和资源开发，使得那些人可以生存和生活的地区，很少有树（更不用说森林）能够存活下来。在政治动荡和经济困难时期森林存量的消耗状况也可以从其他国家相似的内乱经验中得到印证。

中国中央政府早在 20 世纪 50 年代就认识到这个问题并把它归入到国土恢复计划中。这些计划最初是把焦点集中在生态和能源的改善上，包括用来控制风沙、水土流失以及土地盐碱化的造林绿化工程；20 世纪 60 年代早期的经济调整使得造林绿化活动具有了多功能性，比如开始营造用来保护环境和提高农业生产力的防护林。

然而，1958 年之后的集体化和工业化迅速耗尽了这些有限的森林资源。集体化对森林资源所有权的安全性提出了挑战，大炼钢铁运动极大地消耗了自抗日战争、第二次世界大战以及新中国成立以来仅存的一点森林资源。随后在"文化大革命"时期（1966～1976），大量存留的原始森林因为开发耕地而被砍伐。最后，国有森林的库存也因为支持生产以及维持国有锯木厂的生存而被耗竭。

"文化大革命"以及多年的政治运动，极大地制约了中国把握经济发展和环境保护的大好机会，农业和林业的生产也停滞不前。1976 年，人民公社的人均年收入仅为 62.8 元人民币（合 25 美元）；1/3 的农村家庭处在债务之中；很多家庭都生活在缺煤、缺衣、缺房的状态，大约有 1 亿人口挣扎在食物短缺的饥饿线上（陆文明，1986）。

在 1978 年经济改革刚开始的时候，中国的森林耗竭十分严重，许多当时保存下来的人工林都已经采伐了二三次，木材产量大为下降。森林面积在 1978 年只有 8260 × 10^{4}hm^2，只占中国国土面积的 8.6%，人均森林面积只有 0.1hm^2，是世界上最低的人均占有量之一（中国林业年鉴，1986）。较小的人均占有量也表明了低的原木采伐量以及严重的环境压力，这份压力比其他发展中国家更严重。这也预示，对于剩下的森林资源，需要把原木和非木材林产品的收购价格调整到相对较高的水平。

表 1-1 总结了中国 1978 年改革开放前夕的基本状况和 1998 年以前的经济发展情况。1978 年是改革的起始年，中国刚刚开始有了完整的森林资源清查数据。中国最近一次完整的资源清查是在 1998 年。资源清查会消耗很多资源，每做一次都需要好几年时间，因此，很少有国家能够在 10 年之内完成一次以上的清查。我们很幸运中国的清查资料能和我们所研究的时期相符合。不过，

1978～1998 的数据对于我们的研究目的来讲并不完美，因为还有一些情况不能从这些资料反映出来，比如自实施"天然林资源保护工程"后发生的木材进口的增加情况。

改革开放以来，中国实际的 *GDP* 翻了五番，而人均 *GDP* 翻了将近四番。中国庞大的农村经济，包括以森林为基础的社区以及很多依靠森林谋生的家庭，都已经有了很大程度的改善和提高。在过去的 20 年间，农村人均 *GDP* 几乎空前地翻了六番（表1-1）。

表1-1 经济成长（1978～1998）

发 展	1978[①]	1998	变化率（%）
GDP（1978 年的货币价值）			
总和	362	2312	538
人均国民生产总值	379	1869	390
农村人均国民生产总值	133	945	610
林产品（×1000m³）			
产量			
原木	51 673	55 557	7
锯材	11 055	17 876	62
木制板	1017	10 563	939
纸和纸板	4390	21 256	385
进口			
原木	1870	4820	158
锯材	75	1679	2139
木制板	258	1977[②]	666
纸和纸板	767	5760	651
出口			
原木	28	63[②]	125
锯材	13	255	1862
木制板	10	598	5980
纸和纸板	229	250	9
森林覆盖			
面积（×10⁴hm²）	11 500	15 400	3500
活立木蓄积量（×10⁴m³）	880 100	1 008 600	1500

①进口是 1981 年数据，出口是 1983 年数据；

②资料来自 1997 年；

资料来源：中国统计年鉴，2000；中国林业发展报告，2000

林业部门的发展尽管在某些方面并不辉煌（比如原木产量只有少量的增加），但木材的产量稳定增长了 60%。另一方面，在常规生产部门，造纸工业保持了每年两位数的增长速度，生产力几乎扩展了 3 倍。木材和造纸工业的发展有如此鲜明的对照并不意外。在很多国家，木材消费的收入弹性较低，而纸张消费的收入弹性很高并且在很大的收入范围内都是具有弹性的。因此,随着经济发展和对纸张需求的增加,我们预期纸张产量会比木材产量增加得更快。

造纸业扩张最终产生的一个问题是:环境状况的恶化。造纸工业的前道工序——纸浆制作,是一个很重要的污染源,它排放的污水中含纤维固体以及化学废弃物。在中国,纸浆工业和造纸工业已经成为农村环境污染最大的污染源。同时,环境保护也已经成为中央政府的一个重要目标。在1999年,中国国家主席江泽民宣布,所有不符合环境标准的企业必须在2000年之前关闭。至今已经超过2000家小型造纸厂被勒令停产。

表1-1提供了有关已经市场化的森林资源的信息,但是并没有提供关于非木材和非市场化的森林资源和服务的信息,这些信息包括薪材、竹材、蘑菇、从原始森林采集的草药,以及以森林为基础的环境服务比如水土保持、生物多样性保护、森林休闲等等。

在中国,农村能源的40%来源于薪材。我们对20年的经济发展之后这个比例的变化尚不清楚。同样,中国的快速增长对非木材和非市场化林产品的影响也是个未知数。我们只能预测,老百姓日常生活上对于很多非木材林产品的消费,在经济发展的早期是增加的,然后随着经济继续发展以及收入的进一步提高,这种消费逐年下降。这是一个众所周知的假说,但是它在中国的适用性还没有得到验证。如果它真正准确反映了中国百姓生活中对林业产品的消费,那我们就要知道使这个消费开始下降的收入转折点在哪里,以及中国是否已经达到或者超过了这个转折点?目前我们还不知道。

随着中国经济的进一步发展,对于森林的直接消费需求可能会下降。但是,我们可以预测,对于森林的间接消费需求会增加。一般来讲,随着家庭收入增加以及全社会福利的提高,对于自然资源比如森林的休闲消费会增加,而对各种环境服务的需求,也会增加。这是一个基于一般性经验的假说,我们对于它在中国的适用性是有较大把握的。当我们偶尔注意一下中国的山地或湖泊就可以发现,中国在过去的这些年里,户外休闲在快速发展,中央政府决定把保护环境以及可持续发展作为21世纪的一项基本国策,以显示环境价值日益显著的重要性。

我们的结论是,在森林的发展过程中,尽管对森林的具体需求是变化的,但是中国森林的重要性无疑是在增强。那么如何把这些预期和1978年以来森林存量的总体趋势相比较呢?表1-1显示,森林覆盖率稳步增长了35%,然而活立木蓄积量仅仅增加了15%,这个差异并不奇怪。新造的林分开始生长很慢,在资源清查中,这些新造林的生长在最初的几年里一般都会因为太小而无法测量。然而,和老百姓对商品林产品以及间接消费性森林环境服务的需求增长相比,森林覆盖率的增长速度相对较慢。

　　此外，净进口并不能解释日益增长的林产品需求和相对稳定的森林存量之间的差距。出口量和国内产量相比，只是很小的一部分，而进口水平也不是很大，也就是说中国的工业是依赖原料替代来消除这个差距的。比如，在一些建筑行业，使用竹子来替代木材；或者在造纸工业中，用作物剩余物替代木材纤维。在很多情况下，木材和木材纤维是很受青睐的原材料，我们只能预测说，这样的偏好是中国森林之所以会随着中国的经济发展显得愈来愈重要的原因之一。

　　表1-1总结了中国林业部门快速的发展历程及其富有变化性的经验。中国的经验在其他方面也具有变化性，中国的改革是试验性的，注重实效的，并且是渐进的，这个改革并没有什么全面的蓝图，也因此，在过去的25年间，中国经历了至少三个经济周期。改革的实施和效果在地区间有着巨大不同，对管理制度上的分类也有很大的差距。我们将会总结这些林业组织在区域上的差距，并在接下去的部分从时间上对改革进行追溯。

（二）林业的组织和管理

　　中国是按照地区和行政责任来组织官方林业统计的。表1-2记录了1977～1998年所进行的3次国家森林调查的森林面积，这3次调查按照国有和集体的分类在中国6个主要的地理区域展开的，其中东北、西南和中南3个地区森林最多。本书标题页的地图显示了这些地理区域，并标明了所包含的省份。

　　中国国有林业包括了约3000个独立的国有林场和135个国有森工企业。国有森工企业由林场组成，多数还有自己的木材加工厂。森工企业的森林目前大多数是次生林，但建局伊始，目的是采伐原始林木。国有林场建立的目的主要是经营人工林。对两种林业企业的管理体制发生过多次变化。目前，所有企业都隶属于省级以下政府和林业主管部门，但同时也要遵循国家政策和接受国家林业局（SFA，前身是林业部）的业务指导。

　　集体林在1978以前是由地方林业和农业集体组织来管理的林业。从1978年开始，农民家庭逐渐对集体土地有了长期承包责任。现在，全中国约有60%林地属于集体所有，这其中的80%是由家庭经营的。

　　国有和集体的森林都在逐渐扩大。但是，在大多数地区，集体所有森林的发展速度更快一些。然而，国有的森林中，每公顷的蓄积量高于集体林3倍，这个现象应该是正常的。国有林通常为天然成过熟林，有一些地处偏远，难以开发。而集体森林，人比较容易到达，大多在中幼林阶段即可以开发利用。在很多国家，国有林蓄积量要超过同一时期非国有林蓄积量。然而，这两者之间有3倍的差距，倒是不常见的。那么在中国，这个差距是不是因为集体森林在新造林中比例过高，在资源清查中产生了测量误差呢？或者，是否是因为森林计算系统的原因呢?这个计算系统包括了经济林比如果园,这些果园单位公顷的木材蓄积量较低,并且这些经济林大部分都集中在集体林地上。还有,这些差距是否来自于不确定性以及其他一系列抑制私人投资的因素?我们希望能够通过未来的森林资源清查数据,更为清晰地分析改革措施对集体林发展的促进作用。

为了能更贴切的反映经营管理体制,我们对表1-2中的地区分类形式做了修改。比如,作为主要的国有林区以及中国工业用木主要的来源,东北地区和西南地区有时候是联合起来研究的(东北西南的国有森林区,NSSFR)。这些国有森林存在的目的,目前已经变成了保证地方加工业的就业了。地方加工业长期以来支付很低的收购价格,使国有林的收入远不足以维持森林再生产的成本,导致国有森林的蓄积量减少。南方集体林区(SCFR,如表1-2中的,包括东南、中南以及西南的部分地区)是第二个主要产区,但是它同样存在收购价格太低的困境,如果没有额外财政支持的话,是不能维持森林更新的。剩下的是华北—西北农区(NNFFR),这个地区西部是一个几乎不能生长树木的干旱地区,而其东部则是一个主要的农业区,所以基本上这个地区最主要的森林是由国家支持的防护林。农业改革和其他农村政策的改革已经影响到了南方集体林区(SCFR)和华北—西北农区(NNFFR),但是对其他地方的影响可能比较小。改革带来了活跃的农村林业,极大地改变了南方集体林区(SCFR)东部的自然面貌。最近国家林业局实施的一系列行动和国有林区发生的改革,加上一系列大规模的政府造林项目,将在国有林区产生巨大的影响。

表1-2 林分面积

地区和管理方式	林分（$\times 10^4 km^2$）			变化率（%）
	1977～1981	1984～1988	1994～1998	
东北				
国有	21.37	20.55	23.50	9.97
集体	2.33	3.96	4.20	80.26
总计	23.70	24.51	27.70	16.88
西北				
国有	2.48	5.30	5.78	133.06
集体	1.96	2.80	3.19	62.76
总计	7.24	8.10	8.97	23.90
	(4.44)[①]			(102.03)[①]
东南				
国有	1.32	1.73	2.49	88.64
集体	10.84	12.01	16.55	52.68
总计	12.16	13.74	19.04	56.58
西南				
国有	NA	8.15	9.42	—

（续）

地区和管理方式	林分（×10⁴km²）			变化率（%）
	1977～1981	1984～1988	1994～1998	
集体	NA	12. 24	17. 39	—
总计	23. 53	20. 39	26. 81	13. 94
中南				
国有	1. 78	2. 18	2. 55	43. 26
集体	10. 32	14. 92	22. 44	117. 44
总计	17. 35	17. 10	24. 99	44. 03
	(12. 10)①			(106. 53)①
华北平原				
国有	13. 26	13. 11	14. 18	6. 94
集体	1. 55	2. 13	3. 43	121. 29
总计	14. 83	15. 23	17. 61	18. 75
	(14. 81)①			(18. 91)①
全中国				
国有	NA	51. 01	62. 01	
			(57. 93)②	
集体	NA	48. 06	67. 19	
总计	98. 81	99. 07	129. 20	30. 76
			(125. 12)②	(26. 63)②

注：NA，表示资料不全。中国把它的森林资源分成"经济林"（比如橡胶，果树），"竹林"，"林分"。表中报告的价值是对应"林分"的数据

①中国第二次资源清查（1977～1981），几个较小省份的资料记入了总计中，但是没有分开记入国有和集体中去。在三大区中，总计行的第一个值来自于资源清查，圆括号中的值来自于该地区几个较大省份中国有和集体的总和。他们的差距就是每一个地区的较小省份的国有和集体的面积

②圆括号中的值是我们的区域资料的总和，较大的值是官方统计总和

资料来源：中国林业年鉴，1986

（三）改革的时间表

1978 年，中国的改革首先从农业开始，并逐渐扩展到农村的其他部门，然后再到城市经济。我们可以推测，改革对于森林和林业部门的影响，是由其他部门的改革引起的——部分源自林业内部响应外部门改革而对自身改革的渴望；部分源自其他部门改革和发展导致的对林产品需求的增加。因此，理清各部门（包括林业部门）改革的时间顺序是有必要的。书中各章节，既有对林业系统改革成效的描述，也有对林业部门在其他部门改革过程中所受到的影响的分析，这也是十分必要的。

改革在开始之后，就有这样的循环，即先是经济发展，然后是通货膨胀以及中央政府财政赤字，然后是紧缩，然后是另一轮的改革和发展。1978～1994

年，中国已经经历了三个这样的周期。

1978～1984 农业的改革包括两个基本要素：把原先由集体和生产队统一管理的产权下放给农民家庭；调高农产品的收购价格。这两个要素都提高了农户的生产积极性。尽管到1980年9月之前，中央政府一直都没有批准，但是基层农民对这两个要素的呼吁声是很高的。这两个要素最初只批准在贫困偏远地区试行，而后来之所以迅速蔓延，是因为这对农民和政府部门都具有吸引力。这两个阶层发现，伴随改革的进行，他们可以降低政府管理交易成本和风险，继而农业产量也得以增加。

产权制度的变迁开始于1978年的安徽省凤阳县，而在不同的县可能有不同的形式。最流行的形式，就是所谓的"家庭联产承包责任制"，即公社把所有的东西（诸如土地、牲口、工具、生产配额、税等等）都以契约的形式分派给公社的成员，土地和牲口的分配很大程度上是出于平均主义的思想。根据契约，农民必须以预定的统一收购价出售他们生产配额中的产品，而配额以外剩余的产品，则允许他们以市场价出售。这个契约体系在1981年之前发展得很缓慢，而到1982年底，迅速蔓延到了全国70%的农村公社。

市场机遇激励了生产，农民用较低质量的产品来应付生产配额，然后把较高质量的产品作为配额外的产品在市场上卖出。政府把收购价格不断提高，接近市场价格的水平，但政府剩余还是继续增加。

在1979年和1984年，收购价格迅速提高，同时中央政府开始出现预算和贸易赤字。1980年，通货膨胀达到了6%。总体经济状况促使政府和人们对改革进行了重新思考，政府部门减少了参与家庭承包责任制的家庭数目。但是，到1984年年底几乎所有的农业生产单位都实行了家庭联产承包制。强制性公粮以及对产品的价格双轨制体系最终在1985年被废除。随着经济发展，家庭开始有了积蓄并且能消费耐用性消费产品，但是农业投资却滞后了，尤其是灌溉。这种滞后是源于不确定性——通常是政策和管理的不确定，以及对于家庭承包责任制（尤其是其中的土地）持久性的怀疑（我们可以看到，这些不确定性对于林业来说也是一个重要的议题）。不过农业改革最初的效果，总体来讲是正效应，并且是显著的。在1978～1984年之间，土地的生产力增加了225%，农业劳动力的生产力增加了172%。

1985～1990 第二轮的改革开始于1985年。这阶段中国经历了另外一个循环，即在1987年信贷放开之前，1986年发生了通货膨胀和中央政府加强了对消费的控制。这一轮的改革支持了农村地区非农业企业的发展，扩大了城市工业部门和金融部门合同责任制的范围，中国领导人首次提出要在这一阶段建立市场经济。

中央政府继续推行对地区间劳动力流动的限制，这一个政策被描述为"离土不离乡"。这对农村非农业产业的发展并没有直接的激励作用，但是，却通过分散对非农业活动的管理以及把税收、投资决策、环境控制管理等等转移到农村而使地方企业的经营环境得到改善。分散化管理鼓励了地方企业根据其自身的比较优势进行多元化和专业化经营，并推动了地区间的相互依赖及市场关系。

在此期间，农业收入的提高使得家庭储蓄增加——当时的储蓄率是世界上最高的。高的家庭储蓄为地方投资提供了金融上的操作渠道，给当地企业提供了新的金融契机，这些企业就是所谓的乡镇企业。乡镇企业通过地方政府的扶持得到了发展。

乡镇企业经理人和当地政府之间的契约其实和农业中的家庭承包责任制很相似。个体企业主签订了固定的责任条款，他们的酬劳和他们的经营表现紧密相关，由经营所得的利润，往往要和当地政府分享。因此，当地政府就有动力来为这些企业提供更好的发展条件。不过这些刺激是有限的。当地政府并没有中央政府的金融资源，因此，他们会坚持紧缩财政预算。在当地政府的管理范围内，乡镇企业在 20 世纪 80 年代中期几乎完全是市场导向的。

非农业部门是随着 80 年代早期农业部门的扩张而同时扩张的。然后随着农业发展速度的降低，乡镇企业进入了高速发展期。中国的经济发展在 1986年有所放慢，这是因为中国在那段时间经历了另外一个通货膨胀之后，中央权力被重新加强。然而在 1978～1998 年的整个时期，农村非农业部门以超过20%的年均成长率发展，乡镇企业成了解决农村劳动力失业人口的一条出路，以年均 15%的速度吸收新的劳动力。乡镇企业的生产力迅猛发展，在农村生产总值中的比例从 1984 年的 26%跃升到 1992 年的 45%。在 80 年代增加的中国人均收入中，乡镇企业的贡献占了一半。

对于林业这个具有特殊意义的产业，木材加工业以及造纸业，往往坐落在农村，并且规模都很小。但是到 80 年代末期，所有的造纸企业中乡镇企业占了 90%。而且在这两个行业中，乡镇企业的发展速度远远快于传统大型国有企业。在 1978～1989 年之间，乡镇企业的生产力几乎翻了一番。

乡镇企业的成功发展也产生了一些新问题：一些企业的扩张速度大于市场的扩展速度；有些当地政府为了保护他们自己从这些企业盈利中分得的份额，在地区间的贸易上设置障碍；过度的生产导致对一些生产要素的过度使用，包括过度征占农业耕地和林地；另外，和其他早期工业发展的国家的情况一样，空气和水的污染增加。

收入的平均分配是从这时期开始发生改变的。通常来讲，农业收入的分配比非农业收入来得平均，并且波动也比诸如来自木材加工或者造纸业等非农业活动的收入来得小。因此，乡镇企业的发展加大了地区内的收入差距，进而通过跨地区的传播而造成地区间的收入不平等。那些有较好基础设施、较多资本、较好教育,并且接近城市以及能够进行国际贸易的地区,得以较快的发展。由此家庭收入、当地政府财政收入以及用于社会服务的预算,也会不同。几乎所有的家庭和乡村都得到了好处,但是得到的好处并不平均。

在此阶段,工业和金融部门的改革也十分强调"承包责任制"的变换。这个转变很大程度上是针对城市国有工业和金融部门进行的。中央政府允许国有企业经理人拥有对投入和产出的自主权。政府减少了在大部分国有企业中的决策权,但依旧保持了对大部分资本投资的决策控制。在这些企业的雇用上,仍然存在着"替职"制:也就说,职工的子女可以在同一个企业中接替父母的职位。尽管在人员雇用和固定资产投资上存在着这些制约,经理人还是最大限度地提高了投入的效率,国有企业生产部门生产力的年均成长速度超过15%。

1991~2000 这段时期的改革,继续把焦点集中在国有企业问题上,中央政府在企业中扮演的角色继续削弱。

从1991年开始,政府允许卖掉一些国有企业并允许一些国有企业倒闭。到1997年,小规模国有企业中有70%被私营化。从1995年开始,政府也允许经理人裁减多余的职工。到1998年为止,全体国有企业劳动者(700万人)中有1/5被裁减下岗。其中大部分要么在乡镇企业找到了新工作,要么依靠他们的福利维持生计。在此期间,政府自身也缩小规模,减低其在国有企业中的决策角色,简化税收体系,并把政府工作人员从800万削减到了400万。这个时期,大部分的零售价格都已经由市场来决定,管理自主权和生产力都得到了提升(工业部门在90年代初期的年均成长率为6%,但是在90年代末期,随着多余劳动力的释放以及东亚金融危机的发生,成长率略有下降[中国统计年鉴,2000])。

最后,政府开放了可贸易商品的市场。在1984年,政府开始允许企业保留部分在国际贸易中的利润。在1991年,废除了直接的出口补贴,并在1994年废除了中央管制的汇率。政府其实早在1979年就开始允许国内资本和国外资本联合投资,但是直到80年代末90年代初政府在沿海地区设立开放城市之后,这种契机才变得重要。

随着家庭收入持续增加,储蓄也随之增加,累计的储蓄率在1978年为GDP的6%,而1998年空前地达到GDP的62%。储蓄水平可以反映投资机会,或者说,反映了家庭为保障具有不确定性的未来生活所作的决策。这两种情况都显示了对未来投资和发展的一个大好时机。大部分家庭承包责任制的第一个十五年期合同都是在90年代中期或末期到期的。这些合同到期后,政府并没有改变政策,因此农村家庭对政府政策的稳定性有了更大的信心。那么是不是这些信心正是他们投资所需要的呢?时间会告诉我们答案。

　　尽管有上述这些改革措施，中央政府在经济体中还是扮演了一个主要参与者的角色。大多数大型企业还是国有的，而且有很多亏损的国有企业仍在维持运转。政府在其他方面的角色也是非常活跃，它积极寻求国际上对其贸易政策的认同，并且开始对环境保护有了一个很强的意识——讨论排污收费，排污权交易，甚至关闭一些不利于环境保护的企业，包括好几千家小型造纸厂。

三、林业部门的改革及章节安排

　　这一部分介绍了中国林业改革中最重要的一些改革，探讨了它们在整个中国改革大背景下的位置和作用，讨论了由这些改革所产生的一系列问题（附表1-A 按时间排列了中央政府一些重要的林业政策演变）。

　　三北防护林（也叫做绿色长城）工程是改革之初在林业方面第一个大型的政府项目。绿色长城是用于防治沙漠化和风蚀的人工造林计划。它于 1978 年开始实施，在整个改革开放期间持续进行，造林范围达到了 $400 \times 10^4 km^2$。这项工程 1980 年以后成为政府大力发展人工造林政策中的一个重要组成部分。

　　农业政策改革的成功为林业政策的改革和发展提供了最早期的借鉴和激励。开始于 1978 年的农业改革极大地促进了农业生产力的提高，而林业上，也有了两个直接的效果：

　　第一，对于一些农业家庭，一旦他们获得家庭承包责任制中对土地的权利之后，他们也投资种植树木。这个效果在以种植谷物为主的华北平原是很明显的。风沙是这个地区非常严重的一个问题，但是可以通过种植树林得到改善。历史上，林业在这个地区的地位很低，也没有受到政府的重视。

　　第二，靠林业生活的家庭看到了农业实行家庭承包责任制的成功，也纷纷要求在林业集体中拥有类似的权利。终于在 1981 年，政府对林业集体和家庭实行了一个类似于家庭承包责任制的改革，形成林业"三定"政策中第三个组成部分（稳定山权林权，划定自留山，落实林业生产责任制），并且在 1981～1985 年间，在南方集体林区得以实施。

　　在集体林区，参与林业生产责任制的家庭比例迅速攀升，到 1983 年已经达到了 55%。到 1984 年，大约有 $3000 \times 10^4 hm^2$ 的面积分配给大约 5700 万的家庭进行个体经营。1985 年，政府通过废除在采购、销售、原木分配上的国家垄断来放开集体林区的市场，那一年南方集体林区的原木价格上涨了 43%。

　　然而，改革的步伐和范围在各县之间还是存在差异的。很多地方林业部门对于家庭是否能在植树方面保持长期的责任心，是持怀疑态度的。随着 1986 年的通货膨胀以及改革措施的总体减缓，一些地方政府从家庭手中收回了一部分责任山。到 1988 年，集体林中只有 52% 的家庭还拥有这些权利。而在原木采购上，国家垄断也在 1987 年的南方集体林区中重新开始实行（在 1993 年，政府因为国家采购遭到批评而再次开放市场）。

本书接下来的两章，将要考察这些经验，同时也考察从中央政府到地方政府再到家庭的管理权下放过程中的一些特点。在第二章中，刘大昌和艾德蒙兹描述了早期集体林地产权在制度上的安排，以及土地管理权从中央到地方的转移过程。他们根据全国森林资源清查和对中国南部和西南地区 22 个乡村的研究，阐述了这些改变所产生的影响（受影响的森林中，70% 是在南部和西南地区）。刘大昌和艾德蒙兹的研究显示，改革的效果随时间的推移而变化。80 年代早期是乱砍滥伐，90 年代以后是造林和森林的增长。他们也描述了改革对不同家庭和地区的不同影响，以及林业部门中尚存的政策改革空间。

尽管林业部门也有放权的改革和森林面积与蓄积的增长，但林业投资的增长远不如农业领域。家庭现在有权决定承包地的生产，对生产性投入的管制也在 80 年代末基本解除。但是，地方林业主管部门仍然掌握着对采伐量以及林产品买卖的控制权。

刘大昌和艾德蒙兹指出，各级政府对木材征收各种各样的税费，这些税费在有些省份几乎占据了木材市场价值的一半。有关林业机构在 1985 年市场开放、木材价格上扬之后不久，就开始增加此类收费，这些机构将林业税费当成了一种创收的来源。从那个时候开始，税费的提高速度，远远高于木材价格。上述情况对中国的林业工作者来说已是司空见惯，在一些英文文献（比如 Bruce *et al.*，1995；Albers *et al.*，1998；尹，1998；李，1999；张，1999；陈等人，1999，2000；张，2001）中也都有描述。刘，萧 和 Landell-Mills 在第三章中就税费对林业的负面影响提供了详细的描述以及很多南方集体林区的例子，他们选取的例子是具有说服力的，因为南方集体林区是一个主要的商品林区，并且紧挨着华北—西北农林区（NNFFR）的东部。华北—西北农林区（NNF-FR）是另一个主要由农户家庭经营林业的地区之一。

这两章的第二部分继续讨论了林业投资，只是运用了比较多的分析理论。在第四章，尹润生对第二、三章中出现的三个问题用计量的方法进行了估计。在第五章，张道卫回顾了 1978 年以后国有的、外来的以及家庭的林业投资，拓展了已有的研究。

尹润生的章节最开始考察了第二章中提到的改革的两个中心特点，估计了承包责任制对家庭在木材产量和投资上的影响，然后进一步验证了不确定性政策环境对于森林和林地的影响。可以确信的是：改善后的土地使用权已经导致了森林投资的增加；当然也可以肯定，在实施了林业生产责任制的地方又收回一部分林农的责任山、承包山，造成了对于投资来讲的一个不确定性环境，也会对林业管理产生影响。尹润生通过对中国几个邻近地区的观察和比较，来研究这些不确定性的影响。在华北平原，对林业活动的管制比较少，农民根据市场信息去造林。在南部的一些地区，林业扮演着很重要的角色，政府政策存在相当的不稳定性。林农根据政策调整造林投资和采伐行为，产生了不利于林业长期发展的结果。

上面这些对于私人土地使用权改善的研究结果，响应了全球对森林权属下放问题，特别是国有林地向社区转让的关注。然而第二章的作者提醒我们，对于土地使用权的任何形式的转换都可能是复杂的，并且在发展出一套成功的地方管理形式之前，可能要经历很多的试验和修正。在第四章，尹的研究结果表明，个体私有权要优于社区集体权，至少在一些情况下是这样的。第二、三章中所有对于政策不确定性的发现都引出了一个议题。这个议题就是，虽然我们希望政策针对地区差异而具有灵活性，但是在国家范围内频繁的政策试验造成了不确定性，并且增加了一笔可观的环境和社会成本。这个议题在很多林业政策讨论中被忽略了，但是对于经济快速发展和政治变革的国家来说，是很重要的。

第二、三章的作者指出了沉重税费对中国林业所产生的抑制作用，也由此产生了尹润生的第三个问题：在存在如此沉重的税费和管制的情况下，如何解释集体所有林地的增加。尹润生的研究发现，至少在一个地区，刚刚获得短期家庭承包合同的贫困农民，能够认识到改善农业环境所带来的好处。北方种树的农民几乎很快就能获得抑制风沙和改善土壤条件——这些可以通过农业生产力的增加来反映。这些证据对于中国和其他国家的林业主管机构，对于那些怀疑农民种树意愿，认为只有通过公共行动才能获得环境效益的人，能起到一定的警醒作用。农民确实能够认识到改善环境的益处，也确实可以种树——至少在有些地区是这样。

在第五章，张道卫运用了全新的理论研究林业投资。他考察了4种林业投资者：农户家庭、政府、农民以外的私人投资者，以及外国投资者。他对每一个投资个体的激励机制和投资绩效进行了考察。他对农民家庭的研究提出了和前几章中一致的结论。张道卫最有意义的贡献在于，他发现了政府和非农业私人投资的模式。在过去的10年间，政府的资金大部分都集中于大型造林项目，对活立木蓄积量的增加贡献甚微。这与农民家庭的投资效果很不相同。第三类，非农业私人投资很小，但是发展很快。张道卫追踪了私人企业的投资报酬率，计算得到，他们的投资风险要比在其他生产部门的投资来得大。不确定性政策、高税收以及不可靠的产权都阻碍了进一步发展所需的投资——就像阻碍农民家庭投资的进一步发展一样。

张道卫也对未来作了思考。当经济全面发展但林业生产又没有显著增加时，建筑业及造纸业就会转而寻求其他的原材料来源，或者通过进口，或者通过替代材料。张道卫对这些替代资源以及他们对中国经济可能造成的影响作了预测。

迄今为止的各章节的重点是考察旨在推动农业或林业发展的政策。第三组的第六、七章对如下的观点做了检验:对于林业和林产品市场而言,林业部门之外的市场和政策,和林业政策本身一样重要。在第六章,Rozelle,黄季焜和Benziger 首先讨论了中国在 1978 和 1994 年之间地区森林资源的变化趋势,然后用一个包含了林业、农业市场和政策的经济模型,以及中国总体经济表现的模型来验证这个趋势。他们又对本书各章节中用到的中国的林业基本数据进行了讨论。

在第七章,张耀启,Uusivuori, Kuuluvainen 和 Kant 对海南岛森林状况的变化进行了评估。他们的分析在运用计量方法分析大市场和多部门政策的效果方面与第六章相辅相成。第七章的研究把人工林和天然林区别开来加以研究,得到了很有价值的结论。他们的分析相对于第六章而言,局限于一个较小的地理范围,但却获得了一个清晰的市场边界,因此研究结果也更加稳定。

第六、七章的作者总结认为:整个国民经济中的市场和政策因素是森林面积和蓄积量的很重要的决定因素。他们也强调了将人工林和天然林在研究中加以区分的重要性。这两类森林提供不同的森林资源服务,那些对一个森林有影响的市场或者政策,对另一个来讲,可能有不同的甚至是相反的影响。比如价格的上升,会因为砍伐增加而使天然林减少,但是价格的上升却能激励人工林的扩张。

这一发现对于中国有意义,对全球林业部门来讲,也同样有重要的意义。政策制定者必须首先确定需要先发展哪种森林服务,然后确定能够提供这种服务的森林资源类型,然后设计相应的政策去调节这种森林资源的生产。政策制定者还必须知道,林业部门外的市场和政策的溢出效应(spillover effect),经常会影响林业,并且对不同类型的森林有着不同的影响。如果分析人员以及政策制定者忽视了这些基本事实,是很容易发生判断上的和政策性的失误。

最后的章节介绍了两个新的议题:收入分配和环境。目前还没有太多的文献研究中国林业在这两个议题上所起的作用——或许是因为对于政策研究来讲,这是一个新领域。这两章简要介绍了这些议题中的一些重要内容。

从 1978 年开始,大部分中国家庭的收入都有了实质性的提高,但是省与省之间,甚至更大的地区与地区之间,家庭的收入不平均程度也增加了。很多农村家庭依旧处在贫困线。在 592 个官方确定的贫困县中,有 496 个是在山区。这些山区家庭财富最主要的来源就是林业。一个问题是,林业政策改革和林业的发展,是否可以改变这种现状? 这些改革措施是否帮助了这些最贫困的家庭并能缩小收入差距呢?

　　在第八章，Ruiz Pérez，Belcher，傅懋毅和杨校生研究了竹子的生产及发展对于各阶层和各地区收入发展的影响。就用途而言，竹子可能是中国最重要的林业产品之一（排在薪材和商品材之后）。竹子生产并不像商品性木材那样受到许多外部的政策限制，因此，在研究改革后林业部门的发展对家庭收入和地区总体发展的影响时，竹子是很具有代表性的。

　　Ruiz Pérez 和他的合作者对传统思维提出了挑战：是谁，从竹子的发展中获得了好处呢？如果很多人获得好处，那么，哪一个收入层次的人获得好处最多呢？林业是否总能使最穷的人收益呢？是来自森林的附加收入使他们受益，还是由于收入增加产生的多样化使当地家庭得到较大的收益呢？从地区经济发展的角度来看，林业在引领地区发展的过程中有何局限呢？这一章并没有去充分解决这些问题，因为虽然有广泛的资料，但是所涉及的研究对象不够广泛，只代表一种产品、一个地区。然而，分析还是有助于促使我们对各个地方的林业就这些关键的问题做出深入的探索。

　　森林环境问题是本书最后讨论的议题。一般来说，穷国家会依赖消耗自然资源来实现经济发展。不幸的是，结果往往是资源耗竭。不过，随着经济的发展，一些国家已经开始关注资源耗竭以及其他环境问题，而且也开始采取缓解措施。另外，经济发展可以为解决这些环境问题提供资金上的条件。

　　中国的环境问题尤其严重，但是中国已经开始着手解决其中的一些问题。附表1-A 中列出的一系列政策和目标，表明中国中央政府自 20 世纪 80 年代开始就已经逐渐注意到了森林管理中的环境问题，改善环境已经逐渐成为所有森林尤其是国有森林的核心职能。

附表1-A　中国林业政策改革历程（由张久荣、陈绪和整理）

日期	名　　称	发起者	主要目标/影响
1980-03	关于大力开展植树造林的指示	中共中央、国务院	加快绿化和全国性造林
1981-03	关于保护森林发展林业若干问题的决定	中共中央、国务院	林业"三定"。给 5700 万农户发放山林权证，涉及 $9700 \times 10^4 hm^2$ 山林（其中 $300 \times 10^4 hm^2$ 自留山）
1984-10	关于经济体制改革的决定	中共中央第 12 届三中全会	启动城市经济体制和国有企业改革
1985-01	中华人民共和国森林法	全国人大	正式确认国有林和集体林的划分、确立林业经营管理的目标、建立森林采伐限额制度和运输证制度
1985-01	进一步推动农村改革的十项措施	中共中央、国务院	取消木材统购统销、实行多渠道经营
1986-05	森林法实施细则	国务院	实施森林法、保护森林资源、发展林产工业

(续)

日期	名 称	发起者	主要目标/影响
1987-06	关于加强南方集体林区森林资源管理、坚决制止乱砍滥伐的指示	中共中央、国务院	制止南方集体林区乱砍滥伐、恢复国有林业部门一家收购
1988	国有企业承包经营责任制	国务院	控制森林资源消耗、提高企业效益、实施采伐限额、推动人工造林、开展多种经营、实施安全生产、加强森林保护和森林防火
1989-05	关于加强林木采伐许可证管理的通知	林业部	加强林木采伐限额制度
1993	关于建立社会主义市场经济体制的几个问题的决定	中共中央14届三中全会	加速市场体制改革、加速税收、财政金融、价格和外资体制方面的改革
1995	中国21世纪议程林业行动计划	林业部	对林业部门发展的不同方面提出总体思路
1995-01	关于实行使用林地许可证制度的通知	林业部	对所有林地实行确权发证、限制林地转移等等
1995-10	关于贯彻《中共中央、国务院关于加速科学技术进步的决定》的意见	林业部	确立科学技术进步指南、把科学技术进步作为林业发展的基础
1995-08	关于转换林业经济体制的指导意见	林业部	将林业企业引向市场、改善税收、加强基础设施建设、加强政府对林业的支持
1996-05	关于开展林业分类经营改革试点工作的通知	林业部	将森林划分为商品林、公益林和混和林进行分类经营管理
1996-09	关于国有林场深化改革加快发展若干问题的决定	林业部	强调了分类经营和产业结构调整
1998	全国生态建设规划	国务院	国有林管理的重点转向生态保护
1998-04	关于修改中华人民共和国森林法的决定	全国人大常委会	允许农村林地转让、延长使用权期限、稳定集体林区林地产权、突出林业的生态保护作用
1998-08	关于保护森林资源制止毁林开垦和乱占林地的通知	国务院	通过制止毁林开荒和乱占林地保护森林资源
1998-08	天然林资源保护工程	国务院	在长江上游和黄河中上游实施木材禁伐、在东北内蒙古地区实施减产,共削减木材产量 $1991 \times 10^4 \mathrm{m}^3$。建立 $1270 \times 10^4 \mathrm{hm}^2$ 人工林、安置74万剩余职工

　　在第九章,Sayer 和孙昌金这两位有经验的环境分析学家,讨论了环境这个主题。有关中国森林环境评估的资料非常稀缺。Sayer 和孙昌金先做了总体回顾,然后集中讨论了一个代表性的指标——生物多样性的损失。中国巨大的原始森林面积使得中国可能是全世界生物物种最多的国家之一,然而森林资源的耗竭也意味着物种消失的程度很严重。Sayer 和孙昌金重新强调要把天然林

和人工林分开研究的观点。人工林支持了部分的环境服务并且在控制风沙中扮演了一个重要的角色，但是对于保护濒临危险的生存环境以及物种多样性来说，天然林显然更为重要。

中央政府已经把环境问题列为 21 世纪的核心政策议题，并且开始对污染工业采取环境管制。在强调森林环境重要性的同时，Sayer 和孙昌金强调了每一个森林环境问题的自然机理。那些认为只要增加森林面积或保护天然林就可以解决所有森林问题的想法，是不充分的。这个指导思想和 Rozelle 等人在第 6 章和张耀启等人在第 7 章中的发现是完全一致的。他们在第六章和第七章的研究发现认为，人工林和天然林提供的资源服务不同，对于市场和政策激励机制的回应也不同。毫无疑问，某些森林栖息地远比其他森林栖息地重要，植树造林可以解决一些环境问题，森林环境的问题也确实如 Sayer 和孙昌金在第九章中表述的那样复杂和宽泛，并且，这些问题及它们的解决办法和森林环境一样的复杂。为了准确地把握问题并找出最佳的解决方案，我们需要更好的数据和更加透彻的分析。

本书最后一章回顾了前几章实证研究的发现，总结了他们对中国的观察结果，并在全球林业政策的背景下对这些观察结果作了解释。决定和赋予土地产权的制度框架是中国经验的一大主题，也是本书的主题之一。其他部门的政策改革和国民经济增长对林业的溢出效应是本书的另一个重要议题。

第十章也探讨了那些在其他各章的分析中出现的新问题，以及在 21 世纪才变得至关重要的一些新问题。我们意识到了收入分配和环境的重要性，并且也知道，在思考森林的作用时，必须小心谨慎。

森林的环境问题是相当复杂的，比如，纸浆和造纸业的排污，占了中国工业污水总排放量的 10% 以及化学需氧量的 1/4。目前造纸工业的原料中，农作物剩余物和木材的比率是 3:1。但是造纸工业如果全部用木材作原料的话，对环境的破坏要小很多。那么，是不是提高木材原料的使用比率就会好一点呢——尽管中国的森林会进一步退化？另外，木材使用量的提高会增加进口，从而给其他国家带来资源退化，这样做是不是一个严重问题呢？另外一个例子是，中国新的天然林保护工程（NFPP），是为了恢复上游环境以及防止下游水土流失和洪水，那么这样的预期目标合理吗？天然林资源保护工程（NFPP）给那些出现财务危机的林业部门提供补偿，并对林业工人提供援助，以使他们能顺利把职能重点转移到森林的生态功能上去。那么，对于这些行动的预期目标是什么呢？其中多少援助是必要的，最后又能有什么样的效果呢？

最后一个议题是土地产权问题。这个议题既与分配问题有关，又与效率问题有关。在本书中作为例子的有些地区，土地使用权已经重新进行了分配。土地产权的分配一般兼顾了当地需要和户际公平。效果是可以预测的，但是这些效果在国外文献中很大程度上被忽略了。对家庭采伐和出售林木的限制、高额的林业税费，限制了农民经营林业的积极性。中央政府对此已有认识。但是，未来中国林业的发展是走向依赖进口，还是替代产品，还是扩大本国森林的道路，在很大程度上将取决于地方主管部门的行为。

参考文献

Albers, Heidi J, Scott D Rozelle, and Li Guo. 1998. China's Forests under Economic Reform: Timber Supplies, Environmental Protection, and Rural Resource Access. *Contem – porary Economic Policy* 16: 22 – 33

Bruce J W, S Rudrappa, and L Zongmin. 1995. Experimenting with Approaches to Common Property Forestry in China. *Unasylva* 46 (180): 44 – 48

Chai, Joseph. 1997. *China: Transition to a Market Economy.* Oxford, U. K.: Oxford University Press

Chai, Joseph C H, and Karin B Chai. 1994. Economic Reforms and Inequality in China. *Revista Internationale di Scienze Economiche e Commerciali* 41 (8): 675 – 696

Chen, Shaohua, Gaurav Datt, and Martin Ravallion. 1995. *Is Poverty Increasing in the Developing World?* (Data appendix, updated version). Policy Research Department, The World Bank. 40: 359 – 376

Chen, Xie, Guoqiang Feng, and Xianbo Wu. 1999. Investigation and Study on Forestry Taxation and Charge-Based on Hunan Province. *Forestry Economics* (China) 6: 26 – 35

Chen, Xie, Guoqiang Feng, and Xianbo Wu. 2000. Investigation and Study on Forestry Taxation and Charge-Based on Hunan Province. *Forestry Economics* (China) 1: 21 – 28

Chen Y. 1999. Decentralization in China: Background, Current Situation, and Its Impact on Economic Development. In *Social Sciences: Chinese Academy of Social Sciences Forum.* Beijing: China Social Sciences Publishing House, 47 – 58

China Forestry Development Report. 2000. [in Chinese] Beijing: China Forestry Publishing House.

China Forestry Yearbook. 1986. [in Chinese]. Beijing: China Forestry Publishing House

China Statistical Yearbook. 2000. [in Chinese]. Beijing: China Statistical Press

Du Y. 1999. Transition of the State-Owned Enterprise System. In *Social Sciences: Chinese Academy of Social Sciences Forum.* Beijing: China Social Sciences Publishing House, 38 – 46

Ho S. 1994. *Rural China in Transition.* Oxford, U. K.: Oxford University Press

Li Mingfeng. 1999. Problems and Reform Recommendations of the Forestry Taxation and Charges in Guangxi Autonomous Region. *Forestry Economics* (China) 1: 56 – 63

Linge G. (ed.). 1997. *China's New Spatial Economy: Heading Toward* 2000. Oxford, U. K.: Oxford University Press

Lu X Y. 1986. *Research on Responsibility Systems.* Shanghai, China: People's Press of China

Qian Y. 2000. The Institutional Foundations of China's Market Transition. In *Annual World Bank*

Conference on Development Economics 1999. Washington, DC: World Bank, 377 – 398

Richardson, S. D. 1990. *Forests and Forestry in China.* Washington, DC: Island Press

Wang S, and J C van Kooten. 2001. Forest Policy in Post – 1978 China: A Mosaic in Transformation. Paper presented at the Symposium on Policies Affecting China's Forestry Sector, Dujiangmin, June 20 – 23, 2001

Yin Runsheng, 1998. Forestry and the Environment in China: The Current Situation and Strategic Choices. *World Development* 26 (12): 2153 – 2167

Zhang J and Xuhe Chen. 2001. Review and Prospects of China's Forestry Reform. Paper presented at the Symposium on Policies Affecting China's Forestry Sector, Dujiangmin, June 20 – 23

Zhang Xiaojing. 1999. The Forestry Taxation and Charges Issue in the Collective Forestry Area of Fujian and Jiangxi Provinces. *Forestry Economics* (China) 6: 36 – 45

Zhang Yaoqi. 2001. Economic Transition and Forestry Development: The Case of China. Ph. D. thesis. Helsinki, Finland: University of Helsinki, Department of Forest Economics

第二章　扩大中国南方地方森林管理手段的改革

刘大昌，David Edmunds

至少自20世纪70年代以来，许多国家都在试验把森林管理的责任和权力移交给地方政府、私营企业、社区组织和农户的机制（Rondinelli，1981；Rondinelli *et al.*，1989；Manor，1999；Agarwall and Ribot，2000）。在这一方面，也许没有任何国家的步伐像中国那样令人印象深刻。

中国于20世纪80年代初发起了一系列政策改革。这些全国性的改革对林业的管理、市场、投资，对集体林的权属都产生了深远的影响。这些改革涉及中央政府将权利下放给地方政府，使县、乡和行政村在执行上级指示之外拥有更多的决策权。这些改革也将一些森林资源移交给农户，授予农户更多管理决策的权利。当时主要的林业政策改革内容包括稳定山林权、划定自留山、确定集体山林管理责任制（简称"林业三定"）。又因为当时林业改革的两项重要内容是划定自留山和责任山，很多地方和林业文献将它叫做"两山到户"。

很多人对这些改革作了研究（如，Menzies and Peluso，1991；Sun，1992；Bruce *et al.*，1995；Albers *et al.*，1998；Yin and Newman，1997；Song *et al.*，1997；Zhang *et al.*，2000）。本章的目的是总结这些研究获得的重要结论，并讨论作者参与在湖南、贵州、云南省15个村进行的林业三定研究以及在广西、湖南、云南、浙江7个村进行的"林地退化和退化林地恢复"研究的相关结果（Liu *et al.*，2002）。本章讨论的地理范围集中在南方集体林区（安徽、福建、广东、广西、贵州、海南、湖北、湖南、江西、浙江）和西南两省（云南和四川），这两个地区代表了70%中国集体林（中国林业年鉴，1990）。本章使用的数据来自官方的森林资源清查、作者的研究项目、与当地农户、干部的座谈和调查，以及地方林业志的记载。

本章试图回顾林业三定改革的体制成分以及林业三定以来森林面积、蓄积和林分结构等方面的变化。但分析集中在仍然存在的木材、森林的环境效益，对林业的长期投资，以及农村贫富差距增加等问题。作者主要从资源权属、林产品（特别是木材）收获和销售法规、当地从事森林资源管理的能力、政府的作用，以及林业三定政策贯彻实施等方面展开讨论。

本章分 4 节。第一节概述林业三定的体制环境；第二节从森林蓄积、人工林面积、林分质量以及人民福利方面探讨林业三定（森林管理权力和责任移交）政策的效果；第三节分析和解释这些政策成效，即为什么这些政策有积极的效果，也有当时未预料的结果；最后一节提出结论和一些建议。

一、林业三定：集体林管理权下放

1981 年前，中国的森林分为国有林和集体林两大范畴。虽然过去的集体林现在已发展为几个不同的类别，但官方统计目前仍分为国有林和集体林。就全国来说，集体林占全部森林面积的 61%；西南两省集体林面积比例更高，占 64%；而南方集体林区集体林面积比例则高达 92%（中国林业年鉴，1990）。这两个地区集体林的高比例对依赖森林的当地群众，对森林资源管理本身都有意义。

中国于 1981 年开始试验集体林管理的新方法。新方法在林地和资源权属方面基本上仿效农业联产承包责任制的做法，采用 3 种管理形式：自留山、责任山和集体管理（中共中央国务院，1980、1981）。部分集体林仍实行集体管理，但管理方式上有所变化。表 2-1 概括了这 3 种管理形式各自的权属特征、土地类别、地理范围、各种管理形式的面积变化趋势。据记载，到 1987 年，安徽、福建、贵州、湖北、湖南、云南、浙江、河南等八省，70% 的集体林由农户管理（中国林业年鉴，1989）。

表 2-1　集体林权属和管理形式

	权属	林地类别	林业生产和管理的主要决策者	地理范围	面积变化趋势
自留山	林地所有权属集体，但使用权分给农户；自留山上所造的林木为农户的财产	荒山和灌木林	农户决定造林树种以及经济林产品的采集和销售	全国	1980～1987 年面积扩大，1987 年后稳定
责任山	林地和林木均属集体	森林	村集体与农户共同决策	全国	1984～1990 年下降，1990 年后稳定
集体管理（包括集体林场）	集体所有	森林	村委会，但村民参与有限的管理	全国大多数地区	1987～1990 年扩大，1990 年后稳定
股份合作制	林地属集体所有，虽然名称本身意味着林木属家庭所有，但未明确	森林	村领导和其他股份持有者代表组成的董事会	福建、贵州	稳定

(一) 自留山

集体将其所有的荒山和灌木林分配给农户作为自留山,用于植树造林。林地所有权仍属集体,但农户在一定时期内享有使用权,所种的树木属其所有。农户可选择造林树种,作管理决策,以及采集非木质林产品。

在当时,土地使用权不允许转让。然而,农户于90年代初开始以租赁的方式转让他们的土地使用权,1998年修订的《森林法》使这种交易合法化。而木材采伐和交易的管理即使是1998年后仍很严格,采伐和运输前必须获得采伐证和木材准运证;木材的税费仍很重。

截至1984年底,全国范围的自留山划分结束,$3130 \times 10^4 hm^2$ 或稍多于1%的林业用地被分给5700万户农户作自留山。也就是说,平均每户获得约$0.5 hm^2$ 自留山。由于南方和西南各省(自治区)将部分或全部责任山并入自留山,自留山面积在接下来的几年内有所扩大(中国林业年鉴,1987)。1987年以来,自留山的面积相对稳定。在作者进行林业三定研究的15个村中,1999年时,14个村保留了自留山,仅有1个村将自留山收归集体管理。

(二) 责任山

集体也将部分或全部森林分给农户或联户承包管理以改善现有森林的管护,这样划分的森林叫责任山。与自留山相似,集体拥有责任山的所有权,但它以不同的承包年限(5年、10年或15年)将管理和生产责任交给农户。农户无权转让土地和树木,他们对森林的采伐和销售的权力也十分有限。农户和村集体根据双方协议分享从责任山获得的收入。协议因地区而异,因划分责任山时森林的成熟度和可及度不同而不同。例如,云南省怒江州规定,从易采伐运输的责任山获得的收入,承包农户可得20%;但从不易采伐和运输的责任山获得的收入,农户可得60%~80%(怒江州林业局,1996)。

有的省份在划分责任山后,很快将它与自留山归并,即"两山并一山"(湖北林业志编辑部,1989;贵州林业志编辑部,1994)。另一方面,在两山划分时和划分后,乱砍滥伐现象严重,大量的森林退化。当地林业干部和其他人把这种现象归咎于森林分户管理政策,取消了责任山承包协议,将承包山恢复为集体管理。例如,湖南省绥宁县、云南省丽江县文海村、云南省峨山县都以这一理由将责任山收归集体管理(李文红,1995;绥宁县志编辑部,1997)。因此,责任山的面积有所下降。

尽管责任山总面积减少,但它仍是许多省和县的重要森林管理形式。没有全国或各省的责任山占总林地面积的记载,但在作者进行"林地退化和退化林地恢复"研究的村获得的数据显示,90年代末责任山占当地林地总面积的

36% ~ 60%。

（三）集体管理

尽管分户管理（自留山、责任山）成为重要的森林管理形式，但集体管理仍然重要。在偏僻的、当地人对森林依赖大的地方，如云南、贵州和湖南省的偏僻山区①，集体管理的作用似乎更大。例如，在作者进行林业三定研究的 15 个村中，村集体仍管理 20% ~ 50% 森林。集体管理的大部分是天然林，它们的经济价值不是很高，管理他们的主要目的是生态效益。

现代的森林集体管理与 60 年代和 70 年代的集体管理不同。首先，村民可对森林管理和林业收入分配提出意见，参与决策，许多决策通过公开讨论而做出②。他们也可对已做的决策提出批评和修改，有时甚至是通过表决的方式进行。从集体管理的森林所得的收入用于改善社区基础设施或社区服务如乡村教师的工资，通常也分配一小部分给农户。另一不同点是，在一些地区，如福建三明和贵州锦屏，集体将森林以"分利不分林"的股份形式分给农户（Sun，1992；Song et al., 1997；Liu，2001）。有人认为，集体仍然管理林地，因此这种股份形式与 60 ~ 70 年代的集体管理没有什么区别（Sun，1992；Yin，1998）。然而，这种股份制形式的集体管理至少使村民（以董事会的形式）能参与一定程度的管理决策。

二、林业三定政策的成效

林业三定政策效果如何？从森林蓄积、人工林面积、林分质量、社会效果方面来看，林业三定政策有积极的成效，但也有预料不到的、不如意的结果。本节从这些方面逐一讨论林业三定政策的成效。

（一）森林蓄积减少

林业三定后，责任山和集体管理的森林活立木蓄积迅速下降③。南方集体林区 10 省中的 8 个省，集体林蓄积从 1977 ~ 1981 森林资源清查期的 94 400 ×

---

①　Liu et al. 1998 讨论了中国农业改革的不同形式。他们指出，彻底的变革和私人权属出现于外出就业机会较多、土地丰富、粮食征购任务小的地方。在后一种情况下，政府较少担心彻底变革对国家粮食供应的影响

②　欲了解关于中国村级民主的讨论，见 O'Brien and Li 2000，Pastor and Tan 2000，Oi and Rozelle 2000

③　三种形式的集体林地仍然是集体财产，在国家森林资源清查中仍合称为"集体林"。这产生了名称或术语方面的问题，因为三者中，只有"集体管理"范畴的森林仍属村集体所有和由村集体管理。在本章中，我们将这三种形式共同称为"非国有林"以明确管理责任和澄清何谓三者之和

$10^4 m^3$ 降到 1984 ~ 1988 森林资源清查期的 81 200 × $10^4 m^3$（中国林业年鉴，1990，林业部，1996）[1]。由于缺乏数据，无法对云南、四川两省以及全国同期的集体林蓄积变化进行比较。但大多数人相信，同期内全国和这两个省的集体林蓄积呈同样下降的趋势。

作者从 15 个村的研究获得的数据与官方的森林资源清查数据一致。例如，湖南省绥宁县，划分两山后乱砍滥伐十分严重，以至当地政府在 1987 年将 4 年前承包给农户管理的责任山收归集体管理。1987 年以来，该县的绝大部分集体林一直实行集体管理（绥宁县志编辑部，1997）。与其他地方一样，云南省元谋县老范村在 80 年代初林业三定后也出现了严重的乱砍滥伐。农业家庭联产承包导致当地集体林管理体系的瓦解。村里大部分 20 多年生的桉树林都被村民砍掉。该村采取了与绥宁县完全不同的措施：村集体于 1983 年将剩下的树木全部卖给农户。现在，那些树木基本上已不存在，但一些村民在他们管理的土地上重新种了一些树。事实上，在作者进行研究的所有村里，林业三定后都发生了乱砍滥伐。由此导致的森林蓄积下降到 80 年代末才通过造林和更新得到逆转。

（二）人工林面积

80 年代早期和中期的乱砍滥伐导致森林蓄积迅速下降之后，在 80 年代后期出现了人工林适度增长。官方的森林资源清查结果和作者从研究点的调查获得的数据均支持这一论点。南方集体林区集体人工林面积从 1984 ~ 1988 年森林资源清查期的 680 × $10^4 hm^2$ 上升到 1988 ~ 1993 年森林资源清查期的 870 × $10^4 hm^2$，同期云南和四川的集体人工林面积从 130 × $10^4 hm^2$ 上升到 175 × $10^4 hm^2$（中国林业年鉴，1990、1995）。两个地区的集体人工林面积年增长率约为 6%，几乎是同期国有人工林增长率的 2 倍。

表 2-2　几个研究点森林面积变化

研究点	森林面积（hm^2）	森林面积（hm^2）	增长%
贵州锦屏县地茶村	504（1983）	1621（1995）	+222[1]
贵州荔波县大土村水维村	152（1984）	1064（1994）	+600[2]
湖南绥宁县	164 418（1983）	179 707（1990）	+9[1]

注释：括号内为年份
① 主要通过人工造林使森林面积增加
② 全为人工林增长
资料来源：外业调查所得

---

① 缺广西和贵州的集体林活立木蓄积量的资料，但两省的蓄积量较其他南方省份小

表 2-2 表明作者研究点 1983～1995 年期间天然林与人工林总面积的历史变化。尽管造林树种不一样，但几乎所有这些村在 80 年代后期都造了林，大多数村的森林覆盖率显著增长。

（三）林分质量

乱砍滥伐和植树造林的过程不可避免地对单位面积蓄积量、林分组成、每块林地面积、农户拥有或管理的林地数量都有重要的影响。

单位面积蓄积量：大规模乱砍滥伐使得成熟林面积下降或荡然无存，仅剩幼林。没有成熟林，村民采取择伐或"拔大毛"的方式从中幼林里采伐以满足木材需求。这种采伐方式使森林进一步退化。

南方集体林区 1984～1988 森林资源清查期集体林蓄积为平均 $40m^3/hm^2$，云南和四川 $75m^3/hm^2$。这一蓄积量既低于它们 1978～1984 年森林资源清查期的单位蓄积量，也低于同期国有林的单位蓄积量（1984～1988 森林资源清查期南方集体林区国有林蓄积量为 $70m^3/hm^2$，云南和四川为 $197m^3/hm^2$。国有林蓄积呈上升趋势）。集体林蓄积在 1989～1993 森林资源清查期继续下降，蓄积增加仅限于幼龄人工林缓慢增长（中国林业年鉴，1990、1995）。

作者从研究点观察到的趋势与上述相似。浙江省临安县高虹乡的成熟林全部被采伐，该乡上峰村幼龄林活立木蓄积量非常低，仅为 $14m^3/hm^2$；陈家坎村为 $21m^3/hm^2$；虹桥村 $24m^3/hm^2$。当地农民认为，2000 年的活立木蓄积量仅是 80 年代初期的一半或更低。贵州省锦屏县地茶村集体林活立木蓄积从 1983 年的 $42m^3/hm^2$ 降到 1995 年的 $31m^3/hm^2$。

林分的树种组成：林分质量的第二方面是人工纯林的增长。天然混交林被采伐后，人工林取而代之。浙江省临安县高虹乡的新造人工林主要为马尾松、杉木或竹类。湖南会同县，人工杉木和非木质林产品树种如各种果树和竹类代替了混交林。杉木纯林在贵州锦屏十分普遍。当农民选择造林树种时，他们首先考虑当地需求，很少考虑森林为国家提供的环境效益。因此，人工林的环境效益小于原始天然林，缺乏生物多样性。

林地碎化：林分质量的第三方面是林地碎化的问题。尽管在全国各地，当地政府和集体在分配农业承包地做法不完全一样，但许多地方都将耕地按土地生产力分成许多小块，好坏搭配，分给农户。这种分配方法导致农业承包地分散（Chai，1997；Liu *et al.*，1998）。

集体林地分配采用与农业承包地分配相似的方式。首先将林地按树种、林龄、林分密度、立地条件、离村庄远近等分成许多小块，然后将这些小片林地按好坏搭配分给农户（Sun，1992；Liu，2001）。结果，每户获得多块面积很小且又分散在不同地段和不同坡面上的林地。而同一山上或同一坡面的林地分给许多农户。这种分配方式导致了林地碎化，即所谓的"一山多户，一户多山"。南方集体林区和云南、四川两省每户管理的自留山和责任山面积平均仅为 1 ~ 2hm²，分为 4 ~ 5 片。又如，1999 年时，贵州省寨早乡户均有 14 片林地，但总面积仅 4.2hm²。该乡面积最大的一片林地为 2.3hm²，最小的仅为 0.06hm²。同年，云南省景谷县益香村将 45hm² 林地划分为 169 片后分给农户，每片平均 0.28hm²。

这种好坏搭配分配林地的目的是保证农户之间的平等，但林地的破碎增加了每户管理资源的投入。林地小也产生了地界确定、森林管护和其他经营活动的困难，降低了成本效益。自从两山到户以来，每户需派一人照管其林地，而在集体管理的时候，只需一两名护林员巡护山林。云南楚雄县的一些农户（特别是劳力较少的农户）说，防林火防盗伐对他们是个很大的负担。

林地碎化，再加上地界不清，使问题更加糟糕。这是 80 年代上半期划分自留山和责任山时遗留的问题，至今仍是许多边界冲突的根源。

（四）人民福利和环境效益

林业三定政策的另一结果是增加了农户的物质财富，间接地改变了森林为当地社区提供的环境效益。

收入：尽管全国范围的收入巨大增长，1988 ~ 1995 年期间西部地区（甘肃、贵州、宁夏、青海、陕西、四川、西藏、新疆、云南）的农村贫困实际也在增加。山区和少数民族地区的贫困也在增加（Gustafsson and Zhong, 2000）。这些特殊的地理和民族差异在很大程度上就在西南地区，也见于南方集体林区，这至少表明，林业三定政策对缓解农村贫困的作用不很明显。

尽管如此，人工林面积的增加代表了当地社区和农户财富的增加，扩大了他们的收入来源。作者进行研究的村社都记载了竹林、橡胶、果树、松香收入的显著增长。Yeh（2000）报道，农民从松茸采集每人每季可获得 2000 ~ 3000 元（250 ~ 350 美元），有时可达每户 50 000 ~ 60 000 元（6000 ~ 7000 美元）收入，或者人均 10 000 元。

木材收入村与村差距极大，但在大多数地方，木材收入仍十分有限。集体人工用材林面积虽增加，但大多数为疏林或幼龄林。这些森林还需过些年才能为农户产生客观的收入。然而，有的农户已能用他们的幼龄林获得更多的收入机会。他们通过非定期采伐来满足将来的需求保障，以及灵活地对市场信号做出反应。此外，1993 年以来，村社和农民获准用他们的人工林做贷款抵押。

贵州荔波县大土村是个好例子。该村村民除了共同拥有天然林，每户还造了约 10hm² 价值很高的杉木林。有一农户有 20hm² 人工林，8 年生，价值 500 000元（60 000 美元）。另两名农民共同造林 23hm²，价值达 743 000 元

（90 000 美元）。大土村农民用人工林作抵押从银行贷款发展畜牧业和运输业。村集体也用集体人工林抵押从银行贷款修建小学校。

环境效益：很难直观地从森林环境效益方面来看林业三定政策的结果。一般来讲，在过去裸露的荒山上营造的人工林有助于改善生态效益，但天然林的减少又使环境效益下降。

作者的研究表明，在一些少数民族地区，例如贵州的苗族，增加当地森林管理权有助于提高环境效益。云南南部少数民族地区也有社区水域保护优先于森林收入的传统。在本书第四章里，尹润生将讨论实行农业联产承包责任制后华北平原的农民积极植树造林保护农地免受风害。

另一方面，Albers *et al.* （1998），Rozelle *et al.* （本书第六章）和 Sayer and Sun（本书第九章）指出：活立木蓄积量的下降及天然林减少加上大量人工纯林意味着中国森林提供生物多样性、天然生境、休闲、抵御病虫害、吸收二氧化碳的能力也下降。

三、林业三定政策效果的深层原因

本节探讨林业三定政策产生预期效果和未能达到预期效果的深层原因。检查的关键因素包括农户权属稳定性；木材采伐运输管理法规，税收，森林资源有效利用的市场障碍；当地森林管理能力；政府的作用；林业三定政策执行中的问题。

（一）权属不稳

权属不稳或多变是农民在 80 年代初林业三定期间和之后一段时间内大肆乱砍滥伐的原因，也部分地解释了他们不愿投资保护森林和植树造林的原因（Sun，1992；Bruce *et al.*，1995；Albers *et al.*，1998）。

权属不稳的根源有三。最明显的根源是土地使用期限短。第一次农地承包期为 15 年，短且不说，它还遭当地干部的主观想像的解释和调整。对许多农业投资而言，15 年显然太短。Feder 等（1992）表明，承包期短解释了 80 年代出现的农业水利设施恶化的原因。

就林业而言，三定政策规定自留山分给农户长期使用，但未明确具体年限。责任山承包期为 5 年、10 年或 15 年。这些承包期对大多数用材树种和林业生产来说显然太短，它们也解释了为什么农民对非木质林产品如竹类和生产可早期收获的非木质林产品的用材树种如桉树如此热心（桉树叶用于生产药用油）。

根源之二是当地政府通常实施的"不用或不按规定用途使用即收回"的农

地使用政策。当林地分给农户时,也有类似限制(Liu *et al.*,1998)。当农户不愿或无力在自留山上植树造林时,村集体有权收回他们的自留山。村集体有时将收回的林地作为集体林,有时将其重新分配给其他人。例如,在云南耿马、楚雄和云南其他地区以及南方集体林区的某些省份,90年代中期,当地政府确定和收回了80年代初期分给农户但未造林的林地,再将其租赁给其他个人和单位。一般来说,土地使用指导方针越严格,权属就越不稳,农户就越有可能只采不造,或乱砍滥伐而不造林和不管理。政府收回未造林林地的预言就会变为现实。

根原之三是权属政策多变。政策多变使农户对政策(即使是好政策)也很警惕。80年代初期前的30年间,中国的森林权属,特别是私有树木的权属经常变化,使农户得出结论,"应当在拥有的时候用掉它们"。那期间全国性几次主要的树木权属变化为:

(1)1956年,所有农民加入高级农业合作社,私有的森林变成高级社的财产,但社员房前屋后的树木仍归农户所有;

(2)1958年,人民公社成立,社员房前屋后的树木也收归公社;

(3)1961~1962年,收归人民公社的社员房前屋后的树木归还社员个人;

(4)1966年开始的文化大革命到1980年期间,在许多地方,社员房前屋后的树木再次被收归公社所有。

这种经常的政策变化使农户怀疑任何政策的长期性,使它们有理由在政策改变前只要有机会就采伐的做法。政策多变也大大挫伤了农户保护森林和林木或采伐后再造林的积极性,因为他们怀疑他们的投资是否会有回报。

最近农户参与森林管理和造林的增加,表明了农户对森林权属信心的改善。林业三定以来,主要的农户森林权属政策未出现大的变动,农地和林地在第一次承包期满后再次得以续包。最近几项政策调整进一步加强了农户权属和调动了农户积极性。随着投资信心的增加,森林管理和保护得到加强,森林蓄积量增加。南方集体林区活立木蓄积量从1984~1988森林资源清查期的1081 $\times 10^4 m^3$ 增加到1989~1993森林资源清查期的1136 $\times 10^4 m^3$,同期云南和四川省的活立木蓄积量从778 $\times 10^4 m^3$ 增加到840 $\times 10^4 m^3$。

允许出售活立木的政策调动了农户管理用材林的积极性和改善了森林权属。活立木转让政策首先于80年代中期出现于贵州的一些地区,稍后贵州的其他一些地区、云南、福建也允许农户转让活立木。1998年修订的《森林法》从法律上在全国范围内确定了活立木转让的合法性。只要有买主,农民有权自由转让他们的林木以换取收入。这一激励机制的效果只有通过今后全国森林资源清查数据来证明,但各地已有一些证据。例如,贵州荔波县大土村,90年代初期植树造林和森林保护的积极性显著增加。由于活立木转让政策的实施,云南省师宗县人工林面积 1993 年以来也有增长。

然而，尽管这些农户森林权属有所改善，但仍然有许多权属不稳定的因素。1998 年开始实施的长江和黄河中上游天然林保护工程可作为一个例子。天然林禁伐有利于防止水土流失和下游泥沙沉积，但它肯定减少了农户的权属稳定和它们的造林积极性。1984～1988 和 1989～1993 两次森林资源清查期的集体林蓄积量增长表明，农民的确对改善的权属和政策环境做出相应的反应并十分警惕。他们的积极反应来得慢但去得快。这一经验的宝贵启示是，在制定和实施新政策之前，决策者必须考虑该项政策对农民信心的影响。

（二）税费、木材采伐运输规定、林产品销售障碍

投资回报率低是农户不愿造林的另一原因（Bruce *et al.*，1995；Albers *et al.*，1998；Yin，1998；Zhang *et al.*，2000）。本书第三章更详细地讨论这一问题。投资商品材的回报率特别低。政府部门以各种税费的形式拿走木材销售价的 50% 或 50% 以上，采伐、加工和运输成本占大约 20%。农户或集体的毛收入约为销售价的 30%。扣除造林、抚育、管护的成本后，农户或集体从木材生产中得到的收益极少。

表 2-3 显示几个地方木材收入分配数据。1999 年，江西吉安县收取的各种税费占木材销售价的 77%，集体或农户的收入低于 35%。湖南省绥宁县的林产品税费格局鼓励农民种竹而不是用材林。竹产品税费低，农户获得产品收入的大部分。浙江省临安县情况亦十分相似，当地农户集中从事食用竹笋生产。其他地方的农户也更喜欢种非木质林产品如果树、橡胶及其他，因同样原因而不喜欢用材树种。1989～1993 森林资源清查期，南方集体林区和云南、四川两省，经济林占人工集体林的 36%。

表 2-3 木材收益分配（%）

调查点	税收	费	采伐加工运输成本	农户或集体收入	合计	年份
贵州锦屏县地茶村	51[1]	—	16	33	100	1998
湖南省绥宁县田堂村	33	18	15	34	100	1998
湖南省方团	49[1]	—	21	30	100	1998
福建省将乐县	77[1]	—		23[2]	100	1998
江西省靖安县[3]	60[1]	—	—	40[2]	100	1998
浙江省临安县虹桥村	49[1]	—	—	51[2]	100	1997

[1] 税费之和

[2] 运输成本与集体或农户收入

[3] 竹材

资料来源：作者外业资料（1998～1999）；国家林业局木材税费调查组（1999），Zhang（1999）

各种非货币因素也使农户不愿经营用材林。采伐限额和采伐证、加工和运输许可制约了各种木材产品的采伐。采伐限额少,不能获得采伐证,就无法出售木材及木材产品。其次,到离家甚远的林业部门办理采伐证对许多农户来说也是一大负担(少数地方,如贵州省荔波县,通过授权乡政府审批采伐证在一定程度上减轻了这种负担)。

另一木材生产的消极因素是由林业部门统管的木材公司对木材市场的垄断。这种垄断经营直到90年代仍然存在。垄断经营限制了农户处置他们木材产品的机会,并导致木材价格过低。垄断经营也解释了农民优先考虑果树、竹类的原因,因为国有林业公司对这些林产品不实行垄断经营,即这些产品基本上就没有市场销售的行政障碍。

总而言之,税费过重,各种采伐、运输规定,销售障碍仍然制约着林业发展。林业要发展,就需对这些领域作进一步改革。这样的改革产生的效果会像80年代初的林业三定政策效果一样积极。

(三) 当地森林管理能力、政府的作用

森林管理权力和责任移交政策的成效与当地的管理能力和移交后政府所扮演的角色密切相关,这已为林业三定以来的经验所证明。林业管理知识和追求管理机会的能力也受到影响,这些因素包括技术服务和市场信息,以及投资资金。农户在这些方面的能力差异能够解释农户之间或村之间森林管理方面的差异。

政府的资金和技术支持　Albers *et al.* (1998)认为,仅仅是权属改革不足以促使农户参与造林和管理,也需要公共投资。作者的研究项目支持这一论断,在特别贫困的地方,国家投资显得更加重要。一旦提供资金,农民会对造林等有关的机会做出积极反应。例如,在林业部(现国家林业局)1989年开始在贵州省荔波县实施扶贫项目投资造林之前,农民造林的兴趣不大。1989～1993年,林业部给荔波县林业局提供贴息贷款910 000元,县林业局将这项贷款以现金和种苗的形式发放给农户,林业局负责规划,乡林业站为农户提供培训、技术推广、种苗供应等服务。在该项目帮助下,当地农户造杉木林2340hm^2,在15年后用木材偿还贷款。

为什么当地农户在此之前不造林? 村民们说,他们缺乏资金和技术。与荔波项目之前的情况相仿,在那些政府资金与技术援助有限的地方,如云南省楚雄、广西苍梧县山心村,家庭林业的发展十分缓慢。

可以预期,在农户接受林业管理实践信息和根据信息采取行动之间有一个间隔时间,正如政策改革和农户获得林业政策长期性的安全感之间有一个间隔时间一样。在过去几十年中,绝大多数农民不参与林业管理决策。他们从前的

土地管理经验是在不同的生态、管理法规、市场条件下获得的。他们在投入家庭资源于林业管理之前，需要积累新条件下的经验。令人鼓舞的是，我们可预期，在未来几年内，家庭林业管理将随农户能力的增强而改善，这种管理能力在林业三定之前是完全缺乏的。政府的支持可帮助缩短这种能力发展的间隔期。

当地森林管理能力　森林管理权力和责任移交政策的成效与当地的管理能力有关。荔波县苗族的自我管理是个好例子。荔波县在三定时或之后没有出现在中国其他地方普遍出现的乱砍滥伐。在该县，通常也不需要护林员，当地苗族非常重视森林天然更新，因为他们相信森林保护了他们的祖先。未经许可，他们不砍他人山林里的树木。当违反当地规定的情况出现时，苗族领袖在运用社会压力解决争端方面起积极的作用。

管理能力包括发展新机制补充现存机制的能力和机会。有些机制的产生是针对当地特殊的林业管理问题。如各地自发组织的股份合作林场就是为了解决林地分散和碎化的问题（Liu, 2001）。这种林业股份制将许多小而分散的地块组织成适宜于造林管理，适宜于封山育林措施的林地单位。拥有股份的农民参与发展关于劳力投入和产品收益分配的合同条款。当可获得外部投入时，这种股份制利用当地缺乏的国家和私人的技术和资金。与国家促进的林业股份合作制不同，这种当地发起的林业股份合作利用当地的能力和当地的积极性（Yin, 1998）。截至目前为止，这种当地自发产生的林业股份合作并不普遍，主要见于贵州和浙江省。有人对成员相互间和成员与外部谈判的能力表示关心。然而，这种林业股份合作是克服林业三定政策的主要缺陷而又不抵消新的激励机制的大有可为的手段。

另一事例，Yeh（2000）报道，松茸采集者制定乡规民约来限制过度采集和规范采集实践。有时，这些乡规民约与国家法规的关系不清楚，通常遭到外部挑战。因此，在承认甚至发展应对当地需求的乡规民约和其他当地机制方面，国家可发挥积极的作用。任何情况下，有当地发起机制的地方，森林管理特别有效。

农户的能力因许多因素而不同。因素之一是受教育程度，教育程度高的农民对市场机会、股份合作制和林地流转机制的了解更好。他们比那些受教育程度低的农民更能利用这些优势改善他们的条件。

另一因素是与省、县、乡政府的联系，在云南省耿马县的一些村，受教育程度高并与县城有联系的当地干部获得租赁荒山和刀耕火种地用于企业开发的机会，而这种开发常以少数民族村民的损失为代价。当少数民族村民谈判合同时，他们常常处在缺乏信息的不利地位，失去大片林地而获得承诺从未得到兑现。在其他地方，受教育程度高与外界有联系的村民在获得林地使用权、购买林分,或积累其他与林业有关的财产方面,通常比他们的邻居领先。

自从林业三定以来,农户之间收入差距进一步拉大,这种现象在国家定为贫困的西部地区特别突出(Gustafsson and Zhong, 2000)。同一个村,有的村农户拥有 $30hm^2$ 多人工林,而有的农户仅有 $2\sim3hm^2$。差异似乎与农户受教育水平以及对政府的政策和市场信息的了解有关。最早开始造林的农户现在已享受成果。无论如何,即使对最贫困的农户来说,森林分户管理的效益之大足以获得对两山政策的支持。然而,财富差异的增加是村民和政府官员所关心的。

政策实施问题 森林管理权力和责任移交政策的成效也与政策的执行有关。公平问题是划分自留山和责任山过程中农户最关心的问题。因此在划分过程中,将林地按不同因子分为许多小片,再按好坏搭配分给农户,如上面讨论的,结果是林地碎化。林地碎化以及后来的许多林地边界纠纷也与参与两山划分的许多干部和官员缺乏经验和完成两山划分任务的时间仓促有关。每个县都派出成百上千干部去划分自留山和责任山,他们大多没有地籍调查经验。这些干部由刚从学校毕业、同样缺乏经验的年轻人协助。他们必须在短期(通常是几个月)内完成这项任务。最糟糕的情况是,边界是在室内而根本未到现场去划分的。

四、结论

20 世纪 80 年代初期的林业三定政策促进了当地林业管理的前景:森林权属改革改善了森林管理的激励机制,稳定的(权属)政策环境促进了农户信心;农户的森林管理能力得到提高。现在,农户在林业管理决策中发挥着更积极的作用;在许多地方,农民开始保护森林和植树造林,农民收入增加。

然而,林业三定政策的成效并不都像预期的那样理想。过重的税费和严格木材采伐销售法规仍在起作用,新的禁伐使农民联想到政府会再次实行过去常发生的权力收放。只要这种不确定性存在,"若不造林就收回"的做法就总是可能的。

其次,任何政策的效果也与它的实施有关。80 年代初两山划分的经验表明,即使政策本身是好的,但快速和无经验的实施会产生意想不到的损失。在这里,林地碎化和大量的边界纠纷就是意想不到的损失。

第三,产权是重要的,但改善产权仅仅是改善森林管理的一个方面。改善的产权须有一个有效的激励机制的支持,这一机制包括林产品收获和销售的权利、给予投资和承担风险者合理的利益回报的机制,以及稳定和可信赖的政策环境。

改善的激励机制必须有当地管理能力的提高相配合。政府在为农户和社区提供林业经营资金和技术方面可起积极作用，这种支持在农民刚开始承担他们过去不懂的林业管理责任初期特别重要。政府能够帮助那些获得新产权的人提高管理产权的能力。这部分地意味着有助于发展和实施当地森林利用的规范，如乡规民约。中国政府在这方面取得了成功，首先促成了林业分户管理，然后是始于安徽、福建、贵州的林业股份合作制。另一个方面是提高农民与外界谈判合同条款的能力。村民与外界签订条款不清的合同，或当外界不履行合同时也无力撤销的情况，是改革政策的滥用。

作者建议政府特别重视当地形成的林业股份合作制，因为它维持了促使农户过去 20 年对林业产生热情的激励机制，同时克服了森林分户经营遇到最重要的一些资金和技术问题。

参考文献

Agarwall, Arun, and Jesse Ribot. 2000. *Decentralization, Participation and Accountability in Sahelian Forestry: Legal Instrunents of Political-Administrative Control.* Cambridge, MA: Harvad University, Center for Population and Development Studies

Albers, Heidi J, Scott D Rozelle, and Li Guo. 1998. China's Forests under Economic Reform: Timber Supplies, Environmental Protection, and Rural Resource Access. *Contemporary Economic Policy* 16: 22 – 33

Bruce J W, S Rudrappa, and L Zongmin. 1995. Experimenting with Approaches to Common Property Forestry in China. *Unasylva* 46 (180): 44 – 48

Central Committee of Communist Party of China and State Council. 1980. Directives on Making Strenuous Efforts to Plant Trees and Develop Plantations. Reprinted in *China Agricultural Yearbook* 1981 [in Chinese]. Beijing: China Agricultural Press

Central Committee of Communist Party of China and State Council. 1981. Decisions on Issues of Protecting Forests and Developing Forestry. Reprinted in *China Agricultural Yearbook* 1982 [in Chinese]. Beijing: China Agricultural Press

Chai, Joseph. 1997. *China: Transition to a Market Economy.* Oxford, U. K.: Oxford University Press

China Forestry Yearbook. 1987, 1989, 1990, and 1995. [in Chinese]. Beijing: China Forestry Press

Compiling Board of Guizhou. 1994. *Guizhou Provincial Annals of Forestry* [in Chinese]. Guiyang, China: Guizhou People's Press

Compiling Board of Hubei. 1989. *Provincial Annals of Forestry* [in Chinese]. Wuhan, China: Wuhan Publishing House

Compiling Board of Suining. 1997. *Suining County Annals* [in Chinese]. Beijing: Publishing House for Local Annals

Feder, Gershon, Lawrence Lau, Justin Lin, and X P Luo. 1992. The Determinants of Farm Investment and Residual Construction in Post-Reform China. *Economic Development and Cultural Change* 40 (3): 287 – 312

Gustafsson, Bjorn and Wei Zhong. 2000. How and Why Has Poverty in China Changed? A Study Based on Microdata from 1988 to 1995. *The China Quarterly* 164: 983 – 1006

Li Wenhong. 1995. Several Practices in Tightening Up Forest Management in Eshan County (in Yunnan) [in Chinese]. *Yunnan Forestry* 3: 3 – 13

Liu Dachang. 2001. Tenure and Management of Non-State Forests in China Since 1950: A Historical Review. *Environmental History* 6 (2): 239 – 263

Liu Dachang, David Edmunds, and Eva Wollenberg. 2002. The Promises and Limitations of Devolution and Local Forest Management in China. Unpublished working paper. Bogor, Indonesia: Center for International Forestry Research (CIFOR)

Liu Shouying, Michael Carter, and Yang Yao. 1998. Dimensions and Diversity of Property Rights in Rural China: Dilemmas on the Road to Further Reform. *World Development* 26 (10): 1789 – 1806

Manor, James. 1999. *The Political Economy of Democratic Decentralization.* Washington: DC: The World Bank

Menzies, Nicholas, and Nancy Peluso. 1991. Rights of Access to Upland Forest Resources in Southwest China. *Journal of World Forest Resource Management.* 6 (2): 1 – 20

MOF (Ministry of Forestry). 1996. *A Brief Account of Contemporary China's Forest Resources.* [in Chinese]. Beijing: China Forestry Press

Nujiang Prefecture Forestry Bureau. 1996. *Nujiang Prefecture Annals of Forestry.* [in Chinese] Kunming, China: Yunnan Ethnic Publishing House

O'Brien, Kevin, and Lianjiang Li. 2000. Accommodating "Democracy" in a One-Part State: Introducing Village Elections in China. *The China Quarterly* 162: 465 – 489

Oi, Jean, and Scott Rozelle. 2000. Elections and Power: The Locus of Decision-Making in Chinese Villages. *The China Quarterly* 162: 513 – 539

Pastor, Robert, and Qingshan Tan. 2000. The Meaning of China's Village Elections. *The China Quarterly* 162: 490 – 512

Rondinelli, D. 1981. Government Decentralization in Comparative Perspective: Theory and Practice in Developing Countries. *International Review of Administrative Science* 47 (29): 133 – 145

Rondinelli, D. , J. McCullough, and R. Johnson. 1989. Analysing Decentralization Policies in Developing Countries: A Political-Economy Framework. *Development and Change* 20: 57 – 87

SFA (State Forestry Administration) Survey Team. 1999. A Study on Timber Taxes and Fees: Hunan Case. *Forestry Economics* (China) 117: 26 – 35

Song, Yajie, William Burch, Jr. , Gordon Geballe, and Liping Geng. 1997. New Organizational Strategy for Managing the Forests of Southeast China: The Shareholding Integrated Forest Tenure (SHIFT) System. *Forest Ecology and Management* 9 (1): 183 – 194

Sun, Changjin. 1992. Community Forestry in South China. *Journal of Forestry* 90 (6): 35 – 40

Yeh, Emily. 2000. Forest Claims, Conflicts and Commodification: The Political Ecology of Tibetan Mushroom-Harvesting Villages in Yunnan Province, China. *The China Quarterly* 161: 264 – 278

Yin Runsheng. 1998. Forestry and the Environment in China: The Current Situation and Strategic Choices. *World Development* 26 (12): 2153 – 2167

Yin Runsheng, and David Newman. 1997. Impacts of Rural Reforms: The Case of the Chinese Forest Sector. *Environment and Development Economics* 2 (3): 289 – 303

Zhang Xiaojing. 1999. The Forestry Taxation and Charges Issue in the Collective Forestry Area of Fujian and Jiangxi Provinces. *Forestry Economics* (China) 6: 36 – 45

Zhang Yaoqi, Jari Kuuluvainen, and Jussi Uusivouri. 2000. Impacts of Economic Reforms on Rural Forestry in China. *Forest Policy and Economics* 1: 27 – 40

Zou Wenhong. 1994. A Good Policy Resulted in the Greening of More Than 1000 ha. of Denuded Forestland [in Chinese]. *Yunnan Daily*, Dec. 19, 7

第三章 南方集体林区林业税费问题

刘金龙，Natasha Landell-Mills

　　林业税费过高，林地和林产品的税费体系复杂已成为制约我国森林经营的主要因素，并导致林农收益降低和环境的进一步恶化。要实现林业部门和林区的持续发展，必须减免税费，简化税费的评价和征收体系。

　　这样的论述已经成为一个普遍的共识，在第二章刘大昌和 Edmunds 表明了同样的观点，如同其他学者一样（Bruce et al.，1995；Albers et al.，1998；Yin，1998；Li，1999；Chen et al.，1999，2000；Zhang，1999；Zhang，2001）。然而，这些讨论只是简单的提出问题，并没有拿出更好的证据来支持或反对。而且即使有支持的数据，人们不仅要问林业税费问题是否真的达到这些人认为的严重程度，对此现有的英文文献只是简单地提及，而缺乏详尽的论述。

　　本章的目的是通过对中国重要林区林业税费体系的调查，提供翔实的证据。通过调查我们可以得出这样的结论：虽然国内各省间林业税费存在很大的差异，但各类名目繁多的税费确实过高，通常高于总收入的50%。我们认为现有的税费体系是遏制林业发展的重要因素，同时也对社会和环境产生了负面影响。

　　我们的调查数据来自中国的南方，主要在湖南和江西两省展开。南方是中国三大主要商品林基地之一，以集体林经营著称，据1998年统计，该地区集体林占全国集体林的85%，南方80%的林地为集体所有，集体林业比国有林占主体的其他林区对市场的变化和限制因素，诸如税费等反映更敏感。

　　湖南、江西两省的调查数据主要来源于县级林业主管部门和这两省各3个县的原始调查资料，这些样本县包括不同的土地类型和林业生产类型，有以原始天然林为主的山区（湖南的怀化地区、江西省的修水县）、农业占主体的丘陵农业区（湖南省的岳阳县、江西省的永修县）和中间类型及商品林用地和农业用地间存在土地利用矛盾的半山区（湖南省的临湘县、江西省的分宜县）。

　　本章首先回顾了现行的税费体系，包括这两省6县的税费种类和税率，随后讨论了征收效率和税收分配，接着总结了现行的林业税费体系对经济、社会和环境的影响，最后阐述了我们对林业税费改革的建议。

一、现行的税费体系

20 世纪 80 年代以前中国实行由上而下的计划经济模式，产品、市场、消费都是统一管理体系的组成部分，由政府主管部门征收所有的政府收入并进行分配。80 年代后，中国开始了改革开放，权力逐步下放，但中央政府的财税收支体系仍保留未变。机构膨胀，在整个 80 年代和 90 年代各级政府部门收入不足，这些问题一直延续至今。

1984 年，国务院相继颁布了一系列允许地方政府、部门收费的政策。各地方、各部门相应出台了一系列的收费政策，增加了行政事业性收费项目。一些基层部门将所属职责范围内的工作尽量商品化。通过开展经营、有偿服务，促使行政事业单位预算外资金逐步扩大。因此中央政府机构创立了越来越多的收费种类，地方政府也设立了形形色色的各种收费项目。

2001 年，我国的税收体系，只有中央政府拥有立税权，国务院和省级人大能够批准收费项目，按课税收入的归属税费可划分为 3 类：

国税：包括消费税、关税以及海关征收的消费税；

地税：包括农业税、教育费附加、城市维护建设税；

国家与地方共享税：增值税为国家与地方共享税，中央提 75%，地方占 25%。

所有这些税收收入用于支付中央政府、省或县各级部门的公共开支费用。

除了上述税收项目，省级人民代表大会可以批准不同的地方收费，而地方主管部门经常自己增加一些非正式收费项目。从 1996 年以后，合法的收费纳入了财政部门统一管理。林业各级主管部门征收的税费只有得到同级的财政主管部门同意才能使用这些资金。

（一）林业税费

1994 年中央政府开展了分税制改革，因而形成了现行的林业税收体系。对林地、森林以及不论是国有还是集体所有的种植园或天然林中的林产品征收以下的税费（特别指定的除外）：

农业特产税 地方主管部门按销售林产品所得的一定标准征收农业特产税（SAPT），所得税收收入作为当地政府的收入。

对原木、原竹、天然橡胶、木本油料，其农业特产税征收税率为销售收入的 8%，生漆、天然树脂的农业特产税征收税率为 10%，在林场生产者卖产品时征收一次农业特产税，而从市场收购者手中又再次征缴农业特产税，这意味着该税被征收了 2 次。农业特产税实际收入由当地征收机关依照农业特产品的实际产量或销售时的质量按国家规定的收购价格或市场收购价格计算。纳税人应当自纳税义务发生之日起30日内,向当地征收机关纳税。

下列情形农业特产税可减免:用于科学实验的林产品;对于新绿化的荒地上自有收入时起前3年的产品;对因自然灾害造成农业特产品歉收的和国家批准地区的贫困农户。

与林业相关的税种

①增值税:由国税部门按产品销售价的一定比例征收。对于产品或服务年收入超过100万元以上的单位,或是零售或批发产品价值超过180万元的单位,其原木、竹及其制品按销售价的一定比例(木、竹13%,加工产品17%)征收,并按收购成本的10%或购货发票所载明的税额抵扣进项税额。小规模纳税人和非盈利单位的税费一般为销售收入的4%。中央和地方政府按3:1的比率分此增值税。

②教育费附加:由税务机关按木竹经营、加工单位(个人)实际缴纳增值税的3%征收。地方政府将该项税收用于教育事业。

③城市维护建设税:由税务机关按木、竹经营、加工单位(包括个人)实际缴纳增值税的一定比例(市区7%,县城和建制镇5%,其他1%)征收。

④企业所得税:企业按应纳税所得额的33%缴纳所得税。林业企业使用"三剩物"(采伐剩余物、制材剩余物和加工剩余物)生产林产品的所得减缴所得税,税率为5%(在实际应用中,只有国有单位享受此项减免,私营企业和合资企业不享受)。外商投资企业经国务院税管部门批准后,可在以后的10年内继续按应纳税额减征15%~30%的企业所得税[①]。

国家林业局批准的林业规费

①育林基金:由地方林业部门对产区木竹经营单位按其收购后的第一次销售价的12%计收。用于营林、技术推广和服务等。

②维简费:由地方林业部门对产区木竹经营单位按其收购后的第一次销售价的8%计征。用于设备更新、技术改造和林区道路建设等。

③林业保护建设费:由地方林业部门征收,其木材收费标准为5元/m³,原竹通常为每根0.2元的征费标准。用于林政管理、森林防火和对林区中幼林抚育的道路建设。征收对象为除农村集体和林农以外的其他木材销售者及经林业部门批准可以直接进入林区收购木材的单位。

④森林植物检疫费:木材、种子、竹按货值的0.2%,苗木的0.8%收取。由地方林业部门负责收取,用于检疫的宣传教育、义务培训、检疫工作补助、临时工工资、购买和维护检疫实验用品及通讯和仪器设备、检疫对象的防治和处理等林业检疫工作。

---

① 镇林业站为地方农民提供技术支持和抚育,他们可以从任一销售活动中获取收入

实际上，征收的这 4 种林业规费倾向于集中到一起，按主管部门的意愿用于各项林业活动。

省级人大批准征收的林业规费 各省人大有权批准征费项目，以下是南方集体林区（SCFR）各省同意征收的各项规费，南方其他省也有一些其他收费项目。

①造林更新费：福建省的林业部门征收木竹产品销售收入的 3%，而贵州征收销售收入的 5%，以用于造林更新。

②森林病虫害防治费：江西省林业部门原木征收标准为 $4\sim5$ 元/m^3，原竹为 0.2 元/m^3，用于病虫害防治。

③护林防火费：江西省林业部门对原木、原竹征收 0.2 元/m^3 的护林防火费，用于林区护林防火。

④管理费：江西省林业部门原木征收标准为 0.6 元/m^3，原竹为 0.05 元/m^3，用于管理开支。

非正式林业规费 省级以下各级行政单位没有权征收以上各类税费项目以外的税费，然而，在南方集体林区出现了许多未经批准而征收的规费项目，而且各地区差异很大，以江西省为例，征收 30 多种林业规费，如伐区设计费、重点工程建设基金、行业管理费、防洪保安费、能源建设基金、沼气池建设基金等等。收费的部门有林业、财政、工商、教育、水利和能源等部门。

（二）逃税和征收问题

许多县在偷漏税费和税费征管方面存在严重的问题。一些极端的案例，农业特产税逃税可以高达应征额的 50%，而育林基金、维简费等林业规费则可以超过 90%。

表 3-1 例举了 5 个林业单位的林业税费实际负担，有 4 个单位的正式记录表明税费支出占总收入的 8%~41%，小于实际应征收税费。

表 3-1 林业税费实际负担

村	群合村	Rushi	Rushi	Qingshi	房山国有林场
镇	鹿角镇	文白	文白	云溪	—
县	岳阳	临湘	临湘	云溪	分宜县
省	湖南省	湖南省	湖南省	湖南省	江西省
森林所有者	村集体	村集体	私有	私有	国有
面积（hm^2）	15.6	135.6	0.8	43.3	1760
含税费总收入（元）	3190	34 000	>400	12 000	276 000
护林成本（元）	0	3700	0	0	NA
净收入/hm^2（元）	204.5	220.7	500	257.1	156.9
税费/总收入（%）	41.5	29.4	38.1	8.5	66.7

资料来源：县林业部门

（三）税费的差异和变革

现行的林业税费体系不是静态的。随着中国其他部门的改革，林业各级主管部门做了许多调整。国家林业局在 2000 年调整了林业收费政策，该新政策允许省林业部门按一定的比例减免国家林业局规定的规费以吸引外资投资林业。目前广东省响应了该政策，广东省外商投资，育林基金和维简费可以降低50% ~70%，并且在采伐区重新种植树木后，征收的税费可以返回给外商投资者。当外商投资企业植树造林多于 33 000hm² 用于支持制浆设备或其他细木制品设备时，其85%的林业保护建设费能被返回。

其他省份和地方政府也试图降低林业规费负担。例如，江西省林业部门调低了用于计算林业规费的销售基价。江西省林业厅尝试对幼龄林和未成熟林的抚育间伐收获的林产品减收 50%的规费，旨在加强对幼龄林和未成熟林的管理。此外，湖南省怀化地区努力制止乱收费现象。

然而，这些尝试并没有达到预期的效果，在江西，地区一级主管部门制定的用于计算林业规费的销售基价高出省林业厅制定的销售基价的10%以上。县林业部门经常再在此基础上将销售基价提升20%，当然，提高销售基价是为了能够分享更多的林业规费收入。在怀化地区，治理初期的乱收费项目的数目是降下来了，但随后更多的更重的收费项目却取而代之。

同时，林业税费体系执行中出现了新的情况，例如，在湖南省岳阳县，主要由私企进行采伐木材，他们与森林所有者签订合同，然后再与林业部门商谈林业规费的支付。

（四）政府现行改革进程

中央政府正在开展新的农村税费改革，首先在安徽省（和其他省份的两三个县）对农村税费改革进行试点，其目标是建立统一的农村税收体系，减轻农民负担。计划取消许多乱收费项目，强化税费征收的管理，并加强政府服务。农业特产税（SAPT）包括在改革范围内，农业特产税只能征收一次，其税率为8% ~10%，而不是现行的重复征税。村政府可以额外征收的20%用于地方。

（五）税费体系特点

在湖南和江西省选择了 3 个典型区 6 个县分析了林业税费情况。案例对象选择考虑到林业对地方经济不同的重要程度，包括：林业占主要地位的山区重点林区、农业占主体的丘陵农业区和农林同样重要的半山区。表3-2 总结了我们的调查情况。

表 3-2　不同地区林业税费占木材第一次销价的比重表

	南方重点林区		半山区县		丘陵农业县	
	湖南怀化	江西修水	湖南临湘	江西分宜	湖南岳阳	江西永修
税收	25.3	20.8	16.0	24.2	16.0	17.6
规费	23.3	29.6	26.0	30.9	21.8	29.0
不合理收费	2.4	6.5	2.5	6.2	0	10.6
合计	51.0	56.9	44.5	61.3	37.8	57.2

资料来源：县林业部门

　　大体上，林业税收和规费占了木竹销售值的 42% ~ 50%，乱收费可达 10%，而森林经营者只剩下了木竹销售总收入的 43% ~ 62%，其中包括森林经营和采伐所需的各项费用。

　　调查地区所反映的税费差异在很大程度上是由于计算林业税费的销售基价不同。另外，各地在征收时间和征收环节上也存在差异，但总是尽可能多、尽可能早地进行征收林业税费。在有些地方，甚至由林农贷款缴纳税费后方可办理采伐许可证。所得税甚至提前到收购或销售环节征收。规定营林和加工企业税收承包基数，而不管经营活动能否带来多少利润。

　　不同地区间林业税费的差异是很显著的。总体上山区的林业税费高。在林区林业部门在地方经济的比重要高。山区相对较大规模的林业部门会吸引地方政府更多的注意，而且毫无疑问这意味着林业部门是地方较大的潜在税收资源。

二、税费的征收效率与使用

(一) 征收效率低

　　征收效率低的两个主要因素是：征收成本与整个税收收入相比相对较高，即使如此，征收上来的税收也只是整个应收税费的有限的一部分。

　　同样的产品征收各种各样的税费，但经不同的部门进行征收，致使征收系统冗杂，超出了部门定编的 2 倍记录。在一些县，超过半数的公共部门的林业人员是税收人员。而且，在湖南和江西两省，只有 40% ~ 70% 的税收能够征收上来，盗采滥伐的不法行为没有税收，但在江西省的一些县，总采伐量（包括非法采伐）比批准采伐量的 50% 还高。一些集体林的木材经销商和私人加工企业消耗木材量是批准量的 6 ~ 10 倍。如果严格控制非法采伐，政府的税收会大大增加，因此，才能完成实际的采伐税收任务。

政府税收的一部分流失是由于可商洽的支付方式比正式税费低，但税费太高以至于交易在生产地不能达成也是产生这种情况的原因，从政府方面考虑，可商洽的税收总比没税收好。另一方面，政府税收流失是由于受贿和不合法的市场行为。然而，我们也应看清，高税费也是税收流失的一个原因，税费越高，越促使人们逃税。

我们可以这么认为，降低税费，促使人们逃税的动机将会减少，依法交税的比率会增高，政府整个税收会大大提高。较好的遵守税收政策，则用于监视和征税的成本会大大降低，那么用于从事政府管理真正目标的净收入将会增多，当然，这些争议未经检验，但如果中国希望提高林业部门的经济改革进程，这些问题值得详细审查。

（二）税收滥用

征收的林业税收是用于林业部门发展的，但实际上，这些税收的很大部分是用于林业部门人员的工资。中央政府试图改变机构人员冗杂的问题。但每项新的改革措施似乎都带来新的职责和额外的机构人员。例如，地方林业部门的行政角色最近已经扩展到被赋予了新的与 1997 年天然林资源保护计划相联系的环境职责。

其他的税收已经从林业部门转移出来，一部分已从提高山区建设转移到用于支持城市建设。例如，1992 年在江西省修水县林业税费的 94% 是用于植树造林，到 1999 年只有 33% 用于造林和其他的林业活动。

三、造成的影响

（一）经济影响

高税费降低了林地管理者任一林业活动的净收入，伴随着收入降低，高税收也导致了对林地的需求与林价的降低。从价格、税费的趋势，用于林地面积的相对趋势、集体林林地价格的趋势和国有林业单位相对利润的趋势这几个方面我们可以看出集体林和国有林地都在不同方面存在着这样的影响。

在湖南省靖州县，松木价格从 1987 年的 360 元/m^3 到 1999 年的 555 元/m^3。同时，税费从 152 元/m^3 到 342 元/m^3。在过去的 12 年里林业净收入是 5 元/m^3，或少于 1.5%。与同期的大米价格相对比，大米价格也上升了大约 60%，但农业税费保持未变。在这样的环境下我们当然希望林业转变为农业用地。事实上一些林业用地已经转变成了农地，在许多地方，这种转变的程度已经加剧。在我们调查的 6 个县中的江西省永修县，在 1987～1999 年之间林地损失最少70%，在1987年该地区有林地3000hm^2，到1999年只剩下549hm^2。

对国有林业单位，情况有点不同，这些单位不能转卖林地或者将林业用地挪作他用。对于国有林业单位，较高的税费只是反映在同一块土地的利润降低，这确实是我们所得到的调查结果。随着时间推移，不盈利国有单位的数量逐年增加，到1999年多于70%的单位处于财政赤字状态，分宜的房山林场就是一个例子。拥有1630hm^{2}森林的房山林场在很长时间里是作为一个经营管理好、财政返回率高的一面旗帜，然而，到1999年，它的收入只有600万元人民币，而地方税收开支就需要300万，还有100万的其他收费。该林场的运营不仅毫不盈利，还欠银行贷款300万元，亏欠职工工资300多万元。

（二）社会影响

分宜的房山林场从高盈利单位到严重财政亏损单位足以很快促使林场工人集结到一起向政府请愿请求救济，并从而导致了反对政府的罢工。相似的情况在其他林场也有发生：不但高并且不断增加的税收导致林场净收入降低，致使工人工资得不到保障，从而引发社会矛盾。

林业税费虽高，但林业税收并没有用到较穷的县和贫困家庭，据统计，有80%的贫困县位于林区，那里国有林业单位的职工工资每年只有2300元，是全国所有工人平均水平的1/3。这些贫困山区的林业税收不是服务于山区，而是转移到了富裕区域和城市。在1992～1998年期间，江西省修水县共收缴4600万元的税费，都没有返回到该县的林业部门，这些税收大部分用于镇政府各机构运营，大约3000万元被转移到了地区或省林业部门，只有1600万元分配到了县里。在1992年，30%的税费用于人员开支和人事服务，而在1998年70%的税费用于人员开支，当税收返回到林业部门后，主要用于林业部门的人员工资，而林业部门的人员大部分居住在城镇。

（三）环境影响

高税费对于环境的影响是复杂的，高税费使得采伐无利可图，当采伐林木变得无利润时，人们放慢了对自然环境的破坏速度，减少了诸如生物多样性等环境效益方面的损失，从而保护了生态环境。另一方面，高税费使得人们对现有森林的管理和更新不积极，因此，经营森林所获得的环境收益也受到了影响。

在税费负担重的地方，现有林采伐后，后续的再投资无法维系，第二章刘大昌和Edmunds解释说这是80年代整个中国的普遍现象。然而，他们也描述了税费正升高的80年代末和整个90年代的森林经营程度。在第四章，尹润生也阐述了植树绿化是由于提高了使用期限，并且其主要的目的是满足非商业性的环境目标。

我们所观察的与所预期的即高税费抑制了森林经营的积极性这一观点怎样能协调一致呢?我们可以假设增加的使用权限与高税费对森林经营和森林覆盖程度有相反的效果,在森林覆盖提高的地区,其主要因素是由于增加了使用权限,并且,非商业森林价值或商业林产品(诸如竹、水果和橡胶产品)的地区重要性没有受到许多限制性税费的影响。而在森林比较多的地区,非商业化价值(如侵蚀控制)的效益影响不再局部地起作用,并且像竹和水果等此类农作物在该区不再具有重要地位,我们认为高税费将会起主宰作用,森林覆盖和以林为主的环境服务功能将会降低。

该假设认为在天然林密集的地区森林覆盖率降低缓慢,而在那些没有受到局部严重侵蚀的农业区,森林覆盖和以森林为主的环境服务功能降低的速度较快。同时人们也预期,后一地区的森林会转变为农地,因为林业税收高将会导致相对的再投资的转移(受欢迎的农产品超过市场林产品)。当然,林地挪作他用,意味着以林为基础的各类环境服务功能的进一步损失。最后,该假设预期植树造林绿化只存在于侵蚀严重的农业区和牧业、橡胶和竹产品处于非常重要的地区,因为这些林产品不受市场木材的高税费影响。

南方集体林区提供了一些支持这些假设的证据,在我们调查的多山地区,天然林覆盖率已经下降,尽管下降率在最近的几年已经逐渐减少。在半山区林地已经改为农田,在农业占主导地位而且以前的森林覆盖稀少的山区,为控制侵蚀而限制为经营森林是明显的。

另外,其他的环境影响也会出现。如果高税费使得人们对森林经营和收获商业性林产品不积极,那么必然促使以消耗木材为原材料的企业去寻求替代品,替代品又会产生什么样的环境影响呢:

①中国的一些替代品来自进口的木材和其他未加工的木头,在这种情况下,中国通过将生态环境损失转移到进口国家,而节省了自己的森林环境资源,这对于中国有利,而全球是否获益就取决于中国和进口国这两个国家采伐木材所造成的相对的环境影响。

②一些替代品来自可替代用于建筑和纸制品这两个主要商业木制品的原材料。石头、砖和其他的用于建筑木材材料的替代品对环境的影响是不确定的,但用于纸制品的替代品带来了严重的新的环境影响,中国的纸工业,农业的剩余物是主要的替代木材的材料。这些替代品是更加有破坏性的悬浮性固体源,并且比木材需要更多的生物氧。因为纸制品已经是中国乡村环境最主要的污染源了,高税费只能使这种情况更加恶化。

总之,林业的高税费对整体的环境网影响是不确定的,但其中许多影响都是环境的损失。1998年中国政府实施的天然林保护工程和21世纪基本战略中已经认识到环境的重要性① （其中的一些观点将在第八章和第十章中更深一步的阐述）。

四、结论：改革探索

在林业税费改革的适当程度和改革焦点中有两个基本问题需要理解：

（1）林业部门的职责怎样提高？

（2）在一个改进的部门里林业主管机构的作用是什么？

这些问题的解决与提高人们森林经营的积极性有很大的关联，而林业主管部门的职责和人事制度作必要的调整则是解决这些问题的建议。

安徽税制试点改革对这些问题进行了解决，通过将一些税收项目合并成一个较广的农业特产税，并废除了许多乱收费项目，因而缩减了整个税收负担。税收负担减轻后，人们的森林经营积极性就得以提高，将税项进行合并，就不再需要涉及多个机构进行税费征收，再没有此征税职责的机构人员的征税活动被取消。农业特产税的最初目的是为农业生产提供基金，中国现在有食品附加，因此征缴该税的目的不再需要，来自林业税费的大部分收入用在了涉及税费征收的各林业主管部门的人员开支上。但在试点改革中需要简化税费征收，降低成本。当税费征收效率增加后，税收需求将减少，税收负担将减轻，森林经营的积极性则会得以提高。

然而，该安徽省试点改革工程也没有解决这两个相关问题：林业机构多余人员怎么办，政府怎样为以森林为基础的环境服务提供非市场标准？关于这些问题，我们从林业政府部门的广义目标考虑可以提供一些见解。首先，帮助林业部门发展，其次，确保非盈利性的环境服务。政府机构通过将市场经济体制改革扩展到林业部门来帮助部门发展，也就是说通过废除对私人采伐和林产品所有权的限制，加快国有商品林转向私人经营的步伐，增加个人和集体所有权权限，拍卖国有成熟林的采伐权。这些改革能顺利完成，最主要的是靠减少林业管理部门的疏忽行为，当政府疏忽大意的行为减少了，用于监督人员疏忽职责的税收就会减少，税负就会相应地更加减少，人们经营森林的积极性就会极大提高。

一些以前用于征税的干部人员可以在林业的扩展部门给予分配新的任务，承担传播林业经营的各种知识和加快林业部门发展速度的各项责任，其余的可以积极参加到环境保护行列中，包括传播良好环境的森林实践知识，监视和实

---

① 1999年3月5日，朱镕基在人大会议上所作的政府工作报告明确指出可持续发展是21世纪基本的政府战略

施环境规定。然而即使这些任务已经分配完后，仍然会有一些富余人员，这些富余人员仍是一个不可解决的问题。

最后，良好环境管理的新任务要求缜密的想法，随着良好的监测体系和实施，环境会有一定的改善，但关键是给予激励机制，这就意味着对诸如森林游憩、下游防洪等一些环境服务的新的收费，这些收入会用于帮助政府部门建设用于游憩的森林和在上游私人经营者的土地上建立防止侵蚀的控制措施。

最根本的一点是如果林业部门想要发展，税费总体负担必须实质性的降低，需要降低多大的税负依靠林业部门的大小和他们需要支付人员工资所需资金的多少。当政府决策人员思索这个问题时，他们必须平衡好林业机构潜在收入的资金使用与这些机构收集这些资金所造成的对私人森林经营积极性影响所造成的损失。

参考文献

Albers Heidi J, Scott D Rozelle, and Li Guo. 1998. China's Forests under Economic Reform: Timber Supplies, Environmental Protection, and Rural Resource Access. *Contemporary Economic Policy* 16: 22 – 33

Bruce, J W, S Rudrappa, and L Zongmin. 1995. Experimenting with Approaches to Common Property Forestry in China. *Unasylva* 46 (180): 44 – 48

Chen, Xie, Guoqiang Feng, and Xianbo Wu. 1999. Investigation and Study on Forestry Taxation and Charge-Based on Hunan Province *Forestry Economics* (China) 6: 26 – 35

Chen, Xie, Guoqiang Feng, and Xianbo. Wu 2000. Investigation and Study on Forestry Taxation and Charge-Based on Hunan Province *Forestry Economics* (China) 1: 21 – 28

Li Mingfeng. 1999. Problems and Reform Recommendations of the Forestry Taxation and Charges in Guangxi Autonomous Region. *Forestry Economics* (China) 1: 56 – 63

Liu Jinlong, Wenfa Xiao, Yannan Hou, Chen Xie, Xiaojing Zhang, Guang Wang, Xuemei Zhang, Xiaocun Huang, and Jizhong Li. 2001. Study on the Forestry Taxation and Charges System in South China Collective Forestry Region. Unpublished background paper. London: International Institute for Environment and Development

Lu W, and N Landell-Mills (eds.) 2002. *Getting the Private Sector to Work for the Public Good: Instruments for Sustainable Private Sector Forestry in China.* London: International Institute for Environment and Development

Yin Runsheng. 1998. Forestry and the Environment in China: The Current Situation and Strategic Choices. *World Development* 26 (12): 2153 – 2167

Zhang Xiaojing. 1999. The Forestry Taxation and Charges Issue in the Collective Forestry Area of Fujian and Jiangxi Provinces. *Forestry Economics* (China) 6: 36 – 45

Zhang Yaoqi. 2001. Economic Transition and Forestry Development: The Case of China. Ph. D. thesis. Helsinki, Finland: University of Helsinki, Department of Forest Economics

第四章 改革的主要特征——完善的产权制度、稳定的政策环境及环境保护效应①

尹润生

　　第二章中，刘大昌和 Edmunds 提出，改革的前 15 年里有两方面的改革政策对中国林业产生了显著的，但有时却是负面的作用。其一，集体产权向家庭联产承包责任制的转变增强了森林经营的积极性，从而导致了森林覆盖和立木蓄积的增长。1989～1993 年，以市场机制为导向的非国有部门造林面积的年增长率达到了 6%。其二，稳定的政策环境巩固了土地产权改革的良好效应。然而，也有一些因素使人们仍然对家庭承包制的长期性产生怀疑。这些因素包括以前政策的反复，政府林业官员怀疑农户是否能管理好森林，整体经济的通货膨胀及对一些改革政策的重新评价。在这些因素突出的地方出现了农户砍伐成林却不再更新造林的现象，进而导致了林地面积及林木蓄积量的减少。

　　本章将用来自两个地区的数据，对以上两个命题进行计量经济检验。这两个地区是：北方农用林区和南方集体林区。前者从 1978 年改革以来植树造林大幅度增长；而相比之下，后者林业的地位更重要，政府施加了更多的影响，因此林业政策和林业部门的行为对农户林业投资的作用更大。

　　北方农用林区的农户在砍伐责任田内成熟林木的同时也积极重新造林，所以林地面积及林木蓄积都增长了，而且年木材采伐量也大幅增加。而在南方集体林区由于政策环境不稳定，农户尽管也享有新的林业经营权，但砍的多植的少，导致林地面积及林木蓄积下降。森林覆被在北方翻了一番多，而同期南方下降了 10%。本章的计量经济分析将证实第二章的命题。分析结果表明无论是林业改革的成功还是林业发展缓慢甚至是林地减少，以上两方面政策都是重要的因素。

　　刘大昌和 Edmunds 及刘金龙等在第二章和第三章指出繁琐的木材税赋及规

---

① 作者对向青女士在本章翻译中提供的帮助表示感谢

章制度限制了林业投资。他们提出农户增加林地的原因不仅仅是为销售木材取得回报,而且这两章都提供了案例,农户种植了用材林以外的其他林木,比如果树、橡胶及竹林等。Hyde 等人在第一章中指出,有人担心个体农户是否会对集体受益的环境改善进行投资。抛开公共利益不谈,投资于改善环境很难使农户个体受益。因此有人提出公共投资对获取环境效益的必要性。然而本章对北方农用林区的分析表明,在平原地区由林业所带来的环境改善可以给个人带来很大的益处,因此农户愿意在经营像果树等非木材产品的同时植树造林以改善环境。

北方平原区是北方农用林区的重要部分,这里是中国最大的粮食产区,同时严重的风蚀也在威胁粮食生产。产权改革提高了粮食产量,同时也激励了农户对环境保护进行投资,诸如防护林和林粮间作等,这些投资可以进一步提高粮食生产力。本章的回归结果将显示,从 1978 到 1990 年粮食生产力提高了7.5 倍,其中产权制度改革的贡献率达到了 59%,另外改善环境的植树造林对农业生产力提高的贡献率达到了 19%,为改善环境而栽植的树木占了林木覆被增加的绝大部分。

一、完善的产权制度及稳定的政策环境

(一) 农村改革及农村林业行为: 不同地区的不同经验

随着农业家庭联产承包责任制在中国的广泛推行,林业部门也在酝酿类似的改革方案。在北方农用林区 (下称北方,包括北京、河北、河南、辽宁、陕西、山东、天津以及安徽的部分地区)① 林业不是重要的产业部门。省及地方官员愿意效仿农业改革的做法,因此林业改革就按照农业的模式进行,很快这个地区实施了所谓的 "树随地走" 的家庭林业承包制。承包耕地上及附近的林木和宜林荒地被分到农户。为数不多的防护林带和用材林保留集体产权,但也签约由农户经营。总之,北方由农户承包或经营的林地面积到 1984 年达到该区林地总面积的 91% (尹润生,1994)。政府允许农民按照市场价格出售木材,不需要采伐许可,也不必卖给国营收购公司,加之税率也比较低——只有销售额的 3% ~8%。这种制度被农户普遍接受并延续至今 (Yong,1987;Zhong 等,1991)。

而南方集体林区 (下称南方,包括福建、广东、广西、贵州、海南、湖

---

① 农村改革涉及北方农用林区及南方集体林区的林业改革政策,但对西南和东北国有林区没有直接影响

北、湖南、江西、浙江、江苏、四川、云南，以及安徽的部分地区）的情况却截然不同。该区林业管理部门怀疑农业家庭联产承包责任制用于林业是否有效。他们以小规模的农户经营难以维持林业长期发展为由不让农户享有林地产权。因此该区不断发生两种林权纠纷，一种是由于对历史林地产权的否定引起的，另一种是国有林业企业占有集体林地引起的。只有零星的及生产力低的山地林地承包给农户，到 1984 年底，南方 70% 以上的林地仍然是集体经营，农户承包的林地面积一般不超过每户 $1hm^2$。

但是越来越多的反对意见促使南方政府逐步对集体林采用承包责任制的办法[①]，责任林与自留山合而为一。到 1986 年底，农户责任山达到了集体林的60%，承包期一般为 50 年。承包合同通常规定经营目标，对超过经营目标的生产剩余农户可自行支配。

南方政府于 1985 年开放了木材市场，急速上涨的木材价格导致了大量的木材采伐及市场投机行为。然而，南方的农民却很少更新造林或加强林木经营，因为他们对政府的政策持怀疑态度（Yin 和 Xu，1987；Wang 等，1991）。之前的 20 年间，在家庭所有制及林木使用问题上该区农民经历了多次政策的反复变更。这次他们也担心新的政策能否持续。

糟糕的是，农民的担忧得到了证实。中央政府担心木材价格暴涨而对某些改革政策进行了重新评估，与此同时地方政府也担心森林资源的过度消耗及森林经营的停滞，终于在 1986 年政策出现逆转。首先，政府重新对木材采伐量实行严格限制，并将木材市场再次置于国有木材收购企业控制之下。农民销售其责任山上的林木必须申请采伐证及运输证，而且他们只能将木材以低于市场价一半的收购价格卖给国有收购企业。后来，地方政府收回了部分农民经营的林地，并对那些仍然保留责任山的农户提高了税费。

（二）数量分析

表 4-1 和 4-2 综合了两个地区的变革经历（每个地区选取了两个省）。表 4-1 汇总了从 1977 到 1990 年两地区的木材价格和承包林地的变化。两地区扣除通货膨胀因素的实际木材价格都上涨了 4 倍多，北方的增幅更大。木材价格的上涨应该刺激林业投资。南方从 1985 年市场开放后收购价改指导价，价格翻了一番，但指导价仍远低于市场价。后来又恢复了一家进山收购价，这不但抹杀了零售价的激励机制，还证实了政策的不稳定性。

---

① 在部分地区特别是福建西北部，成立了一种称为林业股份合作制的组织形式。股份合作制把所有集体商业林转换成货币形式的股份然后分配给农民。但到今天这种形式与集体林管理颇为相似，只是名称不同而已（Sun，1992）

表4-1 两地区木材价格和承包比例情况比较

年份	北方农用林区			南方集体林区				
	阜阳	宿县	承包比例	抚州		宜春		承包比例
	市场价	市场价		收购价	指导价	收购价	指导价	
1977	119.8	117.6	0.0	28.3	66.1	23.0	66.5	0.0
1978	125.4	120.7	0.0	25.0	66.6	25.3	67.7	0.0
1979	136.3	122.0	0.0	38.1	70.1	35.3	73.4	0.0
1980	165.9	152.0	32.9	46.3	83.3	50.5	87.8	14.4
1981	201.3	184.0	67.0	45.8	97.1	61.1	97.7	29.5
1982	241.0	222.0	78.8	56.5	104.3	64.0	108.1	37.7
1983	262.2	255.1	84.5	48.8	105.5	55.0	109.7	43.3
1984	265.0	297.0	91.0	55.3	109.0	57.9	116.4	52.4
1985	310.8	368.8	91.0	84.0	174.5	99.5	165.9	64.8
1986	351.5	377.3	91.0	93.0	207.5	118.0	226.2	64.8
1987	436.0	457.3	91.0	126.0	289.8	177.4	346.3	64.8
1988	630.1	667.8	91.0	171.4	444.1	173.1	502.2	64.8
1989	741.7	787.0	91.0	169.3	436.7	189.9	473.2	64.8
1990	639.0	698.0	91.0	170.4	350.3	164.8	386.4	64.8

注:价格为不同等级的各木材品种的平均价(当年价),以元(人民币)为单位;承包比例为农民承包林占集体林的比例

数据来源:价格数据取自当地木材公司财务报告及政府报告,承包比例数据由省林业部门提供

承包比例表明家庭自主决策的机会。表4-1中的数据为农民承包的林业用地占总农林地的比例①。1980年林业改革起,北方的家庭承包比例增长很快,1984年就达到了90%。而南方产区家庭承包比例增长得比较慢,政府甚至取消了一些以前签订的承包合同。到1990年,仍有35%的集体林仍归集体经营。承包比例的增长率及水平的不同显示出两地区的差异,但主要问题在于政策的不确定性。南方林业主管部门在产权转移问题上的勉强态度,取消部分承包合同的做法以及恢复了一家进山收购,导致了南方林农对未来林业经营的不确定性态度。

农民的实际反映如何呢?表4-2综合了两个地区内两个省份1977和1987年木材采伐量及林地面积。1977年为政策变化的起点,1987年的选择则考虑到数据足以反映南方政策反复所造成的后果。在北方,改革政策不但使木材采伐量在短期内增加,也使长期重新投资得以增长,这反映在立木蓄积的增加。而在南方,农民普遍感到长期政策的不稳定性,因此改革仅导致了木材采伐量

① 该指标包括所有集体林地和农田,但是不包括农民不能承包的国营林场。国营林场在南方相对比较重要,大约占到所有林地面积的10%

的增加，却没有刺激林业投资。后来改革政策的逆转更是加剧了这种情形。因此，尽管政府加大了对仍由集体经营的集体林以及占较大比例的国有林场的投资，但南方产区林木蓄积的减少致使木材砍伐量开始下降。

再用安徽省来比较由不同政策所引起的采伐量和长期林业投资的不同效果。安徽位于两个地区的交汇处，占全省1/3面积的北部是重要的农区，占全省2/3的南部则位于南方集体林区。农村家庭联产承包责任制首先在安徽发起，因此安徽农民深受家庭承包制之益。1977～1980年，安徽北部和南部的木材采伐量均有增加，但1980年后安徽南部的木材砍伐水平开始下降。1977～1989年，安徽北部立木蓄积增长了4倍左右，而同期尽管享有政府补贴及育林资金，南部的立木蓄积还是下降了10%左右。

表4-2　两地区森林资源比较

地区	省份	指标	1977	1987
南方	江西	面积	5.47	5.90
		蓄积量	298.60	242.10
	福建	面积	4.51	4.53
		蓄积量	430.35	396.65
北方	山东	面积	1.60	1.60
		蓄积量	24.26	47.94
	河南	面积	1.42	1.57
		蓄积量	68.22	91.52

注：面积为郁闭林面积，单位为百万公顷；蓄积量包括郁闭林和疏林蓄积，单位为百万立方米

数据来源：省森林资源普查报告

（三）分析方法

前面提出，南方和北方对农村改革政策的反映不尽相同。我们可用回归分析来测算两个主要政策工具（家庭承包比例、价格放开程度）及其他因素如何影响两地区短期和长期林业生产（包括木材采伐量和林木蓄积量）。如果政策与木材采伐量和林木蓄积都是正相关关系，说明改革政策对林业发展起到了积极作用。如果政策只与木材采伐量存在正相关，而与林木蓄积量呈负相关关系，说明政策的负面作用以及不稳定的政策环境。

具体来说：

$$\ln Y_{it} = \alpha + \beta_1 P_{it-1} + \beta_2 CS_{it-1} + \beta_3 T + \sum_{i=2}^{5} \gamma_i D_i + \varepsilon_{it} \qquad (4-1)$$

式中：Y 可为反映短期效应的采伐量，或为反映长期效应的森林拥有量（用立木蓄积或林地面积表示）；P 为农民面对的木材不变价格（用农村工业产品价格指数进行了调整）；T 为时间趋势变量用于测量因变量中时间因素影响，比如技术进步和投入可及程度；D_i 为代表区域差别的虚变量；下标 i 和 t 则反

映不同的样本点和不同的时间;α 为常数项,β 和 γ 为待估系数,ε 为独立分布残差项,期望值为 0 且不存在自相关,并且与自变量相互独立。上式右边的第二、第三项分别表示前一年的价格和承包地比例,这样设计考虑了适应性期望及生产决策的滞后性。

(四) 数据

分析采用 1978 ~ 1989 年的数据。北方的 4 个地区为阜阳、开封、宿县、周口,南方的 5 个地区为福州、赣州、吉安、南平、宜春。因此,北方共 48 个样本点,南方共 60 个样本点。采伐量,收购价和市场价数据由当地木材公司提供;林地面积及立木蓄积来自于地方林业管理部门每五年一次的森林普查数据,而年度数据则根据增长率推算而得;农村工业产品价格指数来自于有关省统计局;承包林及集体林数据由省级林业管理部门提供。

12 年的时间序列,样本单元及对林木蓄积及林地面积的估计会产生两方面的问题。第一,12 年的时间是否足以反映林业生产的长期变化?事实上,尽管12 年的数据可能不足以反映出林业生产新的均衡状态,但足以反映出不同地区所发生的变化。实际年均增长率的估计值可以证实这种做法(表 4-3)。在北方,木材采伐量、森林蓄积及林地面积的年均增长率分别是 18.9%、7.5% 和11.2%;而在南方,这 3 个指标的年均增长率就比较慢甚至呈下降趋势(南北方的增长差异达到了统计显著性水平)。这些差异反映出不同地区对改革政策明显的不同反映。另外,不同样本单元起初的林地面积和林木蓄积也不同,这会造成计量经济分析中异方差的问题。因此每一个样本单元的因变量观察值都以其 1980 年水平进行了标准化处理。另外代表每一样本单元的虚变量用来控制那些难以识别的地区差异,如天气及土壤质量。

表 4-3 两地区森林资源变化比较 (1978 ~ 1989 年)

| 地区 | 森林资源年均变化 (%) | | | | | |
| | 采伐量 | | 立木蓄积 | | 面 积 | |
	平均值	标准差	平均值	标准差	平均值	标准差
北方	0.189	0.259	0.075	0.053	0.112	0.088
南方	0.009	0.126	- 0.010	0.006	0.008	0.009

注:数据解释见下文

(五) 估计结果

表 4-4 和表 4-5 分别为北方和南方的回归估计结果,回归相关系数(R^2)的水平显示两个地区模型拟合得都较好。去掉趋势变量仅使 R^2 值略微下降,说明政策和趋势的同向变化;但去掉趋势变量使北方 3 个方程中政策变量的系

数变大，南方则相反；因此，趋势变量可以避免高估政策在北方的影响和低估在南方的影响①。

参数估计值证实了模型的预期。在北方，采伐量（第一，二列）与价格变量及产权变量均呈正相关；而在南方，采伐量仅与产权变量呈正相关，价格变量影响不显著，这说明失去对资源的支配比价格增长所产生的影响要大。证明在不稳定的产权制度下，南方农民只想尽可能多地采伐或出卖他们当时所占有的资源，而不在乎未来的价格有多高。

在北方，立木蓄积（3，4 列）和林地面积（5，6 列）均与政策变量呈显著正相关。而在南方，这两个用来反映林业投资的因变量与政策自变量间的关系比较小，且不显著；如果包含趋势变量在模型中，这种关系甚至是负的②。如果农民想到的仅是砍树而非砍了之后再投资于造林，这些结果是意料之中的。

表 4-4 北方木材生产回归方程结果

	采伐量		立木蓄积		面 积	
	（1）	（2）	（3）	（4）	（5）	（6）
常数项	-1.11^{***}	-1.21^{***}	-0.37^{***}	-0.41^{***}	-0.59^{***}	-0.64^{***}
	（3.82）	（3.77）	（4.99）	（4.32）	（4.83）	（4.53）
价格，P_{t-1}	0.29^{*}	0.41^{***}	0.13^{***}	0.18^{***}	0.17^{***}	0.24^{***}
	（1.93）	（2.36）	（2.98）	（3.39）	（2.51）	（3.06）
产权，CS_{t-1}	0.003	0.009^{***}	0.002^{***}	0.005^{***}	0.004^{***}	0.007^{***}
	（0.96）	（4.11）	（3.07）	（7.40）	（3.29）	（7.32）
时间趋势，T	0.10^{***}		0.04^{***}		0.05^{***}	
	（3.19）		（5.14）		（3.81）	
地区虚拟变量						
D_1	0.03	0.01	-0.11^{***}	-0.12^{***}	-0.04	-0.06
	（0.03）	（0.01）	（3.44）	（3.01）	（0.77）	（0.94）
D_2	1.01^{***}	0.95^{***}	0.11^{***}	0.09^{**}	0.26^{***}	0.23^{***}
	（8.55）	（7.31）	（3.65）	（2.20）	（5.20）	（3.98）
D_3	0.52^{***}	0.47^{***}	0.13^{***}	0.11^{***}	0.28^{***}	0.26^{***}
	（4.37）	（3.60）	（4.26）	（2.84）	（5.62）	（4.46）
自由度	41	42	41	42	41	42
R^2	0.87	0.84	0.95	0.91	0.93	0.90

注：括号中数值为渐进 t 值

、 *、* * *分别代表 0.10、0.05、0.01 统计显著性水平

———————

① 其他模型构建方法还有：（1）只用 3 个林业普查年份的数据；（2）包括所有数据但去掉趋势变量。其结果都相似，这表明所以我们的结果是稳定的，足以支持我们的观点

② 政策工具变量系数在两地区间明显不同

表 4-5　南方木材生产回归方程结果

	采伐量		立木蓄积		面　积	
	(1)	(2)	(3)	(4)	(5)	(6)
常数项	0.02	0.03	0.04***	-0.04***	-0.03***	-0.03***
	(0.37)	(0.42)	(4.23)	(4.27)	(4.05)	(4.04)
价格, P_{t-1}	-0.09	-0.23*	0.01	-0.03*	-0.004	0.04***
	(0.62)	(1.84)	(0.32)	(1.78)	(0.18)	(2.53)
产权, CS_{t-1}	0.006**	0.002	-0.001	-0.001***	-0.001	0.001***
	(2.27)	(1.38)	(0.01)	(4.67)	(1.08)	(3.24)
时间趋势, T	-0.05*		-0.01**		0.01***	
	(1.81)		(2.09)		(2.67)	
地区虚拟变量						
D_1	-0.06	-0.05	-0.04***	-0.01***	0.01	0.01
	(1.05)	(1.13)	(5.44)	(5.45)	(1.05)	(1.24)
D_2	0.07	0.06	0.01	0.01	-0.01	-0.01
	(1.24)	(0.98)	(1.37)	(0.96)	(1.22)	(0.69)
D_3	0.05	0.03	-0.04***	-0.05***	0.04***	0.04***
	(0.88)	(0.48)	(4.45)	(2.84)	(4.65)	(5.47)
D_4	0.35***	0.34***	-0.03***	-0.03***	0.02***	0.02***
	(5.91)	(5.68)	(3.48)	(3.48)	(2.96)	(2.96)
自由度	52	53	52	53	52	53
R^2	0.55	0.52	0.81	0.79	0.77	0.74

注: 括号中数值为渐进 t 值

*、**、*** 分别代表 0.10、0.05、0.01 统计显著性水平

　　这种区域差异证实了我们的假设,即政策不稳定会影响长期林业投资。北方长期林业投资来源于完善的土地产权制度,当土地产权有保障时价格可以进一步刺激林业投资。而在南方同样的政策却没有奏效,因为农民不相信政策可以持续足够长的时间而使他们从林业投资中得到回报。

　　最后,趋势变量系数在北方的几个模型中都为正,而在南方采伐量和立木蓄积回归模型中为负,尽管是不显著的。这种差异也与预期一致,即不稳定的农户土地产权制度使投资呈下降趋势,投资的减少意味着立木蓄积的下降,而林木蓄积下降必然导致未来砍伐量的减少。林地面积应呈现与立木蓄积相同的变化趋势。但在南方并非如此,这说明了政府大规模植树造林活动使林地面积呈上升趋势。然而,林地面积的增加与立木蓄积的减少说明森林资源质量的下降。80 年代后期,南方单位面积森林蓄积量只有 $43m^3/hm^2$,比世界平均水平低一半还多。

表 4-6　1978～1989 年两地区林业增长

地区及各解释变量	1978～1989年各变量变化（1）	采伐量		立木蓄积		面　积	
		(2)	(3)	(4)	(5)	(6)	(7)
北方农用林区							
价格	1.02	28.57	29.14	12.59	25.12	17.17	17.51
			(15.84)		(26.51)		(15.11)
产权	89.35	0.28	25.29	0.23	20.64	0.41	36.45
			(13.75)		(21.78)		(31.46)
时间趋势	11.00	9.67	106.37	3.98	43.78	4.89	53.79
			(57.82)		(46.21)		(46.43)
其他	—	—	23.18	—	5.21	—	10.51
			(12.59)		(5.50)		(7.00)
增长水平	—	—	183.98	—	94.75	—	115.86
			(100.00)		(100.00)		(100.00)
南方集体林区							
价格	1.66	-8.91	-14.79	0.81	1.34	-0.38	-0.63
			(-142.70)		(13.90)		(-7.60)
产权	63.72	0.63	40.14	-0.09	-5.73	-0.04	-2.55
			(387.50)		(-59.44)		(-30.79)
时间趋势	11.00	-4.54	-49.94	-1.05	-11.55	1.07	11.77
			(-482.00)		(119.80)		(141.98)
其他	—	—	14.23	—	6.30	—	0.30
			(137.40)		(65.35)		(3.60)
增长水平	—	—	-10.36	—	-9.64	—	8.29
			(100.00)		(100.00)		(100.00)

　　注：第一列为解释变量的变化，第二、四、六列的值分别为系数乘以100，第三、五、七列为增长贡献率

　　第三、五、七列的值由第一列的值分别与第二、四、六列的值相乘而得，括号内数值为贡献率比例

　　回归模型中系数估计值可用来计算每个改革政策对生产增长的贡献率，并且计算的结果可以与农业改革政策贡献率作比较。这种比较不但能揭示出林业改革的相对重要性而且可以进一步揭示模型估计结果的可靠程度。计算的步骤是：先将每个系数估计值乘以 100（因为自变量为对数形式），再计算出每个变量在观察期内的平均变化值，然后再将以上两项相乘，即得每个生产因素的贡献，每个因素的贡献除以总的增长即为贡献率。

　　表 4-6 列出计算步骤与结果。北方 1978～1989 年，木材采伐量增长了184%，价格变化及产权改革的贡献占 30%，并且该地区长期林业投资增长大约有一半来自于价格变化及产权改革（立木蓄积增长 95%，两项的贡献率共为48%；林地面积增长 116%，两项的贡献率共为 47%）。农业部门在 1978～

1984 年间，价格提高及产权改革对农业产出的贡献率达到了 57%，其中 15% 来源于农产品价格提高，42% 归功于产权改革（McMillan 等，1989；Lin，1992；Wen，1993）。因此，林业部门改革对生产的促进作用要大于农业部门。这样的结果并不意外，因为稳定的产权对长期投资很重要；而与农业相比林业生产是一种长期行为[①]。

表 4-6 还显示南方产区木材采伐量的增长几乎完全来自于产权的改变。这一结果也与前面提到的观点一致，即在不确定预期下产权改革的影响要远远大于价格的作用。只有在森林经营者相信他对投资有支配权的情况下，提高价格才能刺激林业投资。另外，表 4-6 表明南方林地面积的增加来自于产权之外的其他因素；如前所述，来自于政府对集体和国有林的造林投资。

（六）其他证据

两地区激励机制的不同还可以从剖析木材价格和改革后森林资源的变化中看出。在完成了计量经济分析后，笔者又在南、北方样本地区分别对 100 户农户作了问卷调查，结果显示北方大部分农民对产权改革及木材市场开放政策表示满意，并认为政策会持续下去，而南方大部分农民仍然感到产权不稳定，也正是这种担忧使他们不愿投资植树造林及森林经营。另外，南方 80% 的调查农户表示到 90 年代中期他们依然要面对比较低的木材收购价和沉重的税赋。

在北方农民不必把木材卖给国有收购企业，他们可直接进入市场按市场价格交易。调查显示，1990 年农民可以得到 90% 以上的木材收入。而福建三明的情况表明，在南方农民个人和集体只得到 31% 的木材收入，其他的 23% 为税收，26% 上缴给林业部门，7% 上缴给地方政府，另外 13% 为木材收购企业交易费用。这些税费负担降低了农民林业投资的积极性并使他们认为木材价格太低。

还有一个问题，即两地地理条件的差异是否会影响林业生产。北方林地面积的大幅度增加及南方林地面积的略微增加显示似乎北方有更多的宜林地。事实上，90 年代中期北方 100% 以上的宜林地都种了树，因为在原有林地得以保持的同时，不少农地也栽上了树；而在南方林地面积只占宜林地的 55% 左右。另外，北方的森林由于经营水平较高而增加蓄积的可能性也不大了，但在南方大约 70% 的林地单位蓄积量很低或仅为中幼林，因此森林资源蓄积增长的空间很大（MOF，1988）。

---

① 产权安全在北方的作用可能估计得较保守，因为家庭联产承包责任制改革在 1984 年前已经基本完成，但我们数据的时间序列到 1989 年，这使得时间趋势变量相对于承包土地合同比例对生产的影响更突出

二、环境保护：北方平原区投资目标之一

如果税费、价格控制和对木材采伐及运输实行限制性的许可制度降低了林业经营的积极性，政策的不确定性又会加剧这种趋势，那么如何去解释大部分地区集体林面积的增长呢？刘大昌和 Edmunds 在第二章指出农民愿意种植那些税费低、采运限制少的林产品，刘金龙在第三章中也提出了类似的观点。

这里要探讨的是，是否环境效益的考虑也是植树造林和林地扩大的一个原因，尤其在那些森林奇缺，而植树造林的环境收益比较明显的地区。中国北方平原的例子说明，虽然林地所提供的环境效益被认为是公共产品，植树及营林的农民无法完全享有，但农民还是愿意从保护环境的角度出发进行植树造林。

北方平原林区没有木材税费及采伐和经营的限制，但这些条件并不影响我们的看法。正像这个区域的农民以是否可以获得足够的个人收益来判断是否应该植树，其他地区的农民也会以是否可以改善环境来判断是否该扩大林地。本节的计量分析结果表明，稳定的产权制度是投资的重要前提条件，而产权稳定后农民对改善环境的投资同样会给个人带来较大的收益。

（一）发展农用林业的经验

虽然中国有几百年的农用林业传统，但大规模的发展只是近 20 年来的事情（Zhu 等，1991）。新中国成立前连年的战争和过度采伐使北方平原树木寥寥无几，更别提大片森林了。粮食单产不过 800kg/hm²，并且土壤沙化、盐碱化、黄河水道及其他环境问题导致了大量耕地废弃（河南年鉴，1986；山东年鉴，1988），农民生活条件恶劣。90 年代初，大约 2.43 亿人口生活在 $46.4 \times 10^4 km^2$ 的土地上，而其中只有 $2600 \times 10^4 hm^2$ 为农田，人均耕地 $0.08 hm^2$（Zhong 等，1991）。另外，耕地面积以每年 0.8% 的速度下降，而人口却以年均 1.5% 的速度在增长（中国农业年鉴，1985~1986）。

50 年代起中央政府就开始强调农田恢复，那时重点放在工程及生物措施上，如为防风固沙及控制沙化和盐碱化而进行的植树造林。但 1958 年开始的集体化和"大跃进"使新生且有限的林木资源迅速消减：集体化质疑私有林地产权的有效性，"大跃进"中大炼钢铁则吞噬了大量的树木（中国林业年鉴，1986）。

60 年代初的经济调整期，大量植树造林以提供经济、环境和社会效益，农田林网和林粮间作如雨后春笋，用于改善环境和提高农业生产。但随后的 10 年"文化大革命"又遏制了环境保护和经济发展，农业及林业生产再一次停滞不前。1976 年人民公社的人均收入只有 62.8 元（相当于当时的 25 美元），且有1/3农户负债;许多农户缺衣少穿,房屋简陋,大约 1 亿人食物短缺（Lu，1986）。

"文化大革命"结束后,经济发展成为政策的核心,市场机制逐步取代统购统销,以及价格控制成为配置资源的手段。另外,以农户为单位的家庭联产承包责任制取代集体生产队成为农村生产的基本组织单元,农业生产以前所未有的速度增长。80年代末期北方平原粮食年均生产达到了6000kg/hm²(中国农业年鉴,1988),成为世界上农业生产率最高的地区之一。

几十年来中国农业经历了多次技术进步,包括灌溉系统的扩大、农药和化肥的应用、新品种的引用、地膜覆盖及温室的推广等,但每种技术都有其自身不足并且已经产生了一些问题,比如地下水位降低、土壤有机质减少、对病虫害抗性减弱、夏天干热风逐渐频繁等。似乎创造一个保持农业生产稳定增长的环境已不单单是个技术问题。

合理的林木分布是促进农业生产的一个重要技术措施。树木可以降低风速,调节光照,进而调节空气及土壤温度和湿度,树木还可以改善土壤养分和减少侵蚀。虽然会有森林与农作物争夺光照及水分的情况,但在北方平原这种林木覆盖较低的情况下两者竞争并不严重。由于70年代以来北方平原林木覆盖很低,因此提高覆盖会对农业生产起到积极作用。

事实上,中国大部分农区特别是北方平原,1978年农村改革以来植树造林大幅提高。北方平原的森林覆盖率由1977年的5%增加到1988年的11%,从而有效地缓解了薪材及农用建筑材的紧缺,并且极大地改善了农业生产环境(Yong,1989;Zhong等,1991)。表4-7的数据显示到1988年,该地区拥有防护林约1466×10⁴hm²,林粮间作带约450×10⁴hm²,小片林地约170×10⁴hm²,四旁植树约57亿株(中国林业部,1988)。

表 4-7 中国北方部分省份森林资源概况 (1988)

| 省份 | 面积 | | | | 立木蓄积 (m³) | 占土地面积比例 |
	防护林 (1000 hm²)	林粮间作 (1000 hm²)	小片林地 (1000 hm²)	四旁树 (10 亿株)		
河南	2200	1987	223.3	1.13	34.24	12.1
山东	3800	1335	400.0	1.28	35.05	7.4
江苏	2000	300	482.0	1.20	25.00	8.2
安徽	1434	40	276.7	1.15	19.14	13.9
河北	3286	47	208.7	0.88	29.00	9.7
山西	976	700	108.0	0.04	17.00	15.0
陕西	967	90	300.0	0.05	7.96	7.2
合计	14 663	4499	1698.7	5.73	167.39	—

注:防护林又称"防风带"。林粮间作指农、林作物间作在同一片地里;面积为树木覆盖的间作地表面积小片林地指用于薪材、建筑用材和其他林产品生产的林地。四旁树指栽植在村落和农房周围以及道路和水路两旁的树

数据来源:造林司(中国林业部,1988)

（二）分析方法

树木对农业生产环境的影响可用农业生产方程测得。当然，农业生产函数中包括常规投入要素，像土地、劳力及各种资本。重要改革政策和林业发展也会提高农业产量。比如产权制度完善促使农民更有效地利用各种投入进而提高产量；稳定的产权政策还可以激励农民植树造林以改善农业生产环境；改善环境可以改造农业生产条件，进而提高生产率。如果产权变量与农业生产的关系为正相关并达到显著性水平，那么就有理由推断完善的产权制度激励农民提高生产积极性，从而使得农民从长计议。相应地农民也愿意植树造林来改善环境，提高农业生产率。

农业生产方程的基本形式为：

$$\ln Y_{it} = \alpha + \beta_1 \ln A_{it} + \beta_2 \ln K_{it} + \beta_3 \ln L_{it} + \beta_3 \ln F_{it}$$

$$+ \gamma_1 HRS_{it} + \gamma_2 CM_{i(t-1)} + \gamma_3 ES_{it} + \gamma_4 T + \sum_{i=2}^{5} \delta_i D_i + \varepsilon_{it} \qquad (4-2)$$

式中：Y 为总产量，常规农业投入包括土地（A）、劳动力（L）、固定资本（K）和其他资本如化肥（F），这些变化均采用对数形式；下标 i 和 t 分别表示样本单元和年份；α 为常数项；β，γ，δ 为待估系数；ε_{it} 为独立分布，期望值为 0 的残差项。

方程第二行为影响产量的转移变量。HRS 代表家庭联产承包责任制所占的土地比例（反映产权改革的指标），CM 为农产品与农村工业品之比价（反映市场改革程度的指标），ES 为农用林业发展带来的环境效益，T 为时间趋势变量，D_i 为样本单元虚变量①。集体产权向家庭联产承包责任制的转变及市场改革这两项制度给中国农业带来了巨大的变革。农产品与农村工业品比价反映出市场发育使农业逐渐成为一个有吸引力的行业。Lin（1992）对中国农业的分析中用相同的变量来解释市场改革（同样用一年的滞后期来反映适应性期望），并且与本分析的模型相似，分析时间段也基本相同。HRS，CM 和 ES 之所以会影响生产方程式，是因为这些因素都会改善农业生产环境，如改善农业投入（如劳动力、设备、种子、化肥等）条件。从土地管理的角度来看，农用林业可视为是一种技术创新（Hayami 和 Ruttan，1985）。样本单元虚变量反映地区间在土壤质量及灌溉条件等方面的差异。时间趋势变量则用来反映那些没有识别的区间变化因素。

Cobb-Douglas 生产函数很适于拟合以上数据。中国农业投入价格一般不大可靠，从而限制了采用成本函数。而有限的样本观察值也使我们无法采用其他

---

① 没有明显的补贴或法规影响农民的行为，责任制和市场改革是影响农户行为的主要政策和制度变量

更灵活的函数形式。但这些局限都不会成为严重的问题,严谨的 Cobb-Douglas 生产函数足以揭示 *HRS* 及农用林业的作用。

(三) 数据

本文采用山东省 5 个地区 1977 ~ 1990 年 13 年的数据,共 65 个样本数。1977 ~ 1990 年数据可反映出 1978 年以来农业改革政策产生的影响。山东位于北方平原区中部,是北方最大、最多样化的省份之一。

农业总产出为粮食、棉花、油料 (3 种作物占当地农业产量的 90% 以上) 产量与其官方价格的乘积的总和,这里以 1980 年价格作为计算总产出的基数。1977 年只有官方价格,即使到 1990 年官方收购价格与市场价格也差别不大 [Lin (1992) 也用官方价格来计算总产出]。

农业投入变量包括播种总面积、农业劳动力、农业资本和化肥。考虑到复种指数的影响,使用播种面积比耕地面积为妥;农业劳动力为农村劳动力减去非农产业劳动力。农业资本用农业机械总动力 (hp) 加上役用牲畜 (每头牲畜相当于 0.7hp) 来表示,但这可能会高估农业资本作用,因为很多农业机械可做他用。所以另一种选择为仅用役用牲畜来代表农业资本。化肥为消耗的各种化肥量的总和。实际上灌溉也是一项重要的农业资本投入,但没有专门测量灌溉投入的数据。由于灌溉机械是农业机械的一部分,所以农业资本的系数也反映灌溉的作用。

山东林业局提供了 1977 年、1982 及 1988 年林粮间作及防护林带的林业普查数据,其他年份的数据由普查基数和增长率推算。山东省统计局提供了农业生产数据。表 4-8 综合了以 1980 年为基期的各个变量的指数值 (全省数据)。

表 4-8　山东省: 各变量指数值 (1977 ~ 1990)

年份	总产出	土地	劳动力	资本	化肥	*HRS*	市场改革 (*CM*)	农用林业
1978	87.18	101.34	91.88	84.02	71.58	0.00	79.62	17.68
1979	90.12	100.60	96.47	93.46	81.56	0.01	82.05	19.74
1980	100.00	100.00	100.00	100.00	100.00	0.12	100.00	22.78
1981	120.82	97.89	102.80	109.87	119.73	0.40	99.81	25.75
1982	148.31	97.39	103.32	121.73	142.72	0.67	105.61	28.96
1983	175.57	99.84	103.96	145.43	167.60	0.83	104.91	32.25
1984	199.92	102.84	105.08	158.53	171.10	0.95	105.21	35.01
1985	179.99	105.16	104.29	177.81	179.30	0.99	102.29	38.27
1986	180.72	107.25	104.40	196.65	177.04	0.99	96.36	42.10
1987	195.76	106.32	105.38	216.05	176.92	0.99	103.84	46.14

（续）

年份	总产出	土地	劳动力	资本	化肥	HRS	市场改革（CM）	农用林业
1988	182.83	106.60	107.61	240.89	194.30	0.99	106.99	46.88
1989	192.31	105.72	109.44	245.22	201.98	0.99	114.50	47.29
1990	195.33	99.15	104.16	248.75	215.55	0.99	153.54	47.06

注：变量定义见正文。农用林业包括防护林和林粮间作，但不包括小片林地和"四旁树"，因为它们并非影响农业生产

数据来源：中国农业年鉴，1985～1992

（四）农用林业的功能

如果林木在农田周围和内部合理分布的话，林木覆盖面积（公顷）可以用来代表林地的环境效益（4-2 式中 ES）。如果分别考虑林粮间作和防护林带，也许分析会更妥。这里反映环境效益的近似变量分别为各种农用林业面积占整个农田面积的比例。

林木可以从以下 5 个方面对农业生产环境产生影响：降低风速及风蚀；控制土壤侵蚀；调节太阳辐射、土壤和空气温度；提高土壤湿度；增加土壤养分。干热风在北方是个严重的问题，防护林主要是用来控制它的。北方平原的农民更是深刻体会到防护林的作用。虽然林粮间作的树木密度不足以形成良好的避风屏障，对减少风蚀的效果也有限，但是它们可以从其他方面改善农业生产环境。北方平原的林粮间作主要作用是调节土壤温度、湿度及土壤有机物含量。

小片林和"四旁树"则发挥着不同的功能，它们的面积也远小于防护林及林粮间作覆盖的面积（表4-7）。虽然小片林地也有助于控制风蚀、保护河床及减少洪水威胁，但主要用于建筑用材及薪材；而"四旁树"为人们居住生活的地方提供了良好的环境。这些树木不是为保护农田而栽植，它们还可能减少农业用地。因此地方林业部门将小片林和"四旁树"与防护林和林粮间作分开统计。所有这些都说明，我们的分析不应把它们混为一谈。

另一个需要注意的问题是，森林产生环境效益要滞后于树苗的栽植。这种滞后期对北方平原林粮间作及防护林来说比较短，因为不仅恶化的农业生产环境使得林木的效益易于显现，而且农民大都栽植速生树林。然而，防护林的作用在很长一段时间内都是不断增强的，因为林木只有接近成熟时降低风速的作用才完全发挥出来①。因此虽然幼林很快就可以发挥作用，林木的环境效益尤

---

① 如果防护林设计合理，树冠密度影响降低风速的程度，而树高影响降低风速的范围。树越成熟长得越高，树冠越密（Nair，1993）

其是防护林的作用可能会不断加强乃至超过本文数据涵盖的 13 年。对农业作用有 1 年滞后期,从统计结果看拟合的很好。这种滞后期也证实了另一个假设,即农业改革的作用(特别是产权制度完善)至少要比农用林业发展提前1 年。

(五)实证结果

表 4-9 记录了回归结果。所有变量都除以 1980 年每个地区的耕地面积以纠正由于地区差异而产生的异方差问题。此外,两个回归采用了固定效果模型(包括时间趋势变量),模型检验出现自相关问题,但纠偏后结果变化不大。前两个模型(1,2 列)农业资本概念不同,第三个模型(3 列)去除了实物投入变量(包括劳动力),集中反映提高生产的转移变量如何影响农业,用以证实前两个模型的估计结果。3 个模型 R^2 值都显示它们的拟合度还不错,农用林业变量的系数均为正,林粮间作变量系数显著。其余大部分变量系数与预期相同,并达到统计显著性水平。

表 4-9　农业生产方程回归结果

变　量	资本为农业机械和役用牲畜之和	资本仅为役用牲畜	只包括影响生产的转移变量
常数项	0.361	2.618 *	2.456 *
	(0.660)	(3.829)	(13.333)
农用林业			
防护林	0.005	0.001	0.010
	(0.767)	(0.206)	(1.204)
林粮间作	0.007 *	0.006 *	0.007 *
	(2.519)	(2.041)	(2.033)
产权改革(HRS)	0.361 *	0.551 *	0.663 *
	(4.225)	(6.368)	(7.909)
市场改革(CM)	0.0002	−0.0001	0.0001
	(0.336)	(−0.277)	(0.083)
资本	0.536 *	0.346 *	
	(4.588)	(5.642)	
化肥	0.435 *	0.311 *	
	(4.212)	(2.966)	
土地	−0.382	−0.043	
	(−1.502)	(−0.195)	
劳动力	−0.064	−0.172	
	(−0.189)	(−0.549)	

（续）

变 量	资本为农业机械和 役用牲畜之和	资本仅为 役用牲畜	只包括 影响生产的转移变量
时间趋势	− 0.065 *	− 0.035 *	
	（− 4.525）	（− 3.405）	
地区虚拟变量			
D_1	− 0.250 *	− 0.510 *	− 0.467 *
	（− 2.983）	（− 6.223）	（− 7.595）
D_2	− 0.046	− 0.290	− 0.048
	（− 0.277）	（− 1.884）	（− 0.397）
D_3	0.214 *	− 0.082	− 0.172
	（2.110）	（− 0.979）	（− 1.624）
D_4	− 0.118	− 0.508 *	− 0.625 *
	（− 1.048）	（− 4.724）	（− 5.279）
自由度	51	51	55
调整后 R^2 值	0.958	0.964	0.914

注：括号中为渐近 t 值；＊代表 0.01 统计显著性水平

产权改革变量系数数值比较大，并达到统计显著性水平，而市场改革变量系数比较小且不显著，这些结果与 McMillan（1989）和 Wen（1993）对中国的研究大体一致。结果也进一步证实山东及北方平原家庭联产承包责任制的实施是农业产量提高最重要的源泉。市场改革作用不明显这一结果并非意外，表 4-8 的数据清楚表明大多年份间价格变动很小不足对农业产值增加有多大贡献。

两个不同定义的农业资本变量的系数差异不大，而且对农用林业变量及整个模型的统计拟合度影响也不大。这一结果与我们看到的现象一致，即拥有较多农业机械的农民往往拥有较多的役用牲畜。牲畜主要用于耕种，而农用机械例如小型拖拉机则配做他用。另外，化肥这一变量的系数为正，并达到显著性水平。

播种面积及劳动力的系数为负，但不显著。表 4-8 显示播种面积相对变化很小，实际上播种面积在逐渐减少而农业产出在不断提高。因此，播种面积与农业产出统计上不相关并不意外。劳动力的情况则不同。前面提到北方平原区农业用地不断减少，但人口年增长速度依然为 1.5%。虽然总体上中国农业劳动力在减少，但表 4-8 显示山东农业劳动力在增长，因此估计结果也不意外。另外，中国官方农业劳动力不是直接统计，而是由农村劳动力减去其他农村就业人员计算而得,此差值本身误差就大①。

农业投入要素系数的和小于1,说明农业生产呈现出规模报酬递减性,意味着农业生产率提高的难度。这个结果不仅使人们对未来增产的前景感到担忧,也强调了提高农业生产率外在因素的重要性,如政策驱动因素(家庭联产承包责任制和市场改革)及环境改善(农用林业)等。因为北方平原是中国重要的农产区,农业生产率的提高也一直处于领先地位,以上结果还提出了一个值得思考的问题,即:如果没有进一步的政策完善和环境改善,怎样才能保持农业生产率的可持续增长呢?

最后,时间趋势变量的系数为负,并达到显著性水平。这个结果与 Lin(1992)的中国农业正的时间趋势的研究结果相反。这种不同可能是因为当地的技术进步主要反映在农业资本及化肥的施用上〔这种解释与 Stone(1988)的研究相符〕。另一个原因可能是由于北方平原政府对农业基础设施的公共投资减少,诸如维护不够,灌溉及其他设施增长不足,农业推广体系有限(Feder等,1992)。北方平原灌溉设施规模比其他地区大,因此投资的减少也是有目共睹的②。

第三个模型进一步证实了前两个模型的结论。第三个模型去掉了常规的农业投入变量及时间趋势变量,以便更好地揭示提高生产转移因素的统计可靠性。产权变量依然是作用最显著的政策变量,林粮间作变量系数仍稳定在0.007,并达到了显著性水平。防护林变量系数在3个模型中都为正,但数值很小且不显著③。这些结果说明,对山东农民来讲,林粮间作在调节土壤与空气的温度、湿度及改善土壤养分方面发挥的作用要大于防护林幼林的降低风速与风蚀的作用。也许这种情况会改变。一旦林木普遍成熟,防护林控制风蚀的作用会增强,其相对于林粮间作的地位可能会改变。事实上政府对防护林的期望很高。

从以上分析可以得到下面两个结论:第一,从集体化转向家庭联产承包责任制的政策变化是中国 90 年代农业生产力提高的最重要源泉。农民植树造林因为他们确信投资可以得到回报。第二,农用林业特别是林粮间作,对山东省乃至整个北方平原的农业生产力提高起到了积极的作用。

---

① 用另一个劳动力变量,也证实了这一结论。国家物价局收集了不同作物的劳动力和实物投入数据(例如化肥、种子、灌溉等)。劳动力数据表明山东农业劳动力投入下降,与全国的趋势一致。但这些数据没有包括农业机械及役用牲畜的成本,而且省级平均数据还没有办法反映地区间的差异。使用这些劳动力和物质成本数据导致了回归劳动力系数变正,但仍然不显著。土地投入系数变小,并且所有生产要素系数之和仍较小。与表4-9 比较农用林业系数保持不变,这表明表4-9 实证分析是可靠的

② 因此趋势变量可能包含了通常技术进步所带来的正面作用,也包含基础设施萎缩所带来的负面作用,但后者作用大于前者。Antle(1983)指出基础设施是解释农业生产力的一个重要变量

③ 一个未列出的回归分析表明防护林与林粮间作合二为一的效果为 0.08,并达到显著水平

（六）要素贡献率

家庭联产承包责任制与农用林业的贡献率可以由分解农业产出增长率而求得，其方法类似于编制表 4-6 的方法。表 4-8 表明到 1984 年以家庭联产承包责任制为核心的产权改革基本结束，因此这里分两个时期，1977～1984 年和 1985～1990 年来考察各要素贡献率为妥。以表 4-9 中第二个方程为准，表 4-10 记录了两个时期贡献率的分析结果，第 4 和第 6 列为要素贡献率。这两列中第一行的数字为对农业增长贡献的绝对值，括号中数值为所占比例。

表 4-10　农业生产力增长

	回归方程系数	1977～1984		1985～1990	
		变量变化平均值	增长贡献率①	变量变化平均值	增长贡献率①
投入					
资本	0.346	74.51	25.78	86.69	29.99
			(28.05)		(107.66)
化肥	0.311	99.52	30.95	30.88	9.60
			(33.67)		(34.47)
土地	−0.043	1.50	−0.065	2.88	−0.12
			(−0.07)		(−0.44)
劳动力	−0.172	13.20	−2.27	4.36	−0.75
			(−2.47)		(−2.69)
生产增长转移变量					
产权改革	0.551	0.99	54.55	0.00	0.00
			(59.34)		(0.00)
市场改革	−0.0001	25.59	−0.20	9.29	0.09
			(−0.28)		(0.32)
时间趋势	−0.035	7.00	−0.25	5.00	−17.50
			(−0.27)		(−62.81)
农用林业					
防护林	0.001	10.84	1.08	4.54	0.45
			(1.18)		(1.63)
林粮间作	0.006	6.49	3.89	8.23	4.94
			(4.24)		(17.72)
其他			2.77		1.16
			(2.99)		(4.15)
总增长			91.92		27.86
			(100.00)		(100.00)

① 括号中数值为贡献率

第一个时期农业增长有一半归功于家庭联产承包责任制的实施，这个结果与 Lin（1992）研究相似，他估计全国 47% 的农业增长源于家庭联产承包责任制的实施。McMillan（1989）和 Fan（1991）也报道了相似的研究结果。除产权转变之外，农业资本、化肥及林粮间作带来的环境改善也对农业生产力的提高起很大作用。农用林业，包括防护林和林粮间作的绝对贡献在两个时期都有所增长，从 1977~1984 年的 4.97 增长到 1985~1990 年的 5.39。在家庭联产承包责任制发挥了很大的作用而大部分农用林木尚未成林的第一个时期，农用林业的相对贡献率只占 5.42%，而第二个时期随着林木的扩大和成熟其贡献率占到 19.4%，这个结果与 Zhong（1991）和 Zhu（1991）的粗略估计相符，即 10%~15% 的农作物产量增长来自于农用林业发展。也许在北方平原这个估计值还有些保守。在山东大部分农用林业的贡献来自于林粮间作，其贡献率由 1977~1984 年的 4.24% 增长到 1985~1990 年的 17.72%，因为相当一部分防护林要到 1990 年后才成熟，所以其效果尚未显示出来。

（七）小结

回归结果有力地证明了家庭联产承包责任制的实施是 80 年代农业生产力提高的主要原因。家庭联产承包责任制也是植树造林及森林面积扩大的重要因素，因为长期稳定的土地使用责任制使农民相信他的改善环境的投资可以提高农业生产力，而这种投资带来林地面积的不断扩大。

另外，从以下两个方面可以看出 1990 年后林木带来的效益会愈加明显。第一，80 年代初期种植的林木大多在 90 年代成熟后，才会发挥其最大化的防护效益。其他后来栽植的林木仍在旺盛成长，使林木发挥的效益越来越大。农民植树造林的经验也会愈加丰富，其栽树的成活率更高，使农业生产率得到进一步提高。第二，90 年代后期续签家庭联产承包责任制合同，消除了部分农民对家庭联产承包责任制稳定性的顾虑，这为长期农业生产投资创造了更加良好的环境，同时促进了对林产品如工业用材生产的长期投资。

（八）结论

计量分析结果有力地证实了第二章中提出的观点，即完善的产权制度和稳定的政策环境是重要的。产权赋予农民享有投资回报的权利；稳定安全的政策环境使农民相信他们有权享有投资的未来收益，这使他们有可能去计划生产并加大投资。产权变革及相对稳定的政策环境是中国林业改革的两个重要方面，也是预测改革成效的关键。毫无疑问这两方面政策对林业生产的影响超出了本研究的期限，因为较长的树木生长期意味着 80 年代初采伐林木并更新造林行为的影响会在 20 年或 30 年之后，即 2000 年或 2010 年后的林木蓄积或林地面积上反映出来。

　　分析结果也支持另一个观点，即 80 年代末至 90 年代农民植树造林的目的之一是改善环境。农民为改善农业生产环境而植树，且很快就见到了收益。从 1978 年到 1990 年农业单产提高了 5200kg/hm²，其中植树造林改善农业生产环境的贡献率达到近 20%。

参考文献

Antle J. 1983. Infrastructure and Aggregate Agricultural Productivity: International Averages. *Economic Development and Cultural Change*, 31 (3): 609 – 619

China Agricultural Yearbook. 1985 through 1992. [in Chinese]. Beijing: China Agricultural Press

China Forestry Yearbook. 1986. [in Chinese]. Beijing: China Forestry Publishing house

Fan S G. 1991. Effects of Institutional Reform and Technological Change on Production Growth in Chinese Agriculture. *American Journal of Agricultural Economics*, 73 (2): 266 – 275

Feder G, L J Lau, Y J Lin, and X P Luo. 1992. The Determinants of Farm Investment and Residential Construction in Post – Reform China. *Economic Development and Cultural Change*, 40 (3): 287 – 312

Hayami, Yujiro, and Vernon W Ruttan. 1985. *Agricultural Development: An International Perspective*. Baltimore, MD: The Johns Hopkins University Press

Henan Yearbook. 1986. [in Chinese]. Zhengzhou, China: People's Press of Henan

Lin Y J. 1992. Rural Reforms and Agricultural Growth in China. *American Economic Review*, 81: 34 – 51

Lu X Y. 1986. *Research on Responsibility Systems* [in Chinese]. Shanghai: People's Press of Shanghai

McMillan J, J Whalley, and L J Zhu. 1989. The Impact of China's Economic Reforms on Agricultural Productivity Growth. *Journal of Political Economy*, 97: 781 – 807

MOF (Ministry of Forestry). 1988. *Resource Bulletin* [in Chinese]. Beijing: Ministry of Forestry

Nair P K R. 1993. *An Introduction to Agroforestry*. Dordrecht, the Netherlands: Kluwer Academic

Shandong Yearbook. 1988. [in Chinese]. Jinan, China: People's Press of Shandong

Stone B. 1988. Development in Agricultural Technology. *The China Quarterly*, 116: 762 – 822

Sun Changjin. 1992. Community Forestry in Southern China. *Journal of Forestry*, 90 (6): 35 – 39

Wang Y C, D S Liu, and J T Xu. 1991. A Study of Forestry Development in the South [in Chinese]. In *studies on China's Forestry Development*, edited by W T Yong. Beijing: China Forestry Press

Wen J G. 1993. Total Factor Productivity Growth in China's Farming Sector: 1952 – 1989. *Economic Development and Cultural Change*, 41: 1 – 41

Yin Runsheng. 1994. China's Rural Forestry since 1949. *Journal of World Forest Resource Management*, 7: 73 – 100

Yin Runsheng, and William F Hyde. 2000. The Impact of Agroforestry on Agricultural Productivity:

The Case of Northern China. *Agroforestry Systems*, 50: 179 - 194

Yin Runsheng, and David H. Newman. 1997. The Impact of Rural Reform on China's Forestry Development. *Environment and Development Economics*, 2 (3): 289 - 303

Yin Runsheng, and J. T. Xu. 1987. A Survey of Timber Revenue Distribution before and after Opening the Market. *Forestry Problems*, 1: 109 - 128

Yong W T. 1987. How to Enhance the Forest Productivity. *Forestry Problems* 1: 19 - 40

Yong W T. 1989. Agroforestry Development and Its Implications. *Forestry Problems*, 7: 127 - 145

Zhong M G, C Xian, and Y M Li. 1991. A Study of Forestry Development in the Major Agricultural Areas [in Chinese]. In *Studies on China's Forestry Development*, edited by W. T. Yong. Beijing: China Forestry Publishing House

Zhu Z H, M T Cai, S J Wang, and Y Y Yiang (eds.). 1991. *Agroforestry Systems in China*. Beijing and Ottawa: Chinese Academy of Forestry and International Development Research Center

第五章 政策改革与林业投资

张道卫[①]

投资是一个行业或经济发展动态和潜力的体现。随着中国经济改革的深入，投资机会逐渐增多。本章将回顾中国林业行业投资的发展趋势，总结包括国内和国际资金在营林和林产加工两方面投资的动因、效果和存在的问题。

刘大昌和 Edmunds 在第二章描述了在农村实行的林业生产责任制。林业生产责任制开始实施于 20 世纪 80 年代初，而中国的森林面积和蓄积量于 80 年代末开始恢复。刘金龙等在第三章阐述了妨碍林农投资的因素，尤其是过高的税赋。尹润生在第四章验证了农业生产机会的扩大为林业投资提供了额外的激励，但这些政策执行的偏差进一步增加了林业生产的不确定性，妨碍了一些地区林农对林业的投资。

这些章节注重于私人——特别是林农在中国改革大约 20 年的投资。它们对林农投资做了较为完整的阐述。然而，以由农户通过经营权对森林进行管理为特征的集体林区在 1988 年只占中国林地面积的 55%，森林蓄积量的 30%。在 20 世纪 90 年代末，集体林区仍仅占中国林地面积的 58%，森林蓄积量的 29%。

了解管理着中国约一半森林面积，一半以上森林蓄积量的国有企业的投资经历以及非林农私人投资者和外国投资者对林业投资的动机和效果对全面理解中国过去 20 年林业投资也很重要。这 4 种投资者的投资所带来的结果是深刻的。第五次（1994～1998）全国森林调查结果表明，森林面积比第四次调查（1988～1993）时增长了 $1370 \times 10^4 hm^2$（9.3%），森林蓄积量增长了 $6 \times 10^8 m^3$。但是，在同一时期，全国有 $281 \times 10^4 hm^2$ 的林地变成了非林地，全国还有 5700 $\times 10^4 hm^2$（占全国土地总面积的 6%）的宜林地仍为荒山荒地。

本章回顾 4 种投资者对林业投资的经历，探讨他们的投资动因和成功经验，同时寻求为什么中国的宜林荒山荒地得不到绿化的答案。本章的主要结论是：

① 集体林区的改革为营林生产提供了一些激励，但是不完整的产权，以及为维护林权所付出的高交易成本和税收妨碍了林农的投资积极性，限制了他们

① 美国奥本大学林学院林业经济和政策学教授。本文翻译工作由奥本大学林学院博士研究生栗艳曙协助完成

对营林的投资。

② 政府的一般性营林投资变化不大,但为对付生态灾难的工程投资增加较快。政府营林投资曾被转为行政经费,对营林活动的监测成本较高。

③ 非林农私人投资者对林业的投资较少。这主要是因为对中国林业投资的风险相对较高。

④ 外国投资者在中国林业行业的投资额虽小,但很重要。这种投资随着中国经济的发展而呈增长趋势。

中国林业发展的关键在于近年来的渐进式改革是否继续下去,产权是否会变得更完整,交易成本和税收能否降低,以及政府是否会加大为改善环境所进行的投资。如果各项改革将继续进行下去,私人在营林方面的投资就会扩张,由森林多而产生的环境效益也会增加。反之,如果林业政策改革停滞不前,那么中国大量的宜林荒山荒地就得不到及时绿化,林地被改用的情况还会很严重,中国的森林也就不能发挥其环境保护的作用。能否继续经济和政治体制改革从而吸引私人对林业的投资并继续扩大政府为改善环境而对林业的投资是中国林业面临的机遇和挑战。

一、历史回顾

1978 年以前的中国经济是高度集中的。这种计划经济有两个生产单元——国家和集体。林业投资与其他行业一样来源于这两个生产单元。为了方便起见,本章所说的国家投资包括中央、省(自治区、直辖市)、地、市和县政府的建设性公共支出。集体投资是指乡、村以及更小的生产单位在国家计划政策指导下进行的建设性支出。从经济改革实施以后,未从事林业生产的公民对林业的投资有所增加。首先是义务植树,近来又体现在购买上市林业公司的债券和股票上。由于中国以前所强调的自给自足政策,外国投资者对林业的投资——包括私人投资和外国政府贷款,在改革以前基本上是不存在的。

集体林业投资主要体现在造林、营林和小型林产品加工企业方面。这些投资的统计资料主要体现在造林和营林面积上。这种投资的成本则很少被统计或统计数字的可比性不高,因而要对这种投资的效果进行评价是比较困难的,尽管多数学者和观察家认为当个人的劳动与报酬脱节时会产生低效率,而集体生产的特点正是"一大二公",劳动和报酬脱节。另外,集体林业还被视为国有林业的补充。集体林业投资与国家对林业的投资相比要少些。

国家林业投资的构成在过去 50 年发生了较大变化。中央政府在国家对所有国营企业的投资从 1953 年的 84% 下降到了 1978 年的 62% 和 1995 年的 5%。与此同时,省及地方政府、企业本身(通过自筹资金),以及国外投资的比重上升。中央政府在林业行业中的国家投资比重降低得较为缓慢——从 1953 年的 100% 到 1995 年的 35%。因而，当中央政府减少对国民经济直接投资的时候，它在林业方面投资下降的幅度较小。林业在所有国家投资的比重从 1953 年的 1.5% 增长到 1963 年的 5.4%。从 1963 年起，林业在所有国家投资的比重下降到 1995 年的 0.5%（张彩虹，1999）。

国家林业投资包括营林和森工业（采伐和加工）两方面。在 20 世纪 50 年代，国家对森林工业的投资是对营林投资的 10 倍。从 1960 年起，营林投资在国家林业投资的份额逐渐增大，并于 1988 年时超过了森林工业在国家林业投资的份额（张彩虹，1999）。近几年营林投资占国家林业投资的 70% 左右。

二、林农投资

林权和木材市场开放这两项最基本的改革影响林农对林业的投资。林权下放和稳定改善了个人劳动与报酬之间的关系，从而使林地利用效率、土地生产力的提高和林农收入增加成为可能。木材市场开放确实增加了林农收入，吸引林农对营林的投资，从而促使中国的森林资源增长。

木材市场开放经历了两个阶段。从 1979 年开始林农可以将计划外生产的木材在市场上按市价销售。从 1985 年开始，这种双轨价格制度被抛弃，林农可以将所生产木材的全部在市场上自由销售。当然，采伐限额和运输许可证仍由林业部门制定。

林权的下放起源于林业的"三定"（稳定山权、林权、落实林业生产责任制）。在"三定"政策执行中，地方政府实施了多种林权改革。这些改革可分为 20 世纪 80 年代初期的林业生产责任制，及 90 年代的租赁和股份制。林业生产责任制可视为有较短期限的生产合同。合同的持有者有权从森林管理和木材销售中获利，但（由于期限较短）他们无权处理幼林和林地。租赁有较长（20～70 年）的期限。租赁者有权且有机会对幼林进行经营，销售并从中获利。由于期限较长，土地本身对租赁者来说是一种利益①。

林农一般只有少量的（0.2hm² 以下）自留林（山）。他们的责任林（山）却可达几百甚至上千公顷。责任林（山）和租赁林（山）开始一般按人口分配。有时，责任林（山）是经过拍卖形式确定的。林权下放发展很快，到 1985 年时，70% 的集体林都被分到了农户（中国林业年鉴，1986）。某些林区（特别是福建）的集体单位则成立了林业股份制公司。另外一些单位则先分林

---

① 尽管林业生产责任制合同大都规定林农在砍伐森林后应该更新，这种合同的短期性使得林农对幼龄林没有实际的经济利益。租赁则给予林农足够的时间，使他们能够获得造林的成果。因此，租赁使林农有造林的动力

（山）到户，然后又合户成立了股份制企业。

（一）改革的预期

对木材市场开放和林权下放效果的研究还不充分。但是，这些改革的目标：提高价格、增加收入、改善营林投入是明确的。

中央政府曾经为了经济发展而人为地压低木材价格。这种政策使传递给林农的信息失真，使林农及集体认为对林业投资不合算而放弃对林业的投资机会。木材市场开放使得供给和需求这只"看不见的手"起作用。这只手在需求大于供给时为林农增加收入提供了机会，并使之受到鼓励而增加对林业的投资。

由于合同和其他产权有多种特征，林权下放的预期较为复杂（Pearse，1990；Scott，1990；Posner，1992）。任何合同或产权，包括林业生产责任制，给予合同持有者以下一个或更多的权利：

① 收益权

② 管理或经营权

③ 处置权

所有产权又可分为以下几种特征：

① 排他性——防止他人占有产权所有者劳动成果的程度；

② 期限——产权的长短；

③ 安全性——产权为社会所承认和保护的程度；

④ 灵活性——所有者对产权重新分割组合的灵活程度；

⑤ 转让性——所有者可处置产权的程度；

⑥ 可分割性——产权是否可被分割为不同用途（如土地、木材等）。

前3种特征无论在产权持有者是否调整投入时都会为他带来利益。这些特征因为有排他机制而有助于持有者放心地进行投入。后3种特征则使持有者在调整投入——土地比率时为他带来利益。有权对土地进行分割、转让会使土地和其他资源容易得到最佳用途（或曰地尽其力）。

与产权相关的另外一个概念是交易成本（Allen，1991）。交易成本是确定和维护产权的费用，包括信息、谈判、确立、执行和监测的费用。交易成本下降才能使收益和福利增加。当政治和社会机构不能有效地制止土地纠纷、非法采伐、盗伐和当政府税收和法规使林权持有者丧失大部分获利的机会时，交易成本就显得非常突出或非常高了（D. Zhang，1999；Zhang and Flick，2001）。

从这些介绍可以看出中国的林业生产责任制和租赁制给予了林农一些权利，他们的产权具有不同程度的特征。随着中国改革的进一步发展，合同和租赁又被赋予了更多的权力和更完整的特征。然而，林农产权仍然是不够完整的。与木材和林地相关的交易成本使农户负担过重。林权虽然得到了许多改善，林农的收益也随之增多，但如果产权更为完整、交易成本更低时，其效果会更好。

（二）改革对林农收入和他们对林业投资的影响

那么到底林业政策改革为林农增加了多少收入？林农对林业的投资是否普遍伴随着改革而增加了呢？

尽管近年来上升的幅度有限，全国农民的名义收入从 1978 年起一直是上升的。具体地说，农民人均名义收入 1978 ~ 1997 年平均增长率为 15.2%。而 1997 ~ 1999 年的增长率仅为 2.1%（徐连仲，2001）。农民收入增长的一小部分可以归功于林业政策改革，特别是 20 世纪 80 年代初林权和木材市场开放方面的改革。在中国集体林区木材市场开放的第一年（1985 年），全国木材的不变价格就上涨了 43%（图 5-1）。

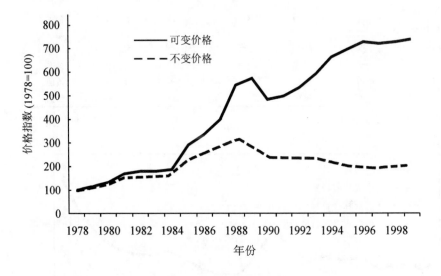

图 5-1　木材及竹子价格指数
数据来源：中国统计年鉴（2000）

然而 1985 年后不久，与木材有关的税费开始以比木材价格更快的速度增长。从 1988 年起，木材税费占原木售价的 60% ~ 70%，林农所得的林价甚至降低到木材售价的 10% 左右。许多调查林农收入的文献都提到非法采伐现象。这种现象与税收过高有直接联系（表 5-1）。在许多地方，林农销售木材所获得的纯收入在 90 年代后期比 80 年代中期还低（中国林业经济发展研究中心，2000）。

第二个问题的答案则较为明确，林农还是对林业投资的。表 5-2 显示集体林区于 1981～1998 年森林资源变化的情况①。集体林区森林面积在数次清查中都是增长的。森林蓄积量在各集体林区也是增长的,特别是 1988～1993 那次森林资源清查。全国集体林区面积在 20 年内增长了 $1900 \times 10^4 hm^2$ (40%)。集体林区森林蓄积量在 1981 年的数据不详,但一般认为森林蓄积量在改革初期先降后升,且上升速度较快。1988～1998 年集体林区森林蓄积量增加了 $7.42 \times 10^8 m^3$ (约 33%)。

表 5-1 林业税费占木材销售价的比例

来源	地区	省	税率 (%)	农民留存 (%)	非法砍伐 现象	对营林投资 的影响
王宪恩 1996	开化	安徽	50.0	—	有,15%	负面
陈万吉 2000	—	广东	34.5	—		负面
	—	广西	39.5	—		负面
张再福 2000	三明	福建	76.0	6.8②	—	负面
王光等 2000	怀化	湖南	45～55	—	有,21%	负面
中国林业经济发展 研究中心 1999	靖州	湖南	62.0	38.0①	有 —	负面
张晓静 1999	崇义	江西	—	31.0①	有	负面
	—	福建	—	25.0①		负面
侯知正 1993	锦屏	贵州	—	7.5②	有	负面
	三明	福建	—	15.0②	—	负面

① 包括采伐成本;② 即林价

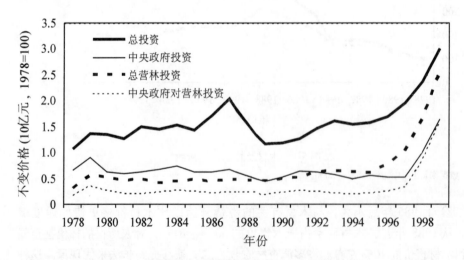

图 5-2 国家对国有森工企业投资

数据来源:中国林业统计年鉴 (2000)

① 图 5-2 反映了所有私人投资,包括林农投资、非林农投资和外资的成果。但非林农私人投资和外资的数量较小,而且是近期的事。所以林农投资对集体林区森林资源的增长起到了主导作用

表 5-2　集体林区森林资源变化（1981～1998）

	1981	1988	1993	1998	1988～1993	1993～1998	1988～1998[1]
	森林面积（百万公顷）[1]				变化率（%）		
东北	2.3	4.0	3.6	4.2	−8.2	15.4	5.9
西北		2.8	2.7	3.2	−3.0	17.6	14.1
东南	10.8[2]	12.0	13.2	16.5	9.8	25.5	37.8
西南		12.2	13.0	17.4	6.4	33.6	42.1
中南		14.9	17.2	22.4	15.4	30.4	50.4
华北	1.6[3]	2.1	2.5	3.4	19.3	35.0	61.0
总计		48.1	52.3	67.2	8.8	28.5	39.8
	1981	1988	1993	1998	1988～1993	1993～1998	1988～1998[1]
	蓄积量（$\times 10^6\ \mathrm{m}^3$）				变化率（%）		
东北	91.2	167.3	171.1	206.7	2.3	20.8	23.5
西北		98.5	117.2	148.6	19.0	26.7	50.8
东南	595.4[2]	499.1	541.2	630.6	8.5	16.5	26.4
西南		883.1	917.5	1162.1	3.9	26.7	31.6
中南		521.9	569.5	732.4	9.1	28.6	40.3
华北	29.0[3]	49.5	63.9	81.1	29.1	26.8	63.7
总计		2219.4	2380.6	2961.5	7.3	24.4	33.4

① 林地的统计标准在 1994～1998 年清查时森林郁闭度由 30% 变为 20%

② 不包括上海

③ 不包括天津

数据来源：林业部（1983，1989，1994），国家林业局（2000）

　　早期森林面积增长与后期森林蓄积量的增长可能由两个因素所致。首先，在 80 年代初林农采伐他们所拥有产权的林地上的成过熟林，从而导致森林蓄积量下降。其次，幼龄林在达不到一定径级时不会被统计。所以新增蓄积只有在达到一定程度后才会在清查数据中显示出来①。

　　尽管这些数据令人鼓舞，森林的质量如单位面积蓄积量却值得怀疑。许多荒林地和荒山荒地仍然存在。就是在林权下放已执行了 15 年以上的、适宜于森林生长的南方集体林区，政府行为所导致的产权不稳定、不安全仍然妨碍着林农的投资积极性。

　　这种产权不安全性的根源在于林业政策及其执行。第一，地方政府常在没

---

① 乔方宾等（1998）对云南省 28 个村的调查结果支持这一结论。他们发现这些村的林农对林业有投资、在荒山上造林，并扩大责任（山）林地规模

有林农参与和同意的情况下增加林业税费。产权（合同、租赁）双方的地位是不平等的。许多地方政府都大幅度增加林业税费。例如，湖南省靖州市的林业税费从1985～1999年增长了170%，而在同一时期当地木材价格仅上升了9%，林农的收入却降低了84%（均以不变价格计算）（中国林业经济发展研究中心，1999）。

大约一半的林业税费是由省、地、市、县林业部门直接控制的。许多林业部门以搞好林业管理和林业政策改革为名提高税费。在南方集体林区，老的价格控制被新的高税费所取代。许多林业税费名目是在各地方政府预算计划外的，例如福建省的育林基金1984～1989年增长了670%（按不变价格计算）（张琅，1990）。育林基金按规定是要用于林业管理的，这些基金有时被挪用，变成了林业干部和职工的日常工资和福利。

第二，法律对林业产权的保护较弱，林权纠纷被视为民事纠纷，而非刑事犯罪、林地纠纷也常导致乱砍滥伐（国家林业局，2001）。对乱砍滥伐和盗伐木材的惩罚也较轻，因而无法恫吓犯罪者。更糟糕的是地方政府因不执行合同、租赁规定或想方设法取消合同和租赁而间接地怂恿盗伐活动。杨枝材（1996）的个人经历就是一例。他曾在自己的6hm²自留山和责任山上造林，并投资了12万元在由他承包的150hm²集体林地上造林。地方政府后来要撕毁合同，他的森林也先后几次被哄抢。

更有甚者，一些地方政府从一开始就没有有意要执行合同。例如山西省吕梁地区的干部建议更改合同的标准之一就是看物价上涨的程度或林农获利的多少（刘拓信和白建荣，1996）。这样做只能增加林农为维护自己产权的交易成本，其结果是阻碍林农投资。

第三，中国改革基本上是按"摸着石头过河"的路走的。改革是一个渐进的过程，而渐进的、不彻底的改革则会带来不确定性。这种慢慢走的改革和1949～1979年的中国林权数次变革的经历使林农不知道未来政策的走向。其结果是一部分林农在林权下放的初期就砍伐了大量的林木（见第四章；何群，1989；林卿，1989）。

（三）小结

总之，集体林区的林地面积和蓄积量增加了。从改革初期到现在，林权的特征也在变动。可分割性和可转让性在某些租赁合同中已经出现，尽管某些租赁合同只可在本村镇居民手中转让。合同的期限也延长了，然而交易成本过高，林权仍然有许多不安全的因素。这是由于：

① 税费过高，对森林采伐和运输的限制较多；

② 林地纠纷案件不断，对林权的制度性保护不够；

③ 大政策环境的不确定性。

农民从林业获得的收入增加了，但是增加幅度不大。林农对林业的投资有限。在集约边际上，林农倾向于农业和水果业。这表现在 1989～1993 和1994～1998 年两次森林资源清查期间有 $280 \times 10^4 hm^2$ 林地被改做它用。

我们甚至可以说林农有可以投入林业生产的资金。中国是世界上储蓄率最高的国家之一，而农民的资金大都被用于房子和乡镇企业。他们可以为林业生产出劳力，但很少出资金。因此，在集约边际上的林业投入比应该投的要少。在粗放边际方面，林农使一些荒山荒地变成了林地。如若交易成本更低、产权更完整、使营林生产更加有利可图的话，更多的荒山荒地就会被消灭。林农在采伐后一般会造林，但营林活动的集约化程度和造林的质量不高（何群，1989；中国林业经济发展研究中心，2000）。

三、政府营林投资

政府对营林的投资分为两部分：一般性营林投资和工程投资。两项投资一般都由国有林业企业或林业部门执行。某些政府投资也以对林农补贴的形式用于造林和营林。

（一）政府对国有林业企业的投资

政府对国有林业企业的投资来源于政府拨（贷）款和企业自留利润。来源于这两方面的资金可被用于营林和森工两方面。许多国有林业企业都有森林经营、采伐和木材加工方面的职能。

从 1978 年起，中央政府对国有林业企业的投资占所有政府对林业投资的一半以上（图 5-2）。（其余部分为地方政府和企业从利润留成的投资）换句话说，中央政府对森工方面的投资份额下降了，但中央政府对营林投入则增加了，特别是 1997 年之后①。

1979～1997 年，政府对国有林业企业的总投资按不变价格计算增长了3.9%。其中营林投资增长了 7.9%，森工投资增长了 2.3%。这种情况符合将森林工业推向市场和强化政府在环境保护中作用的政策。

总投资年平均增长率掩盖了几个大的投资增长年份。最大的投资增长年份

---

① 国有林业企业的利润留成是营林投资的另一个来源。国有林业企业的自主权在增长。然而，这些企业的营林仍然没有木材生产那么重要。目前 80% 的国有森工企业已经耗尽了天然林。在 1994 年，1/3 的国有森工企业出现了亏损。3 年以后，一半以上的企业亏损，而全行业的亏损额增加了 4.5 倍。由于企业负债，企业对营林的投入不会增大许多。然而国有企业已在向市场化迈进。因此，非林农私人投资者在林业办企业的经历可供国有企业借鉴

发生在中央决定建立三北防护林后的 1979 年和 1997～2001 年。在后几年中，中央的投资与几次大的生态灾难有关（1998 年长江和松花江流域大水，2000 和 2001 年中国北方的沙尘暴）。中央随后又做出了限制木材采伐、保护天然林和退耕还林的决定。另外一个大量投资增长的年份是 1987 年。这可能与控制当年发生的总面积为 $114 \times 10^4 hm^2$ 的森林大火和此后的更新造林有关。显然，中国政府和许多国家政府一样，会对危机做出迅速反应。

图 5-3 显示了国家从 1990 年起对几项重点林业工程投资的情况。该图反映出国家对工程投资在总营林投资的份额增加较大。这些工程项目在 2001 年前共有 14 项（表 5-3）。2001 年后被合并变为 5 项（加上野生动植物保护及自然保护区建设工程，统称为六大林业重点工程）。其中 13 项工程是以造林为中心的生态保护工程，另一项是速生丰产林基地建设工程。最后一项是始于 2000 年的天然林资源保护工程。这 14 个项目的国家总投资在 10 年之内增长了 6 倍。

图 5-3　国家一般性营林投资和工程造林投资

数据来源：中国林业统计年鉴（2000）

表 5-3　林业工程项目

名　称	目标及地点	开始日期	完工面积（$\times 10^6 hm^2$） 造林	完工面积（$\times 10^6 hm^2$） 抚育
三北防护林工程[①]	在占国土面积 45% 的东北、华北和西北部建设绿色长城	1978	17.33	24.31
平原绿化工程	在河南、河北、山东、江苏平原地区建设农田防护林	1984	0.42	0.62

（续）

名　称	目标及地点	开始日期	完工面积（×10⁶hm²）	
			造林	抚育
太行山绿化工程	太行山地区造林绿化	1986	3.63	2.76
沿海防护林工程	在南方省区沿海地区建设海防林	1988	1.29	1.16
长江中上游防护林工程	在长江中上游营造防护林	1989	5.02	5.21
速生丰产林基地建设工程	在条件允许的地区建立速生丰产林	1990	1.42	2.85
治沙工程	在西北和华北地区建立防风固沙林	1991	1.54	0.92
淮河、太湖流域防护林工程	在淮河、太湖流域建设防护林	1996	0.2	0.32
珠江流域防护林工程	在珠江流域建设防护林	1996	0.24	0.19
辽河流域防护林工程	在辽河流域建设防护林	1996	0.32	0.17
黄河流域中游防护林工程	在黄河中游建设防护林	1996	0.57	0.35
生态环境重点建设工程	在重点生态地区建设防护林	1998	0.28	0.09
退耕还林工程	退耕还林	2000	0.88	0.04
天然林资源保护工程	保护天然林	2000	1.91	3.00

注：以上 14 个工程在 2001 年被合并成为五大工程：环北京地区防沙治沙绿化工程，天然林资源保护工程，退耕还林工程，三北和长江中下游等重点防护林工程和速生丰产林基地建设工程。这 5 项工程和野生动植物保护及自然保护区建设工程被统称为中国的六大林业重点工程

①含京、津周围绿化工程

（二）有效性

那么这些投资的效果如何呢？投资的效果和效益可能比投资的多少更重要。

图 5-2 和图 5-3 所显示的投资总额并没有全部用于实际林业生产。一部分资金消失于资金分配过程中。地方林业部门和国有林业企业有他们自己的利益和责任。他们在林业生产外还要考虑职工就业、交通和社会福利。

一旦资金落实到实际林业生产上，其效果就取决于国有企业职工或林农（如果资金是以补贴形式出现的话）是否有动力或利益驱动把林业生产做好。

国有林区的营林投资 和中国的其他行业一样，国有林业企业的改革经历了一个由市场经济代替高度集中的计划经济的过程。在改革之前，营林和森工生产是结合在一起的。营林生产常由某个林场或林场职工承担，但营林预算常是很少的。80 年代后期营林采伐和加工被分离开来。除此之外，营林活动常被化成更小的单位，甚至单户承担。

国营林业企业营林工作改革的第一步是计件工资。工人开始按合同工作，

其报酬与工作量直接挂钩。计件工资制给予工人分配自己劳动力的积极性（Y. Zhang, 2001）。这种工资制在工作量容易测定的工作上已被广泛应用。

其次是按工作量计算的工程承包制。在这种制度下，个人或一个小生产单位承担某项工程或任务以换取固定报酬，工程或任务常常有如成活率一类的指标。有时林场为职工提供材料和机器设备；有时职工可向林场购买材料和设备。承包者负责组织工人整地、植树，甚至包括植树后几年内的管护。承包额的节余就是承包者的利润。

第三种形式和股份制相类似，常用于国有林业企业向职工转让车辆和设备一类的资本资产。职工使用企业的资产，并与企业在收益上进行分成。这种形式首先用于运输工具和小锯木场，目前又被推广到营林生产上。

另一个形式是向职工转让或租赁土地和资源的使用权。这种转让是通过谈判或拍卖形式形成的。这种使用权的所有者一般是国有企业的职工，因此价格也不一定依市场变化而变化（Y. Zhang, 2001）。近年来，许多国有企业将土地作为职工的工资、福利、退休金，甚至买断工龄的替代品发给职工。这些类型的土地被称为"工资地"、"退休地"和"就业地"（中国农林工会, 1997）。

不管改革的形式是什么，其目的都是将报酬和劳动结合起来。Y. Zhang（2001）对这些改革的效益进行了评估。他的结论是黑龙江省40个国有企业改革使职工更努力，营林活动的行政管理费也由此下降了25%。沈（1991）指出改革使吉来林场的3年幼林成活率从1985年的32%上升到1990年的94%。他人（如腾建武和谢忠玉, 1991；张忠等, 1994）也得出过类似的结论，即分散性的营林活动可节省成本，提高效率。

尽管这些结果令人乐观，需要改进的方面还存在。中央电视台（2000）的一个报道说明了国有林区营林生产存在的问题。报道说的是西林吉林业局。该局曾在1987年的大火中受灾严重。在此后的10年里该局获得了2700万元国家投资，计划在9000hm^{2}火烧迹地上造林。造林活动于1997年结束，然而审计部门检查时发现该局仅在2250hm^{2}迹地上造了林。中央电视台的报道提到了腐败，然而监督上的困难、多层次的行政和企业结构可以使企业和地方政府很容易隐蔽其寻租行为。另一个更能说明问题的例子是在过去20年，国有林业企业的造林总面积大于其管理的土地面积，但部分荒山荒地仍然存在。这说明企业填报的造林面积过高，或造林成活率太低或两者兼而有之。未来的改革要改善这方面的不足。

表5-4显示了国家林业投资的效果① （表5-4指的是国有林区），它表示国

_____

① 图5-4反映了在国有林地上所有投资，包括义务植树和国际捐款的成果。但由于后者与政府投资相比相对较小，我们可以说政府投资对国有林区森林资源增长起到了决定性作用

有林区总面积保持稳定，这不足为奇，因为一般不允许国有林区转为他用。而有林面积和森林蓄积量则在 1988 年和 1998 年期间分别增长了 21% 和 35%。

表 5-4　国有林区森林资源变化（1981～1998）

	1981	1988	1993	1998	1988~1993	1993~1998	1988~1998[①]
	森林面积（×10^6 hm^2）[①]				变化率（%）[①]		
东北	21.4	20.5	21.5	23.5	4.6	9.4	14.4
西北		5.3	4.9	5.8	-6.7	16.9	9.0
东南	1.3[②]	1.7	2.0	2.5	16.1	23.8	43.7
西南		8.2[③]	12.1	13.5	48.3	11.7	65.7
中南		2.2	2.3	2.5	6.8	9.7	17.1
华北	13.3[④]	13.1	13.5	14.2	2.8	5.3	8.2
总计		51.0	56.3	62.0	10.4	10.1	21.6
	1981	1988	1993	1998	1988~1993	1993~1998	1988~1998[①]
	蓄积量（×10^6 m^3）				变化率（%）[①]		
东北	2102.8	1980.9	2070.0	2151.9	4.5	4.0	8.6
西北		550.6	558.0	618.7	1.3	10.9	12.4
东南	79.1[②]	110.4	140.7	175.3	27.5	24.6	58.8
西南		1594.5[③]	2818.0	2961.7	76.7	5.1	85.7
中南		156.1	182.7	191.7	17.0	4.9	22.8
华北	880.1[④]	901.7	936.1	1024.9	3.8	9.5	13.7
总计		5294.3	6705.6	7124.2	26.7	6.2	34.6

① 林地的统计标准在 1994～1998 年清查时森林郁闭度由 30% 变为 20%

② 不包括上海

③ 不包括西藏

④ 不包括天津

数据来源：林业部（1983、1989、1994），国家林业局（2000）

国家对林农的补贴　国家对林农的补贴有几种形式：支付林农工资、粮食或免费种苗。我们只能推测这些补贴的效果。当产权不具安全性时，林农对免费苗木没有太大的兴趣。当给予林农造林的劳动进行粮食和工资补贴时，林农造林的积极性取决于补贴的多少。

张彩虹（1999）提到资金短缺限制了 1991～1999 年的三北防护林建设的进度。政府对林农的补贴只有每公顷 81 元，是实际造林费用的 1/5。张彩虹认为资金短缺是三北防护林和其他工程完不成造林计划的主要因素。

造林补贴还会被用于管理费用。因此林农只能得到造林补贴的一部分。我们曾提到在南方集体林区有一半以上的林业税费都是专门用于林业扩大再生产的。这些资金常被用于林业部门的职工工资和福利，以及他们的或他们和林农合资的项目上。林农实际收到的造林费用则很少。

当补贴存在时，补贴本身会促使林农多报造林成果。祁宏（1996）提到江西省泰和县有孚村农民上报他们造林 $40hm^2$，而他们实际只造了 $22hm^2$，而且成活率只有60%，远比规定的85%要低。沈洪（1991）也报告了其他地区多报造林面积的现象。对营林成果监测的费用很高，而林业部门不可能检查所有的由政府补贴过的造林地。即使造林面积和成活率都较准确，政府也很少提供营林、抚育的费用。所以林农宁愿再造也不愿抚育幼龄林。总之，当林权不完全或期限较短时，林农不愿对幼龄林进行抚育和管护，森林的质量也就会下降，甚至有林地会重新变成荒地或灌丛地。

近年来，政府开始延长林权期限，并在一些地区以对林农的无息或低息贷款取代了以前的直接补贴。这些改革可能会使林农对森林收益的预期延长，从而改善造林成活率并加强对林木的管护。

（三）社会和非林农私人对林业投资

社会对林业的投资分为两种：义务植树和私人投资。

义务植树　中国从1981年开始实行义务植树。参与这项活动的公民已经种植了350亿株树木（人民日报，2001）。这项活动还提高了公民的环境意识。350亿株树是一个大数目，但若折合成造林保存面积则只有 $530 \times 10^4 hm^2$（假定造林密度为每公顷3300株苗木和50%的存活率）。这个面积只有中国宜林荒山荒地面积（$5700 \times 10^4 hm^2$）的一小部分。其次，义务植树多发生在交通方便和容易看到的地方。最后，政府很少为已植苗木提供必要的抚育经费。所以，尽管公民义务植树运动取得了很大的成就，义务植树不可能替代个人和企业为获利而进行的投资或政府为保护环境所进行的投资。

私人投资　非林农私人对林业的投资伴随着经济改革而来。尽管这种投资的统计数据及效果评价目前还不多，个别案例和个人经历都显示这种投资在90年代增长较快。

一些离退休干部、职工和一些经济情况较好、关注环境保护的人首先开始投资于造林和营林。他们一般回到自己的家乡，从地方政府那里争取一些林地使用权，开始造林和养殖活动。例如中央电视台于1999年曾报道过内蒙古自治区纺织公司的一位前副总经理王明海的造林经历。他在80年代末被公司派出寻找绵羊生产基地，以保证公司的羊毛供应。他认识到土地沙漠化是公司绵羊生产基地安全的主要威胁，并从公司获得部分资金用于在包头市附近的恩格贝进行造林活动。造林使得公司的绵羊生产基地受到保护。后来这位副总经理从公司辞职，专门从事治沙工作。他的资金来源主要是销售家禽的收入、社会捐款和部分政府补贴。他的劳动力基本为自愿者。一位化工企业的总经理也曾和笔者谈到他准备用他公司的部分盈利做北京地区绿化工作。

私人对林产品加工的投资首先来自于乡镇企业。改革之前的乡镇企业是集体性质的，多是木材加工或林化产品（如松香、油茶、油桐、毛竹）加工。改革以后，某些乡镇企业被转化成股份公司。公司的股东（多是农民）逐渐增加了对公司的管理和支配。后来，一些从事零售、运输和其他商业活动并盈利的人认识到林产加工有利可图，也开始办林产方面的联营和股份公司。这些公司规模大小不等，产品各异，公司数量增长较快。他们占林产品生产量的份额也在加大。这些企业是中国造纸业发展最快的部分（Xu，1999）。他们的"三板"（胶合板、纤维板、刨花板）生产量占福建、广东、河北、江苏、山东和浙江"三板"生产量的70%①。

购买林业上市公司的股票和债券是非林农私人对林业投资的另一种方式。在中国股票上市的林业公司股票的表现是私人对于在林业方面投资机会认知的标志。中国的深圳和上海股票交易所始于1992年，到2000年底，在这两家交易所上市的公司有数百家。3家上市的林业公司是永安林业（福建）、吉林森工（吉林）和金谷林业（云南）。随着经济的发展，以后还会有更多林业公司的股票上市。

我们可以利用资本资产评估模型（CAPM）来对这3个企业的收益和风险进行评估。类似的评估也被用于评估美国的工业和林业投资机会（Sun and Zhang，2001）。该模型表明对某项投资所要求或预期的收益率应该相当于对无风险投资的收益率加上市场风险的附加值（或保险费）：

$$R_i = R_f + \beta_i (R_m - R_f) \qquad (5-1)$$

式中：R_i 是投资 i 的预期收益率；R_f 是无风险投资的收益率；β_i 是对投资 i 的保险费；R_m 是市场的预期收益率（由常用的股票指数代表）。

Jenson（1969）证明了上述资本资产评估模型与超额收益率回归模型是一致的，即：

$$R_i - R_f = \alpha_i + \beta_i (R_m - R_f) + \mu_i \qquad (5-2)$$

式中：α_i 是资产 i 特有的截距；μ_i 是随机误差；R_f 常以政府短期债券利息率为代表。当政府债券利率不常在市场上交易时，公式（5-2）可被转换成：

$$R_i = \alpha_i + \beta_i R_m + \mu_i \qquad (5-3)$$

一个正的 α_i 代表对该投资的预期收益率比市场对该投资风险（由 β_i 代表）所要求的收益率要高。因此正 α_i 代表好的投资机会。β_i 则是投资 i 的市场风险的指标。如果 β_i 大于（小于）1，那么该投资的预期收益率较市场的预期收益

---

① 这6个省份占全国"三板"生产量的60%。外资所有企业方面的数据不足使得对外资企业生产能力和产量无法进行更精确的估计

率为大(为小)。因此当 β_i 大于 1 时,该投资的风险就被称为比市场风险大。

我们将公式(5-3)用于由三家上市的林业公司等价平均形成的一个证券组合,市场收益率则由上海和深圳股票指数的简单平均数为代表。永安林业是 1996 年 12 月上市的,另外两家分别于 1998 年 10 月和 2000 年 8 月上市。所以这个证券组合的不足之处是 1998 年之前只有一家公司。所以对我们的结论要谨慎对待。

表 5-5 显示了利用 1996 年 12 月 6 日至 2000 年 5 月 31 日之间的日收益率计算出了这种证券组合的 α 和 β,表中还列有美国林业公司的数据。可以看出,这期间对中国林业上市公司投资的风险率是中国整个股票市场风险率的 1.45 倍。相比之下,美国林业公司的风险率与美国市场风险率相当,而美国林地开发公司的风险率只有美国市场风险率的一半。所以,从有限的数据可以看出,对中国林业投资的风险大于对中国其他行业投资的风险。那么投资者要求比市场收益率更高的报酬时才会对林业投资。如果美国能够代表对发达国家林业投资的风险的话,对中国林业投资的风险比对发达国家林业投资的风险要大。

表 5-5　用资本资产(CAPM)对在中国和美国上市的林业公司的评价结果

资产组合	α		β		R^2	修正 R^2
	系数	t 值	系数	t 值		
中国上市林业公司组合	0.0005	0.55	1.45 *	27.93	0.42	0.42
美国上市林业公司组合						
林地公司	0.02	1.45	0.52 *	2.80	0.15	0.13
大型公司	−0.003	−0.26	1.04 *	7.09	0.52	0.51
中型公司	−0.007	−0.64	0.94 *	6.95	0.51	0.50

* 在 1% 水平显著

数据来源:美国方面的数据来自 Sun and Zhang(2001)

这些结果表明风险是阻碍林业投资的重要因素,但并没说明风险具体来自何方。也许这些风险与林权不稳定或政策环境有关。如果这些风险被限制或降低,那么私人就会增加对林业的投资。进一步而言,美国的数据证明了林业并不一定是一个高风险的行业。因此,降低中国林业投资的风险是可能的。这将是中国林业改革的一个重要课题。

四、外资

中国改革的一个目标是吸引外资。近年来中国吸引了比任何一个发展中国家都多的外资。到 2000 年时,中国已累计吸引了 427 亿美元外资。中国林产工业在 1996 年吸引外资 8 亿美元，1997 年为 9 亿美元，1998 年为 10 亿美元（Lu and Landell-Mills, 2001）。这些外资大约占全国国外直接投资总额的 2%。这一比率比中国林业对国内生产总值的贡献率及中国林业总产值占制造业总产值的比率更高，这一比率比美国林业吸引外资占美国所有外资的比率高。这说明中国林业在吸引外资方面是成功的①。

中国林业使用的外资主要来源于两个方面：私人企业（如嘉林公司和亚洲纸浆公司）和国际贷款、赠款（世界银行、亚洲银行和发达国家）。1980～1999 年中国林业行业从世界银行获得了 6 亿美元贷款、2.5 亿美元政府贷款和近 3 亿美元的资助，这些款项大都用于造林项目。其中用于速生丰产林的资金就有 1 亿美元（国家林业局，2001）。

中国有巨大的市场，中国的经济发展带动了对木材和林产品的需求。在有限供给的情况下，中国木材的贸易逆差一直在增大（张道卫，2001）。随着中国的个人收入增长，人们对林产品的需求也会增长。巨大的市场潜力和发展速度是外资进入中国林业行业的主要因素。中国南方为国外投资者所提供的长期林权供他们营造速生丰产林也是一个原因，然而林权改善还没能为中国的营林带来较多的外资。外资主要集中在加工特别是造纸和胶合板工业。这些行业的劳动力费用较低也是吸引外资的一个重要因素。另外中国沿海地区吸引了较多外资。例如，中国胶合板生产量的 85% 以上来自于 8 个沿海城市——福建、广东、江苏、辽宁、山东、上海、天津和浙江。这些地区需求较高，容易得到从外国进口的厚木和机器设备，产品还容易出口。

五、结论和讨论

本章回顾了林业政策改革对林农投资、政府投资、非林农私人投资和外资的经历和效果。改革促使了林农对林业的投资，使得森林面积和蓄积出现双增长，并且改善了国内外私人企业的投资环境。与此同时，政府对林业的投资由森工转向以营林为中心，特别是与环保有关的造林活动。

然而中国林业政策还有不少老的和新的问题，限制了林业的近一步发展。中国的巨大市场、高速经济发展、廉价劳动力和对外资的优惠待遇、税收政策鼓励了外资进入中国林业特别是林产品加工行业。但林业政策和产权的不确定性、高税费、林业生产的法规等限制了国内企业对林业进行投资的积极性。

促使林农增加对林业投资政策的关键在于降低税费和改善林权。税费水平

---

① 外资主要集中于制造业。随着中国金融业和服务业对外资开放，外资在制造业投资的比例会下降。因此林产加工业占外资的比重也会下降

要与政府对林农服务、帮助的多少为标准。产权改革可从林地与幼龄林转让、延长林权期限、拍卖荒山荒地等方面入手。另外政府在占用林地或改变森林用途时应给林农补偿。这种补偿可以增加林农对林业投资能够得到回报的信心。

给予林农和其他投资者更完善的产权可能比单纯增加政府林业投资的效果要好。政府投资有两个困难需要克服:一是资金挪用;二是过高的管理费和监测成本。从长远来说,"小政府"才能进一步降低管理费用。

中国木材的供给缺口在 2010 年可能达到 25% (Zhang et al. ,1997)。这使得增加进口、使用替代品、提高生产率、甚至最终地提高木材价格变得紧迫。这其中两项——增加进口和使用替代品——需要进一步探讨。

随着东南亚森林资源的消失和俄国经济的恢复,木材进口的费用可能要增大。中国能否通过增加国内生产来减少进口?张道卫(2001)指出中国木材净进口额是国家对林业总投资的 4 ~ 7 倍。他还估计木材净进口额中的林价部分就相当于国家对林业投资的 60% 左右,这说明中国已经为木材进口花费了大量资金。如果将这些用于进口木材的资金转为国内木材生产,中国木材的自给率会有较大幅度上升。国家计划和政策上的失误使得这些资金不能用于国内生产①。

多用木材替代品是另一条出路。"以竹代木"已经显示出了巨大潜力。中国是世界上最大的竹子生产国,而且竹林生产量还在上升。更重要的是竹子可以用于造纸、建筑等各种用途。目前尚不太清楚的是竹子的经济潜力有多大,以及木材价格上升及居民收入增加,对竹子生产的影响有多大?这些问题仍有待探讨。

总之,中国有林业生产的"硬件"——土地、劳力、资本和企业家精神(张道卫,2001)。缺的是良好的林业政策,特别是税收和林业法规,安全的产权和稳定的改革环境。改善这些政策将使私人林业投资的风险和交易成本下降。如果林业政策能使林农和非林农私人投资者满意的话,他们就会加大对商品林和经济林的投资,那么政府的投资就可以集中在私人资本较少介入的与环保相关的林业生态建设上。

参考文献

Allen, Douglas W. 1991. What Are Transaction Costs? *Research in Law and Economics* 14:1 – 18

CAFLU (China Agriculture and Forestry Labor Union). 1997. To Develop Farming in Forestry Are-

---

① 进一步来讲,国内木材生产有较好的社会效益,并有利于地区经济发展。造林项目将包括中国的东北部和西部,而这两个地区正是西部大开发和天然林保护工程的中心地区。进口则会促使沿海木材加工工业的进一步发展

as in an Effective Way. *Forestry Economics* (China) 5: 25 – 30

CCTV (China Central Television). 2000. Growing Forests on Report Cards. May 30.

Chen Wanji. 2000. Recommendations on China's Forestry Development [in Chinese]. *Forest Work Research* 2: 28 – 36

China Forestry Yearbook. 1986. [in Chinese]. Beijing: China Forestry Press.

China Statistical Yearbook. 2000. [in Chinese]. Beijing: China Statistical Press.

FEDRC (Forest Economics Development Research Center). 1999. An Investigation on Forestry Related Taxes and Fees: The Case of Hunan (Part I). *Forestry Economics* (China) 6: 26 – 35

FEDRC. 2000. A Survey of Forestry – Related Taxes and Fees. *Forest Economics* (China) 6: 26 – 35

He Qun. 1989. Inquiry in Southern Forestry Reform. *Forestry Economics* (China) 1: 1 – 8

Ho Zhizheng. 1993. An Investigation on Forest Taxes and Fees. *Forestry Economics* (China) 1: 27 – 44

Hong H, L Li and G Wei. 1992. Forestry Economic Review in Heilongjiang Province [in Chinese]. *Forestry Economics* 4: 22 – 24

Jenson M. 1969. Risk, the Pricing of Capital Assets and the Evaluation of Investment in Stock Portfolios. *Journal of Business* 42 (2): 167 – 247

Lin Qing. 1989. Property Right System in Southern Collective Forestry Regions and Its Reconstruction [in Chinese]. *Forestry Economics* 6: 2 – 9

Lintner J. 1965. The Valuation of Risk Assets and the Selection of Risky Investments in Stock Portfolios and Capital Budgets. *Review of Economics and Statistics* 47: 13 – 37

Liu Tuoxin, and Jianrong Bai. 1996. Proposal to Solve Contract Disputes in Auction of Four Wastelands [in Chinese]. *Forestry Work Research* 6: 4 – 6

Lu Wenming, and Natasha Landell – Mills. 2001. Instruments for Sustainable Private Sector Forestry Project: China Country Study. Unpublished draft manuscript. London: International Institute for Environment and Development.

MOF (Ministry of Forestry). 1983. *National Forest Inventory Survey* 1977 – 1981 [in Chinese]. Beijing: Ministry of Forestry

MOF. 1989. *National Forest Inventory Survey* 1984 – 1988 [in Chinese]. Beijing: Ministry of Forestry

MOF. 1994. *National Forest Inventory Survey* 1989 – 1993 [in Chinese]. Beijing: Ministry of Forestry

Pearse P. H. 1990. *Introduction to Forestry Economics.* Vancouver, British Columbia, Canada: UBC Press

People's Daily. 2001. Some 35 Billion Trees Planted under Voluntary Campaign [in Chinese]. March 12

Posner R A. 1992. *Economic Analysis of Law*, 4th ed. Boston: Little, Brown and Company.

Qi Hong 1996. Sources of Capital and Its Utilization in Afforestation and Reforestation [in Chinese]. *Forestry Work Research* 1: 6 – 13

Qiao Fanbing, Jikun Huang, and Scott Rozelle. 1998. Forestland Tenure and Forestry Development. *Agricultural Economic Problems* 7: 23 – 29

Scott, Anthony. 1990. The Market for Characteristics of Property Rights. Discussion paper. Vancouver, British Columbia, Canada: University of British Columbia. Department of Economics

SFA (State Forestry Administration). 2000. *National Forest Inventory Survey* 1994 – 1998 [in Chinese]. Beijing: State Forestry Administration

SFA. 2001. *China's Forestry Development Report* [in Chinese]. Beijing: China Forestry Press

Sharpe W F. 1964. Capital Asset Prices: A Theory of Market Equilibrium under Conditions of Risk. *Journal of Finance* 19: 425 – 442

Shen Hong. 1991. Problems Existed in Reforestation Monitoring and Recommendations [in Chinese]. *Forest Work Research* 8: 31 – 35

Sun C, and D Zhang. 2001. Assessing the Financial Performance of Forestry – Related Investment Vehicles: Capital Asset Pricing Model vs. Arbitrage Pricing Theory. *American Journal of Agricultural Economics* 83 (3): 617 – 628

Teng J, and Z Xie. 1991. Investigation Report of Household Responsibility System in Silviculture in Yichun Region [in Chinese]. *Forestry Economics* 4: 39 – 42

Wang Xan'en. 1996. My Seeing, Hearing and Thought [in Chinese]. *Forestry Work Research* 1: 5 – 9

Wang Guang, Jinlong Liu, and Nan Xang. 2000. An Investigation on Forestry Taxes and Fees in Huihua Region [in Chinese]. *Forestry Work Research* 9: 35 – 46

Xiu Lianzhong. 2001. Factors Influencing Change in Farmers' Income. *Problems of Agricultural Economics* 5: 20 – 29

Xu J. 1999. China's Paper Industry: Growth and Environmental Policy during Economic Reform. Ph. D. thesis. Blacksburg: Virginia Polytechnic Institute and State University

Yang Zhichai. 1996. Please Protect My Lawful Income [in Chinese]. *Forest Work Research* 3: 63 – 66

Zhang Caihong. 1999. Forestry Investment and Forestry Economic Growth [in Chinese]. Ph. D. thesis. Beijing, China: Beijing Forestry University

Zhang Daowei. 1999. Endangered Species and Timber Harvesting. The Case of Red – Cock – aded Woodpecker. Working paper, Auburn University. Forthcoming in *Economic Inquiry*.

Zhang Daowei. 2001. Why So Much Forestland in China Would Not Grow Trees? [in Chinese]. *Management World* 3: 120 – 125

Zhang Daowei, and Warren Flick. 2001. Sticks, Carrots, and Silvicultural Investment. *Land Economics* 77 (3): 443 – 456

Zhang Lang. 1990. Tax Policy and Its Implementation in Southern Collective Forestry Region: Analysis and Consideration [in Chinese]. *Forestry Work Research* 10: 6 – 13

Zhang Xiaojing. 1999. The Forestry Taxation and Charges Issue in the Collective Forestry Area of Fujian and Jiangxi Provinces. *Forestry Economics* (China) 6: 36 – 45

Zhang Yaoqi. 2001. The Impacts of Economic Reforms on the Efficiency of Silviculture in China: A

Non – Parametric Approach. *Environment and Development Economics* 7 （1）： 107 – 122

Zhang Yibing, Joseph Buongiorno, and Dali Zhang. 1997. China's Economic and Demographic Growth, Forest Products Consumption, and Wood Requirements： 1949 to 2010. *Forest Products Journal* 47 （4）： 27 – 35

Zhang Z, Y Li, and F Du. 1994. A Good Forest Protection Approach： Contracted Responsibility System ［in Chinese］. *Heilongjiang Forestry Survey* 1： 8 – 10

Zhang Zhefu. 2000. Distribution of Forest Income Must Be Adjusted ［in Chinese］. *Forestry Work Research* 8： 42 – 45

第六章 改革时期中国森林资源的开发与保护对政策与经济增长的效应评估

Scott Rozelle，*黄季焜*，Vince Benziger

前面几章回顾了限制林业发展的直接措施和政策。本章和下章将会做更广泛的论述。林业政策对林业发展的影响毋庸置疑，但我们也注意到农业政策以及宏观经济政策对林业部门造成的影响。本章主要对 1978 年以来中国林业政策和林业市场发展对中国林业的影响进行评估——包括对直接林业政策和涉及林业部门的其他产业政策、宏观经济政策和市场变化所造成的间接影响进行评估。

从林业方面来讲，中国政府试图通过建立激励机制提高林业管理效率，以达到鼓励绿化造林，控制过度采伐的目的。主要措施有两方面：一方面是针对国有林业企业的管理，包括林业管理部门，20 世纪 50～70 年代，大部分砍伐和运输活动由林业管理部门执行（Ross，1988）。另一方面则是针对农民及其他私营林业经营者的管理，自 80 年代早期（Sun，1992；Yin，1994），他们获得更大的地方森林资源使用权。

尽管其他部门的改革绝大多数都获得了很大成功（例如：Lin，1992；Mc-Millan 和 Naughton，1992；Qian 和 Xu，1993；Jefferson 和 Rawski，1994；Qian，1994），但对林业改革的评价还莫衷一是。《中国统计年鉴》（1989）显示，1980～1988 年全国森林覆盖率增长了 8.5%（表 6-1）。世界银行也指出，中国林业部门所取得的成果是中国早期在环境方面工作的典范。与此相反的观点则指出中国对天然林资源的破坏是不可逆转的，例如随之消失的植物和动物种群多样性（Smil，1984；1993；He，1991；Harkness 即将出版的）；还有在有重大生态意义的地区出现的过快采伐森林，例如海南（Schur，1984）。政府最近要重新改组林业部门可能就表示中央政府对其工作情况不甚满意①。

---

① 林业部分裂为三部分：自然保护区和国家森林公园转为国家环保总局管理；主要工程造林、核心的防护林活动转为国务院直接管理；其他的以及采伐制造企业正在实现商业化

表 6-1 森林覆盖率和活立木蓄积量（20 世纪 70 年代末至 90 年代初）

地区	森林覆盖率					活立木蓄积量				
	%			% 变化		×10⁶ m³			% 变化	
	1980	1988	1993	1980~1988	1988~1993	1980	1988	1993	1980~1988	1988~1993
东北国有林区										
黑龙江	33.6	34.4	35.6	2.2	3.5	14.4	13.2	13.5	-8.3	2.3
内蒙古	11.9	11.9	12.1	0.3	1.7	8.5	8.6	9.0	2.0	3.7
吉林	32.2	33.0	33.6	2.5	1.9	6.6	7.1	7.6	8.1	6.8
小计	19.5	19.8	20.3	1.6	2.5	29.4	28.9	30.0	-1.7	3.8
华南集体林区										
福建	37.0	41.2	50.6	11.3	22.9	3.0	2.6	3.2	-11.0	21.9
江西	32.8	35.9	40.4	9.6	12.3	2.4	1.7	1.8	-28.7	7.3
湖南	32.5	31.9	32.8	-1.9	2.9	1.6	1.4	1.5	-12.2	7.7
广东①	27.7	27.0	35.9	-2.4	32.8	2.0	1.9	2.2	-8.7	18.1
广西	22.0	22.0	25.3	0.0	15.2	2.2	2.0	2.1	-7.5	4.7
小计	29.4	30.2	35.2	2.8	16.5	11.2	9.6	10.9	-13.8	12.9
西南混合管理林区										
云南	24.0	24.4	24.6	1.6	0.8	11.0	11.0	11.0	-0.0	0.8
四川	12.0	19.2	20.4	60.1	6.0	10.5	12.7	13.0	21.4	2.5
小计	16.9	21.3	22.1	26.2	3.6	21.5	23.7	24.1	10.4	1.7
华北中部速生林区										
江苏	3.2	3.8	4.0	17.5	6.9	0.03	0.07	0.08	113.1	18.2
安徽	13.0	16.4	16.3	25.8	-0.2	0.55	0.71	0.63	30.9	-12.5
山东	5.9	10.5	10.7	77.8	2.0	0.05	0.11	0.15	118.3	42.1
河南	8.5	9.4	10.5	10.7	11.6	0.32	0.40	0.48	26.8	19.2
小计	7.9	10.4	10.8	30.9	4.1	0.95	1.29	1.34	36.8	3.5
整个中国	12.0	13.0	13.9	8.2	7.2	79.8	80.9	90.9	1.4	12.3
森林覆盖总量（×10⁶ hm²）	115.3	124.7	133.7	—	—	—	—	—	—	—

注：森林覆盖率为森林总面积除以土地总面积。1980 年、1988 年和 1993 年大约就是中国的第二、三、四次森林调查的时间（第一次森林调查在 1978 年改革之前，与我们的分析没有什么关联；第二次是 1978~1981 年在不同省份展开；第三次为 1986~1989 年；第四次是 1992~1994 年）

① 海南省情况包含在广东省之中

资料来源：《国家森林资源统计》1983，1989，1994

　　事实上，其中许多观点都建立在全国森林覆盖数据基础上，这些整体数据不能够区分森林的种类和地区的差异。我们认为，没有坚实的证据或深入的调查既不能对林业改革断然否定，也不能对国家或集体林业部门的转制盲目肯定。我们将会对以下显而易见的问题展开讨论：森林资源变化的本质是什么？随着森林覆盖率的增长，森林资源的结构和质量发生了什么变化？这些变化又如何影响森林的环境服务功能，例如土壤保持和提供独一无二的栖息地？是什么导致了森林覆盖以及立木蓄积量的变化？在对森林资源的保护和开发上，国家或集体部门到底做出了贡献还是导致了损失？国家的各项政策是否已经见效？

本章首先分析中国森林资源的变化，并按照用途和地区将森林资源划分为天然林和人工林；研究了相关经济发展趋势和经济改革方针政策，并根据以上观察描述建立了多元模型，以评价 1980～1993 年来各种政策和市场变化对国有和其他林业部门的不同影响。本章最后讨论了决策者所面临的挑战等问题，并提出现阶段对改善林业发展和提高森林保护效率的几点建议。

所有分析建立在以 70 年代晚期（到1980 年止）、80 年代中晚期（到1988年止）、90 年代早期（到1993 年止）收集得来的标准的全国森林清查基础上，这些数据也用于了第一、九、十章中的讨论和第二、四、五、七章中的分析。因此，尽管分析中涉及的政策和市场环境不同，但数据资料与其他章节是一致的。

一、森林资源调查数据及管理类型

（一）调查方案

这些主要数据分别来源于 70 年代晚期、80 年代中晚期和 90 年代早期的 3次全国森林资源调查（《国家森林资源统计》，1983、1989、1990）。在与林业部（MOF）的合作下，我们在 28 个省进行了综合调查。这些调查方案的设计达到许多西方发达国家的水平，通过联合调查，我们建立了连续性的"森林资源清单"，为下一阶段调查提供了可靠的依据与尺度。

这 3 次调查建立在综合的空间抽样上，样本基本上是在省一级直接观测从而获得统计上的有效观察结果。例如在云南，就是由调查者在全省范围内随机抽取了以 0.08hm^2 为单位的 7975 个点。其中，只有大约 30% 是森林，其他 70% 都在耕地、城区、湖区或其他非森林地区。技术人员在做好每个点的固定标记之后再由调查员实地调查。某省的政府官员估计，他们的调查人员中超过 80% 的人都参与过 80 年代的 2 次调查。云南省林业局的官员肯定 70 年代晚期的调查点中有超过 95.5% 在 1988 年被再次调查。

技术人员收集每个样本点的森林面积、蓄积量等数据，然后按年龄结构、树种和土地类型归类记入表格。虽然每个省考虑到地区特定环境方面对树龄和树种构成等变量使用了不同标准，但是林业部协调小组批准认可了所有省级的标准，并由监督人员检测其技术工作的准确度和一致性。对其调查结果，林业部在北京进行校对然后发表。因为不需要受非林业政府机构的检查和认可①，所以这些数据不会被地方官员对于产量指标等目标的考虑而影响。

（二）　林区及其管理类型

中国林业分为 4 个林区和 2 种管理制度。自从 20 世纪 50 年代以来国有和集体这两种制度一直共同对中国的森林资源进行管理（Ross，1988；Sun，1992；尹润生，1994）。70 年代，国有林占中国森林总面积的 40% 左右，其中绝大多数是高品质木材林。国有林场大约有 4000 家，有林业工人 50 万，绝大多数的生产活动由国有林场完成（《中国林业年鉴》，1987；尹润生，1994），并向当地林业局汇报情况。地方林业局在 1997 年以前是国家林业部最低一级的管理机构（Richardson，1990）。

与国有林管理制度联系最紧密的是东北三省（黑龙江、内蒙古和吉林）。根据 1988 年的统计，在这些地区，超过总面积 91% 的林区属国有管理（《国家森林资源统计》，1984~1988），拥有全国最丰富的工业用木材资源。这 3 个省大约占中国工业用材林面积的 39%，占中国立木总蓄积量的 42%，占工业木材产量的一半（表 6-1；《国家森林资源统计》，1984~1988；《中国统计年鉴》，1991）。

集体林管理制度在 50 年代中期就开始了，当时，96% 的农村土地都通过村（组）的形式管理（Richardson，1990）。但在 20 世纪 60~70 年代期间，由于国家粮食方针和党内意识形态，农户和集体在林地投资上缺乏积极性，同时国有林场经常侵占当地集体林区，破坏林木资源。集体林管理在 80 年代作为农业改革中的一项措施才正式出台，现在村领导及村民实现了在当地林业局管理下的林地管理责任制。

华南和华北中部是实行集体林管理的两大主要地区（表 6-1）。80 年代中期统计，华南地区的集体林占当地森林总面积的 89%（《国家森林资源统计》，1984~1988），其集体林区的木材总产量占我国工业木材产量的 1/4（《中国林业年鉴》，1992；《中国统计年鉴》，1993）。就全国范围来说，集体林区的木材产量大概占 40%。80 年代以来，这个份额一直在增长，与此同时，国有林区

---

① 与中国农业的统计调查相比，林业统计调查没有那么多资料和充分的监测。原因可能是：与粮食及其他农作物相比，政府不那么重视林木产品，而林木产品产地通常是较为贫穷的偏远地带。在这些地方，监控比较困难，林业部门的双重性又给数据品质带来更多问题。林业部门产量有一半的信息是通过农业和林业报告系统（由统计局来调整）来汇报的，另外一半则是先通过工业部门的国有企业集中然后再由另外的渠道汇报

木材产量在总体产量中所占的比重急剧下降。

90 年代开始,华北中部地区(即黄淮海地区)成为一个新的工业木材的重要来源。尽管它本身并不像华南地区一样拥有大量天然林,政府也只是刚刚才开始大规模地鼓励集体投资发展林业,但是在森林管理类型上,华北中部同华南地区十分相似。速生树种和速生林使这一地区得名"速生"林区。

云南和四川是中国西南部两个主要林区省份,但是很难给它们划分种类。Ross 认为这两省的林区为国有林,但从另一方面看,它们拥有除了华南 5 个省之外中国最大的集体林区(《中国统计年鉴》,1985 ~ 1993)。Sun(1992)把它们与那些有更多集体林的省份归为一类。实际上,云南和四川的林区同时具有两种管理类型的特征,在森林面积上这两种管理体制几乎各占一半。因此,就像尹润生(1994)一样,我们也把云南和四川作为单独的一类划分出来,归为混合管理类型。与中国其他各省相比较,1991 年曾做过统计,四川省和云南省各自国有林区的工业用木材产量分别排第四和第九位,而它们集体林的产量则差不多。这两个省的国有林和集体林的木材产量加起来占整个中国工业用木材总量的 10% 多一点(《国家森林资源统计》,1991)。

总而言之,中国林区可分为 4 个主要的森林管理区域,通过以下主要管理制度来划分 14 个省及地区:

东北国有林区——东北的 3 个省,林区主要为国有;

华南集体林区——南部的 5 个省,集体林占绝大多数;

华北中部速生林区(即黄淮海地区)——4 个省,集体林管理制度;

西南混合管理林区——2 个省,四川和云南,管理类型同时具有国有与集体两种管理形式。

据 80 年代末统计,这 14 个省占中国林地总面积的 75%,木材年产量占全国总年产量的 88%(《中国农业年鉴》,1989)。除了提供木材,这四大林区同时还拥有几个中国最大的防护林工程(通过造林来抵抗风沙和水土流失)及几个最大的森林自然保护区和森林度假区(世界银行,1992;Ghimire,1994)。

二、改革时期的森林资源

从表 6-1 看,1980 ~ 1988 年和 1988 ~ 1993 年这两个时期的森林调查数据显示,改革早期和晚期的增长速度是不同的。虽然如此,但在改革时期,中国的森林覆盖率和森林储备都有大幅度的提高。森林覆盖率用来衡量那些至少有 30% 被森林或是经济林覆盖的土地占土地总面积的比例,它在整个改革过程中持续稳步增长,从 1980 年占全国土地总面积的 12.0% 到 1988 年的 13.0%,再到 1993 年的 13.9%,15 年时间增长了 15%。森林及树木的土地面积在每次调

查时都增加了 $900 \times 10^4 \mathrm{hm}^2$ 左右，总共增加 $1800 \times 10^4 \mathrm{hm}^2$（从 1980 年的 11 530 $\times 10^4 \mathrm{hm}^2$ 增长到 1993 年的 13 370 $\times 10^4 \mathrm{hm}^2$）。虽然 4 个主要林区森林覆盖率增长百分点各不相同，但全部都实现了净增长。

而立木蓄积量在时间和地区上就更体现出了差异性。改革初期森林蓄积没有多大增长，仅仅从 7980×10^4 增长到 $8090 \times 10^4 \mathrm{m}^3$，年增长率为 0.14%。但是，改革后期开始急剧增长，从 8090×10^4 到 $9090 \times 10^4 \mathrm{m}^3$，年增长率提高到 2.4%。不同地区增长也各有不同，改革初期西南部混合管理林区和华北中部速生林区立木蓄积增长迅速，正好弥补了东北部国有林区和华南集体林区立木蓄积的减少；但在改革后期，由于南部经济增长的带动，每个林区的常规量都呈增长趋势。

（一）森林覆盖率

森林覆盖总量增加 $1800 \times 10^4 \mathrm{hm}^2$ 的原因是什么？研究这一问题的原因并不是个简单的过程。中国的森林统计包括天然林和人工林，也有大片主要用来抵御风化的防护林，还有像水果、竹子、橡胶等这类经济作物林，这在大多数国家的森林统计中是不包含在内的。已出版的林业统计允许在森林的分类方面存在某些差异，但这并不能回答那些关于再造林和新造林的问题。例如：新造林是在原有林地上，还是在荒地或是耕地上？在那些天然林被砍伐的地方，是种植了和原来相同类型的树种，还是种植了外来新品种？新种树苗的存活率如何，以及新植森林的存量水平如何？要回答这类问题，必须结合国家森林统计资料、其他相关出版物和各种推定假设等等；然而有些问题，尽管我们尽了最大努力，答案还是不明确的。

森林覆盖率上的分类　中国正式的森林统计包括天然林、商品林、防护林，还有我国称为"经济"树种（比如果树、橡胶和竹子）的林地面积。一般，世界上多数国家所指的"森林"（就是天然林加上种植木材林）构成了我国林地面积的最大一部分，这部分在改革时期只增长了一点，1980～1988 年间停滞不前（保持在 $8000 \times 10^4 \mathrm{hm}^2$），然后在 1988～1993 年间有 5% 的增长（增加到 $8400 \times 10^4 \mathrm{hm}^2$）。

然而，森林覆盖面积的相对稳定并不是说改革措施、管理实践或其他经济力量对林业资源没有影响。表 6-2 反映出了整个改革时期工程造林的迅速发展。我们给"工程造林"的定义是种前计划、种后管理。工程造林项目通常有国家基金的支持，目标是荒地造林，但事实上许多工程造林都是先选定一些成熟的商品林林地进行采伐，然后再种一些更好的品种。1980～1993 年，不管是国有林区还是集体林区中新再造林面积都增加了。两种管理类型下的林地平均每年增长大约有 $150 \times 10^4 \mathrm{hm}^2$，直到 1993 年总增长量达到 $2100 \times 10^4 \mathrm{hm}^2$，超过了包括防护林和经济林区在内的所有林区 $1800 \times 10^4 \mathrm{hm}^2$ 总量的净增长。还有一部分增长额是大量集体农户土地上不明确的非工程造林。

表 6-2　新造林和再造林

年份	新造林面积（ $\times 10^6 \mathrm{hm}^2$ ）		再造林面积（ $\times 10^6 \mathrm{hm}^2$ ）
	总量①	速生林	
1980	0.91	—	0.37
1981	0.93	—	0.37
1982	0.96	—	0.38
1983	1.01	—	0.42
1984	1.09	—	0.48
1985	1.15	—	0.54
1986	1.09	—	0.49
1987	1.23	0.38	0.59
1988	1.66	0.45	0.54
1989	1.63	0.42	0.57
1990	1.91	0.45	0.54
1991	2.26	0.56	0.54
1992	2.53	0.62	0.57
1993	2.28	0.51	0.61
总计	20.74	3.39	7.00

注：新造林面积（"工程"新造林［工程造林］）面积包括计划的以及新种植的速生品种（速生林）。速生林从 1987 年才开始有正式的记录

① 1980～1986 年的数据是从 1987～1993 年外推出的

资料来源：《中国林业年鉴》1986～1993 年

　　对新造林特征的描述需要再推敲一下。1987 年以来，工程造林的一些正式资料把它和"速生"林区区别开来。速生林区是指每年每公顷土地上体积增长不少于 $15 \mathrm{m}^3$ 的林区，差不多每年都有 $50 \times 10^4 \mathrm{hm}^2$ 的增长。根据尹润生（1994）和国家森林调查的种种资料显示，这些增长大多数发生在华南和华北中部的集体林区，同时也是为了支持轻工业制造部门及造纸工业的迅速发展。然而，尽管中国林业上有着森林存量快速增长的表象（实际上国际林业也是如此），但是森林种植面积中自然森林存量所占面积的增长速度更快，据可靠记录显示，每年的工程造林中，这个自然森林存量占了很大一部分。

　　防护林和"经济"树种　作为有史以来绿化造林最重要的目标之一，中国防治风沙侵蚀和沙漠化的努力取得了充分的成果（Richardson, 1990；世界银行, 1992；Rozelle *et al.*, 1998）。中央政府领导已经把工作重点放在样板（high‑profile）工程上，例如内蒙古的"绿色长城"工程和长江中上游的造林

运动。中央政府每年确实有很大比例的预算支出是为了农村环境和自然资源保护而进行的绿化造林工程，同时植树造林是（在维护乡村公路和灌溉水渠之后）最普遍的征工形式①。

由于国家领导的扶持和农民的共同努力，防护林已成为森林覆盖率的一个重要组成部分。1980～1993 年间防护林面积总共增加了 $607 \times 10^4 hm^2$——其中改革早期 $400 \times 10^4 hm^2$，改革晚期 $150 \times 10^4 hm^2$（表 6-3）。早期增长大部分体现在1980～1988 年中国的重要林区，但在后来晚期的改革中，只有华南集体林区中的防护林带在面积上有所扩大（面积增长 32%）。1988～1993 年间，中国防护林区从传统林区延伸到其他遭受严重侵蚀的省份。这说明政府打算扩大环境保护的规模。

表6-3　防护林主要林区的面积及森林蓄积量（70 年代末至 90 年代初）

地区	面　积					森林蓄积量				
	$\times 10^6 hm^2$			变化（%）		$\times 10^6 m^3$			变化（%）	
	1980	1988	1993	1980～1988	1988～1993	1980	1988	1993	1980～1988	1988～1993
东北国有林区										
黑龙江	0.47	0.45	0.40	−6	−10	0.42	0.29	0.28	−32	−3
内蒙古	0.28	0.40	0.50	43	26	0.12	0.21	0.23	76	8
吉林	0.89	0.82	0.82	−8	−8	0.70	0.63	0.79	−10	26
合计	1.64	1.67	1.72	1	0	1.24	1.13	1.30	−9	15
华南集体林区										
福建	0.14	0.22	0.31	60	39	0.09	0.12	0.22	41	78
江西	0.05	0.19	0.26	276	33	0.04	0.05	0.07	27	35
湖南	0.04	0.16	0.20	258	22	0.02	0.09	0.10	307	17
广东①	0.17	0.25	0.36	46	43	0.08	0.16	0.20	92	24
广西	0.59	0.67	0.86	14	29	0.46	0.47	0.57	1	22
合计	0.99	1.49	1.99	50	32	0.69	0.89	1.17	28	30
西南混合管理区										
云南	0.54	1.60	1.80	198	12	0.97	2.33	2.57	140	10
四川	2.03	3.38	2.72	67	−20	2.68	5.30	5.37	97	1
合计	2.57	4.98	4.52	94	−9	3.65	7.63	7.94	109	4

---

① 来源于与国家环保总局各个部门的访问以及近期对全国范围220多个村庄的亲自调查（Rozelle，未出版）

（续）

地区	面　积					森林蓄积量				
	×10^{6}hm^2			变化（%）		×10^{6}m^3			变化（%）	
	1980	1988	1993	1980～1988	1988～1993	1980	1988	1993	1980～1988	1988～1993
华北中部速生林区										
江苏	0.03	0.06	0.07	115	13	0.01	0.02	0.03	222	23
安徽	0.03	0.39	0.12	1450	−70	0.00	0.19	0.04	4581	−80
山东	0.47	0.47	0.44	1	−7	0.03	0.05	0.07	52	50
河南	0.28	0.34	0.31	23	−8	0.13	0.15	0.16	15	11
合计	0.81	1.26	0.94	59	−26	0.17	0.41	0.30	138	−26
整个中国	10.00	14.56	16.07	46	10	8.84	14.00	17.78	58	27

注：1980、1988 和 1993 年为三次森林调查的大致时间

① 海南省情况包含在广东省之中

资料来源:《国家森林资源统计》1983, 1989, 1994

　　经济林树种的增多成为当今中国农村值得注意的变化之一。有许多是产油树木、果木、橡胶以及其他能快速产生经济效益的非木质产品树种。改革整个过程中这些树种的种植面积增长了 40% 多（表6-4）。就果树来说，尽管它所有的种植面积 1980 年时只占全部经济林树种种植面积的 19%，但它还是实现了 80% 的增长率；1980～1988 年间增长率为 127%，到 1993 年为止又增长 55%；在1988～1993 年的调查中，除吉林省以外，在每个省的森林调查中果树的种植面积都增长了。

表6-4　　"经济"林面积（70 年代末至 90 年代初）

地区	经济树种					果　树				
	×10^{6}hm^2			变化（%）		×10^{6}hm^2			变化（%）	
	1980	1988	1993	1980～1988	1988～1993	1980	1988	1993	1980～1988	1988～1993
东北国有林区										
黑龙江	0.03	0.06	0.05	98	−15	0.01	0.01	0.02	0	197
内蒙古	0.85	0.89	0.87	5	−3	0.02	0.03	0.04	17	59
吉林	0.05	0.04	0.04	−13	−2	0.02	0.02	0.02	18	−33
合计	0.93	0.99	0.96	7	−4	0.05	0.06	0.08	15	35
华南集体林区										
福建	0.34	0.57	0.79	65	40	0.04	0.20	0.44	460	115
江西	0.98	1.10	1.13	12	3	0	0.04	0.05	—	40
湖南	2.42	2.42	2.27	0	−6	0.90	0.83	1.79	−7	116
广东①	0.75	0.84	1.32	11	57	0.20	0.19	0.50	−5	163
广西	0.71	0.80	0.99	13	23	0.05	0.06	0.20	30	223
合计	5.20	5.73	6.50	10	13	0.37	0.57	1.36	54	138

（续）

地区	经济树种					果　树				
	$\times 10^6 hm^2$			变化（%）		$\times 10^6 hm^2$			变化（%）	
	1980	1988	1993	1980～1988	1988～1993	1980	1988	1993	1980～1988	1988～1993
西南混合管理区										
云南	0.32	0.59	0.68	84	15	0.05	0.09	0.14	62	61
四川	0.24	0.69	0.84	191	21	0.02	0.25	0.31	1188	25
合计	0.56	1.28	1.52	130	18	0.07	0.34	0.45	361	34
华北中部速生林区										
江苏	0.11	0.15	0.16	27	11	0.05	0.08	0.08	70	6
安徽	0.14	0.32	0.41	125	28	0.03	0.07	0.12	133	89
山东	0.33	0.87	0.99	160	14	0.17	0.73	0.86	341	18
河南	0.31	0.33	0.43	6	31	0.10	0.10	0.17	-3	77
合计	0.89	1.67	1.99	84	20	0.35	0.98	1.23	185	28
整个中国	11.28	13.74	16.10	22	17	1.50	3.41	5.30	127	55

注：1980、1988 和 1993 年为三次森林调查的大致时间

① 海南省情况包含在广东省之中

资料来源：《国家森林资源统计》1983，1989，1994

（二）对森林覆盖率变化的解释

1980～1993 年，森林覆盖有 $1800 \times 10^4 hm^2$ 的增长，表 6-5 作了特别分析：防护林和经济林所覆盖的面积增长分别为 $600 \times 10^4 hm^2$ 和 $500 \times 10^4 hm^2$。大约有 $200 \times 10^4 hm^2$ 的土地是为了满足自然保护区等地区对燃料木材的需求而重新造林。$1800 \times 10^4 hm^2$ 中剩下的 $500 \times 10^4 hm^2$ 是森林地区和偏远的再造林区。另外，由于工程造林和再造林带来了 $1400 \times 10^4 hm^2$ 森林覆盖的净增长，那就很可能已有至少 $900 \times 10^4 hm^2$ 的天然林在被砍伐之后没有得到成功再造或转为农业用地①。

所有统计信息都表明，中国的森林结构在改革时期有翻天覆地的变化。森林构成发生了十分重要的转变，以森林为基础的环境服务有相当的变化。整整 25 年中国只是在 1980 年刚开始改革时经历了一次非常有限的再造林过程（Ross，1988），保留下来的部分几乎是一个完整的天然林。人工种植的森林面积很小，并且还没有成熟。因此，1980 年保留下来的森林大部分都是由退化的天然林或闲置无法使用的树林组成的。

80 年代早期最初的改革之后，至少有 $900 \times 10^4 hm^2$ 的森林在采伐之后没有

---

① 其实，对于农民在无林地上"非计划"造林，对该数据有更加显著的影响

再造（表6-5）。另外有$700 \times 10^4 hm^2$采伐之后重新再造了，但当时在这些再造的林区里只有一些小树苗和发育不成熟的幼龄林，加上那些在以前的采伐中残留下来的低价值树种（表6-2）。这$700 \times 10^4 hm^2$中有些用原来的贮备林，另外的一些则用速生林。1980～1993年间首次完成$2100 \times 10^4 hm^2$的造林和再造林，同时也就意味着天然林区巨大的损失——$700 \times 10^4 hm^2$的天然林转变为工程林，残余的老品种与刚种植的发育还不完全的幼龄林两者的比例也发生了巨大的转变，有些幼龄林因为还来不及发展到充分的规模，而不会列入下一次林业调查的对象[1]。

表6-5　改革期间森林面积的变化（1980～1993）

森林的分类	变　化（$\times 10^6 hm^2$）
森林总面积的变化（表6-1）	+18
由如下种类构成：	
"传统"森林（《国家森林资源统计》1983，1989，1994）	+5
工程造林及更新造林（表6-2）	+14[1]
被采伐和林地被破坏的土地（估计）	−9[2]
防护林和经济树种	
防护林（表6-3）	+6[1]
经济树种（表6-4）	+5[1]
其他森林类别：	
薪炭林、自然保护区、其他（《国家森林资源统计》，1984、1989、1994）	+2[3]
其他影响森林多样性的变化（不包括森林覆盖）：	
被破坏的天然森林	−7[2]
重新种植的工程造林（表6-2）	+7[1]

① 主要由政府出资种植的荒地
② 主要是各种天然林和次生林
③ 部分人工种植、部分自然恢复的林地；实际增长为$2600 \times 10^4 hm^2$

　　森林种类和年龄结构的变化对中国动植物多样性的影响是巨大的。森林退化和生物多样性的损失是有关联的。新造林并不能承载和原有林相同的植物和野生动物物种，而人工林也不能承载和天然林相同的植物和野生动物物种。因此，这$1600 \times 10^4 hm^2$的土地转化（$900 \times 10^4 hm^2$退化了，$700 \times 10^4 hm^2$被改造成人工林）极大地改变了原本成熟天然林的品种、质量，改变了植物和野生动

---

　　① 该观察与较早的一个有关中国森林树龄结构变化的分析一致（Rozelle 等，1998）。计算活立木蓄积量的时候一般不把低龄树计算在内。在中国林木只有长到3～5年以后才会被用来计算蓄积量，因此在下一个清查期开始的2年内种植的树木只用来估计森林覆盖而非活立木蓄积量

物的生存环境模式，这样一来，物种多样性自然会遭到破坏。

尽管工程林增加的 $1400 \times 10^4 \mathrm{hm}^2$ 能够提供环境服务，但这些服务与 1980 年的森林所提供的服务是不同的。确实，防风林 $900 \times 10^4 \mathrm{hm}^2$ 的增加量的确为风沙控制做了不少贡献，这同时也是中国环境问题上最紧迫的一项工程。生物多样性带来的损失到底有多严重和防治风沙工程到底取得了多大成效，这都还不十分确定。但是，从应对当前风沙问题的紧迫性和保持特有自然环境的必要性看来，环境问题是中国林业改革过程中最具争议的问题。

（三）活立木蓄积量

在 1980～1988 年期间，中国的森林活立木总储量基本上保持不变。而在 1988～1993 年之间则有迅速的增加（表6-1）。然而，这个存量在 4 个主要森林地区的分配揭示了不同的跨地区和跨时期的发展模式。森林存量总量增加主要来自于东北国有林区以及华南集体林区这两个传统的森林工业地区。在这两个地区，森林蓄积量在第一阶段是下降的，而在第二阶段有了恢复（表6-1、表6-6）。而这两个时期，华北速生林区尽管面积小，但增长稳定，这在一定程度上弥补了西南混合管理林区森林蓄积量的下降（见第三章，关于对 80 年代早期华北和南部的改革政策、森林面积以及采伐量三者之间关系的阐述）。

在省级层面，早期全国最主要的 10 个林业省份中除了东北的吉林省之外，其余各省的森林蓄积量都是下降的。后来在第二个时期，这些林业省份除四川之外，森林蓄积量都开始恢复。经济发展初期，第一阶段的森林蓄积量下降是一个很典型的特征，但中国的改革似乎遏制了这一下降的趋势，并促进了森林的恢复，这一点可以从 80 年代之后的森林蓄积量增加看出来。

在第二阶段森林立木蓄积的增加归功于在早期森林覆盖增加的地区新造林的成长，以及采伐率的下降。在改革早期，商用木材采伐量的增长率为 10%，而 1988～1993 年这个增长率下降到了 3% 左右（表6-6），相当于年均森林增长率不到 0.6%，对于处在快速发展的中国经济来说，实在是一个很低的比率。

为什么在这么长的时间里原木产量保持如此稳定呢（大约每年 $6 \times 10^4 \mathrm{m}^3$）？这可能是以下几个因素综合作用的结果：政府对以原木作为建筑材料的严格限制（Richardson，1990）；对于未加工木材产品运输的严格的审批制度，以及对集体林采伐的高额税收制度（第四章）；对纸张和未处理木材产品进口的快速增长（《中国统计年鉴》，1989，1994）。所有这些因素对于森林产量的实际影响还是不明确，因为对采伐和运输的限制并不能阻止非法采伐和用于家庭或一些传统工业的采伐，也不能阻止为了增加收入而把土地从林地转化成耕地（Zuo，1995；Qiao，1997）。官方的林业调查数据并没有探究这些方面。

表6-6 原木资源及其产量(70年代末至90年代初)

地区	林分蓄积量					原木产量				
	$\times 10^6 m^3$			变化(%)		$\times 10^6 m^3$			变化(%)	
	1980	1988	1993	1980~1988	1988~1993	1980	1988	1993[2]	1980~1988	1988~1993
东北国有林区										
黑龙江	1341	1216	1267	-9.3	4.1	16	19	12	15.6	-34.9
内蒙古	797	775	798	-2.8	2.9	0.4	6	5	43.4	-14.8
吉林	571	590	619	3.2	5.0	6	6	5	0.9	-15.8
合计	2709	2581	2684	-4.7	4.0	0.27	31	0.2	16.5	-27.2
华南集体林区										
福建	284	245	286	-13.7	16.9	4	6	6	45.4	0.5
江西	229	157	167	-31.5	6.4	3	2	3	-21.5	11.0
湖南	158	123	135	-21.7	9.6	2	3	3	22.3	12.7
广东[1]	194	162	187	-16.4	14.9	3	2	3	-30.8	38.1
广西	174	156	154	-10.6	-1.4	2	2	3	30.7	37.6
合计	1039	843	929	-18.8	10.1	14	15	18	7.8	15.7
西南混合管理林区										
云南	976	698	662	-28.5	-5.2	2	3	4	35.0	9.9
四川	767	713	737	-7.0	3.3	4	5	5	8.4	1.6
合计	1743	1411	1399	-19.0	-0.9	6	8	9	18.3	5.1
华北中部速生林区[2]										
江苏	2	4	5	84.8	15.3	0	0.1	0.5	—	939
安徽	54	52	58	-3.6	10.0	0.5	0.4	2	-10	491
山东	2	6	7	238.6	35.4	0	0.1	1	119	1772
河南	19	24	30	27.5	24.4	0.2	0.2	2	3	1031
合计	77	86	100	11.7	15.9	0.7	0.8	6	8	790
整个中国	6881.86	6173.17	6743.39	-10.3	9.2	54	62	64	16	3

注:1980、1988和1993年为三次森林调查的大致时间

① 海南省情况包含在广东省之中

② 在华北中部,这些计算基于1990~1992年主要原木产量的高一点的水平,而其他几个区则基于整个1988~1993年时期的主要产量

资料来源:《国家森林资源统计》1983,1989,1994;《中国农业年鉴》1981,1989,1994

尽管如此,中国的林业调查说明了中国的森林无论在覆盖面积上还是森林蓄积量上,都是增长的。因为在第二和第三次调查期间,原木的产量相对保持稳定,所以这期间森林蓄积量的增加来源于新造林,最明显的就是那些为了不同需要新造和再造的森林的增长,大部分是在1980~1988年间,更早一点儿也有 [1974~1978年,12个省内共有330×10⁴hm²速生林(CFFA 1979)]。许多新的再造林在1988年调查时还没有完全成熟,因此没有统计,但根据1993

年的森林调查，其中的许多林区正以最快的速度发展。

三、多元分析框架

以上我们提出的都是对当前中国森林状况的乐观评价。改革早期最早的两次森林调查中出现的森林覆盖面积稳定增长和森林蓄积量迅速减少的情况，在1993 年的第三次调查中出现了大的逆转。

上述的讨论集中在认识不同地区、不同时期的森林覆盖面积和森林蓄积量发展的趋势上，但我们更感兴趣的是产生这些趋势的原因。在此，我们设计了一个简单的实证模型来分析导致森林覆盖面积和森林蓄积量变化的因素。我们将会考虑地理位置、气候、市场、政策等因素，并在管理制度上区分国有管理和集体管理。

模型的一般形式如下：

$$Y = \alpha_0 + \alpha_1 X_1 + \alpha_2 X_2 + \alpha_3 X_3 + \varepsilon \qquad (6-1)$$

式中：Y 是森林覆盖率或森林蓄积量，或者，是在两次林业调查中间，这两项变量的变化。X 是向量，X_1 包含了那些可能会影响森林的供需、生产以及环境服务的经济因素；X_2 包含了那些可能会影响森林管理和采伐的政策措施；X_3 包含了地区性的虚拟变量。α_i 是需要估计的参数，ε 是随机误差项。

（一）经济因素

劳动和土地的禀赋会影响森林的生产，也影响森林所承受的压力。我们使用农村人口密度来反映可用的劳动力以及人类对于森林资源的压力，中国不同的地域之间，人口密度的变化很大，从东北的每平方公里 27.6 人到华北的每平方公里 437 人。这个人口变量的变化速度也有很大的变化范围，年增长率在东北是负的，而到了南部集体森林区，年增长率高于 0.5%（表 6-7a）。

土地质量影响了可种植森林的土地面积，因为拥有优质农业土地的农民不太可能去开发森林（Otsuka，1997）。另一方面，质量较好的土地，很容易从林地转变为耕地。我们用一个多种作物指数来衡量土地的质量，这个指数在不同地域不同时间有很大的变化。在东北的变化最小，在西南的变化最快、最大（表 6-7a）。

总体经济发展有可能影响对森林资源和对森林提供的服务的需求，同时与福利以及就业机会有关，它可以促进环境保护（福利提高）和减低森林资源压力（创造就业机会）。轻工业产值占总产值的比例是我们用来衡量经济发展的指标，它包括两个对木材需求最大的行业建筑业、纸浆和造纸工业。对于多数经济而言，轻工业的比例是随着总体经济的增长而增长的，在中国的整个改革期间,除了东北国有林区,这个指标都是增加的(表6-7a)。而且,在南部集体林区,这个增长尤其明显,轻工业比例以超过年均1.5%的速度增加。

表6-7a　影响森林管理及保护的因素(70年代末到90年代初)

地　区	农村人口密度				多重作物指数			
	÷10 000 人/km²			变化(%)	指　　数			变化(%)
	1980	1988	1993	1980~1993	1980	1988	1993	1980~1993
东北国有林区	0.00291	0.0027	0.0028	−5.1	98	95	98	0.8
华南集体林区	0.00194	0.0020	0.0021	7.8	210	212	223	6.1
西南混合管理林区	0.00126	0.0013	0.0013	5.6	170	179	191	12.7
华北中部速生林区	0.00418	0.0042	0.0044	4.6	161	173	174	7.5
整个中国	0.0089	0.0090	0.0094	5.6	147	151	155	5.4

注:1980、1988和1993年为三次森林调查的大致时间

资料来源:《中国农业年鉴》1981,1989,1994

　　林产品的相对价格也会影响森林资源。这个相对价格,我们用原木对谷物的相对价格来表示。在80年代早期和中期,这个相对价格提高很快。90年代中期,农作物价格的上升速度超过原木价格上升速度,这个相对价格有些降低。然而,相对价格的影响是不确定的,因为相对价格的增加会促进林区的管理和开发,但也导致了采伐扩张,造成无人管理天然林的缩减。相对应的是原木价格的相对下降,会降低森林管理,导致更多林地转化为耕地,但同时也减少了对天然林的开发,促进天然林的恢复和发展。

(二)政策因素

　　黄等人(1998)以及本书的其他章节回顾了改革期间林业政策的变化,并对具体的林业政策到底是帮助还是阻碍了森林资源的恢复提出了疑问(Ross,1988;Richardson,1990;Smil,1993;Rozell等人,1998)。实际上,在第三章里,尹润生指出两个效果都很重要,这依赖于具体的森林政策内容以及当地的实施情况。我们试图通过加入1988年(代表早期的政策改变)和1993年(代表后期的政策改变)这样的时间虚拟变量来捕捉全部的政策影响。对于中国改革早期出现的重要政策改变,1988年这个时间虚拟变量作为总结性的指标,可能显得特别重要[①]。

---

　　①　用回归考察森林覆盖变化或活立木蓄积量变化的时候必须剔除一期虚拟变量。因为数据只允许进行两期变化,而其中一期必须用作控制变量。我们的回归保留了1998年的虚拟变量,因为早些年的改革已经有广泛的讨论,而且可能产生了更大的影响,考察起来将会很有意义

很多人可能注意到了在中国（黄季焜，1998；Rozell，1998）以及其他的发展中国家（比如，Otsuka，1997；Hyde 等，2000），土地所有权和使用权对于林地使用有着重要的影响。在中国，重要的土地所有权和使用权的变化主要发生在南部、东部以及华北地区，这些地方的村和农户拥有较大的土地使用权及自主权。如果这些产权变化的影响比改革后期新政策的效果更明显并且相对更有效的话，那么 1998 这个政策虚拟变量应该有一个正系数。

另一方面，有些人认为，最初改革后对于集体林的政策是失败的（比如，Qiao，1997）。如果这一个预期是正确的，并且如果这个政策效果大到足够超过后来在第二、三次森林调查期间的政策效果的话，那么 1993 年的政策虚拟变量应该是负的。

改革之前，国有林场管理的森林面积远远多于集体管理的森林面积。1981年之后，国有森林管理的面积很快分配到了集体管理。表 6-7b 说明了这个重新分配。国有林场（主要在东北）的管理人员因此增加新造林，木材的价格更加准确地反映其真实的机会成本。然而，即使改革之后，年产量仍然是这些管理人员的主要激励机制。缺乏强有力的激励机制，可能阻碍了国有林场提高管理效率。因此我们推测，国有林场拥有的集体森林比例越大，对于效率管理的激励就越微弱。这个比例越小，就表明在集体和农户手中的林地越多，而改善土地使用权的激励也就会越大。

表 6-7b　影响森林管理及保护的因素（70 年代末到 90 年代初）

地　区	轻工业总产值				国有林场管理下的集体林区			
	所占比例			变化（%）	所占比例（%）			变化（%）
	1980	1988	1993	1980～1993	1980[①]	1988	1993	1980～1993
东北国有林区	0.265	0.287	0.255	-3.6	100	91.9	93.2	-6.8
华南集体林区	0.347	0.393	0.434	25.1	100	13.9	13.1	-86.9
西南混合管理林区	0.295	0.318	0.317	7.5	100	43.9	41.8	-58.2
华北中部速生林区	0.362	0.386	0.397	9.7	100	13.5	14.7	-85.3
整个中国	0.355	0.373	0.379	6.8	100	51.5	51.9	-48.1

注：1980、1988 和 1993 年为三次森林调查的大致时间

① 假设 1980 年时 100% 都在国有森林农场管理之下

资料来源：轻工业产量的总价值，《中国统计年鉴》1980 到 1994；国有森林农场管理下的集体林区，《国家森林资源统计》1983，1989，1994

（三）地区差别

我们的主要观测值来自 25 个主要的林业省份，但是我们根据中国传统的地理区域用虚拟变量来体现地形和气候上的特征。这些地理区域是：华北、东北、华东、华中、中南、西南以及西北。西北的森林覆盖最小，消除它的虚拟

变量,这样剩余的那些虚拟变量的系数就代表了对其他地区影响和对西北地区的影响的差异。我们把华南和华中结合起来研究,是因为这两个地区的省份都在南部集体林地区的范围。剩余的5个地区中有4个符合我们讨论的4个森林管理区域。而要把第五个地区(华东)归入到一个具体的森林管理类别就有些困难了。

(四) 数据

最基本的森林资料都来自三次森林调查。剩余的诸如相对价格、人口密度、多重作物指数、轻工业占GDP比例,以及土地使用和占有的份额等等资料均来自政府的一般统计出版物(《中国农业年鉴》,《中国统计年鉴》)。总的来说,根据三次森林调查的时间间隔,我们拥有25个省的观测资料,以及可以用于回归估计森林覆盖和立木蓄积量水平的75个观测值,用于回归估计森林覆盖和活立木蓄积量变化情况的50个观测值。

四、结论

表6-8是对两套方程进行最小二乘法回归(OLS)估计的结果,这两套方程分别对森林覆盖的影响和活立木蓄积量的影响进行评估。每一个方程中这些系数解释了因变量的水平和变化。这些方程拟和优度很好。对于森林覆盖的方程,表示拟合优度的度量(调整的R^2)为0.45~0.87,而对于活立木蓄积量的方程,其范围为0.19~0.71。正如我们所预期的,对于估算变化的这条方程,R^2的值相对较小。大部分系数都比较合理,并且随方程形式的调整很稳定。

表6-8 森林覆盖和活立木蓄积的回归结论、水平及变化 (1980~1993)

自变量	因变量			
	森林覆盖率		活立木蓄积量	
	水平	变化	水平	变化
常数	-14.45	—	-1939.40	—
	(1.66)		(1.87)	
农村人口密度	-526.60	-58.56	-46260	0.32
	(5.92)	(1.42)	(4.38)	(1.06)
土地质量(MCI)	0.22	0.0001	2.62	0.000002
	(7.72)	(0.20)	(0.76)	(0.66)
轻工业产值占GDP的比例	41.73	13.26	4636.20	0.04
	(3.60)	(3.61)	(3.37)	(1.45)

（续）

自变量	因变量			
	森林覆盖率		活立木蓄积量	
	水平	变化	水平	变化
相关价格指数（原木/谷物，含运费）	-8.79	-0.55	241.25	-0.002
	(1.28)	(0.49)	(0.30)	(0.27)
土地制度（国家管理下的集体林比例）	-1.84	-1.40	724.43	-0.007
	(0.52)	(0.94)	(1.72)	(0.62)
政策效果（在 1988 年加一个虚拟变量）	5.46	-1.01	180.10	0.0005
	(0.89)	(0.91)	(0.25)	(0.06)
政策效果（在 1993 年加一个虚拟变量）	6.78	—	249.12	—
	(1.02)		(0.31)	
地域虚拟变量				
东北	27.15	-0.02	2258.34	-0.001
	(12.29)	(0.01)	(8.61)	(0.09)
华北	5.48	0.99	389.78	-0.003
	(2.27)	(0.96)	(1.36)	(0.34)
华东	3.76	2.36	1172.24	-0.02
	(0.89)	(1.60)	(2.35)	(1.69)
华中/华南	0.78	0.15	834.25	-0.01
	(0.21)	(0.12)	(1.87)	(1.60)
西南	-1.38	1.21	1750.01	-0.007
	(0.46)	(0.88)	(4.91)	(0.66)
调整后的 R^2	0.87	0.45	0.71	0.19
观测值	75	50	75	50

注：OLS 估计法；t-检验。MCI，多重作物指数；GDP，国内生产总值

（一）森林覆盖率的决定因素

农村人口密度对于森林覆盖面积有很显著的负面影响，而对覆盖率的变化影响较显著。人口密度越大，就表明劳动力越多。当劳动力非常充足的时候，工资就会很低，而工资低的工人主要依靠采伐天然林，而且是林区内部的天然林。因此，森林覆盖率下降（Foster 等，1997；Hyde 等，2000）。农村人口密度每增加 1%，森林覆盖率就会下降 0.590%。

多重作物指数的系数为正，这表明与较好的农业土地质量、农业生产力的提高以及减少林地转变有关。而在估计变化的方程中，影响系数很小、很不明显，这表明对于改革期间的森林覆盖面积，农业土地质量这个因素所产生的影响很小。这一发现说明了农业投资和林业投资之间的互相补充。这在一般经济发展和资源研究文献中是相当新颖的，并且与黄季焜等人（1998）的著作中对村一级的观察一致。这就是说，当政府采取公共投资来改善耕地，或者农民在

这个投资激励下去改善耕地时，这个投资同时也有利于森林面积的增加。

轻工业比例这一变量的系数为正，而且显著。这表明，经济发展对森林覆盖的影响为正。轻工业占 GDP 的比例每增长 1%，森林覆盖面积就有 0.13% 的增长。这里面有 3 个因素在起作用。工业对于木材的需求能推动森林的种植并净增加森林覆盖（也就是说，新造林要超过对天然林的砍伐）。工业的发展也能增加就业，如果工资增加能吸引劳动力离开林业部门到工业部门。最后，可能还有一个财富效应：随着工业和经济迅速发展，经济发展带来的财富会促使对森林非消费性服务的需求增加，也因此促进了森林覆盖面积的增加——至少可以降低对天然林的破坏速度。此外，比较富裕的家庭使用煤和天然气来代替木材作为生活燃料，这个因素会降低以森林作燃料的需求。

相对价格这个变量在我们的任何一个方程里面都不显著，这说明，相对价格的两个相反方向的效果互相抵消。也就是说，较高的木材价格所引起的天然林的减少（因为激励了砍伐森林）和人工林的增加（因为要为未来的需求保存一定的存量）在数量上很接近。

土地所有权这一变量的系数为负，这说明，随着国有林场中集体林面积增加，森林面积增加，森林覆盖面积减少。那些国有林场占有集体森林面积较大的省份，其森林覆盖水平相对较低，并且森林覆盖面积在改革开始之后有明显而迅速的下降。这一发现对于那些悲叹于集体管理质量低劣的人们来说，是很重要的。这表明，在增加森林覆盖方面，集体和个体家庭的管理要比国有管理更加优越。实际上，对于森林覆盖面积，在所有这些变量中，土地的所有权和使用权这一变量的弹性效果是最大的。从国有管理向集体或个人家庭管理每增加 1%，那么森林覆盖面积就能增加 1.4%，这一弹性显示了在森林管理方面提供激励机制的重要性。

时间虚拟变量预测力比较小，而地域虚拟变量则显示，相对于干旱的西北，所有的地域（可能除了西南）都有较高的森林覆盖期望值。而森林覆盖面积的变化水平也很高（除了东北国有林区）。

总之，对于解释森林覆盖面积的主要因素是人口（或者劳动力）和总体经济活动（轻工业比例变量）。总体经济活动有一个很强的积极的影响。也就是说，林业政策也许很重要，但是总体经济的表现更重要。这个发现非常有意义，因为专家们在寻找影响林业部门表现的因素时，常常会忽略总体经济的表现。

（二）活立木蓄积量的决定因素

对于活立木蓄积量回归得出系数的正负方向以及显著程度和对森林覆盖面积的回归是一致的，尽管影响的弹性比较小。这是因为活立木蓄积量的变化比森林覆盖面积的变化要小。这一情况反映在活立木蓄积量回归中的经济影响因素（诸如人口密度、总体经济发展和相对价格）。从长期看，在中国，较富裕以及农村人口压力较小的地区，对于森林存量的增加，有一个正的贡献。而土地质量也有积极的效应。木材较高的相对价格有一个互相抵消的效果，增加对存量的砍伐，但也鼓励了种植，增加了新造林存量。

在森林蓄积量和覆盖率水平的方程中，国有土地使用权这一变量有一个显著而且很大的正效果，这反映出最初让国有林场控制大部分森林资源的政策是偏误的（Rozell 等，1998）。因此，土地从国有到集体和个体农户的重新分配，对森林的增加应该是有贡献的。这一所有权和使用权上的变化在所有变量中，对森林存量的弹性效果最大（$e = 0.0007$），但在统计上，效果并不显著。

从时间虚拟变量上看，总体政策改革可能促进了森林的增长。然而，这些时间虚拟变量对于森林覆盖方程的影响，没有一个是显著的。所以对于各个时期的总体政策效果，我们并不能得出任何确信的结论。

区域虚拟变量表明，一些地区和干旱的少林地区——西北地区相比，保有较大的初始森林存量。由区域虚拟变量所代表的森林的增长，要比西北地区小。我们对这个差距的解释是：这些地区新造森林直到本研究时间跨度的末期才出现在森林调查目录中。

五、总结

从农村改革前后的三次森林调查所得到的资料对中国森林情况提供了详细的描述。同时也提出令人乐观的理由：1988～1993 年，总体森林覆盖面积增加了15％；在过去的 10 年间，森林蓄积量得到很大的恢复。森林蓄积量的增加，来自用材林、防护林以及人工林，扭转了自新中国成立以来（甚至可能更早）就存在的森林覆盖面积降低的局面。

在改革早期和后期之间，森林管理形式的侧重点不同。在农业和非农业部门巨大的投资以及一些关键的经济要素也已经改变。地区不一样，经济和政策因素不一样，因此森林成长的速度也不一样。比如，对于国有占主导的东北林区和集体所有占主导的南部地区，改革后期（1988～1993 年）的森林覆盖变化率要比改革早期（1980～1988 年）快得多。在新的华北速生林区，一些要素的变化趋势与其他地区不一样，其主要原因可能是因为其地区资源形式的转变。改革早期某一地区农业投资的快速增加可能就是因为这一地区在改革早期快速增长的农业投资。在混合管理的西南地区，森林增加的部分原因是中央政府对长江中上游地区的防护林投资。

然而我们需要有谨慎的乐观态度，因为部分森林覆盖的增加是以森林多样性的损失为代价的。在改革的第一个 15 年期间，至少 6% 面积的森林结构被转换，天然林被替代为人工林。虽然这种转变可能增加个人的收入，也促进了诸如风沙控制等环境服务，但不能替代的是，这 6%（或者还要加上 15% 新增的面积）的森林有为濒危物种提供生存环境的功能。森林结构的改变可能也会影响农村居民中某些群体的生活，比如有些农民依赖只能在天然林下生产的产品为生（比如某些草药、药用植物、喂牲口用的草料饲料等）。这些问题是很重要的，需要我们特别关注。但是对此问题，我们的研究资料并没有提供足够信息。

那么什么是必须做的呢，政策启发？如果国家领导人想要一套现代森林发展模式的话，我们的一些发现已经为未来政策的方向提供了明确的启示，这套模式能够和中国未来 5 年、10 年计划相适应（《中国农业年鉴》，1995 ~ 1997）。从这一点上看，中国的领导人应该继续现在的做法，深化改革发展新的经济活动。我们的研究也已经显示：持续的经济发展，改善对所有森林生产者（包括集体森林的领导、乡镇的个人，特别是国有森林的管理人员）的激励机制，将会鼓励投资于新造林。中国农业部白皮书（MOA1997）公布的关于增加农业投资的国家计划，对森林资源有积极的影响，同样也会促使农业劳动力从农业生产部门到非农业部门转移（Rozell 等，1998）。

尽管过去取得了成功并且未来形势比较乐观，中国林业部门仍然面临着巨大的挑战。我们对于不同类别森林变化的评估指出了当今森林政策和监督开发管理中的无效率现象，即天然林无论在面积还是蓄积量上，都在持续下降。此外，尽管社会财富的提高是改善森林资源总体水平的一个因素，日益扩大的收入不均和长期贫困会使那些经济不发达地区的森林资源陷入困境。我们需要更多研究来解决这些问题，探索如何鼓励森林资源使用者在不破坏森林物种多样性的前提下，扩大森林的面积和蓄积量。

参考文献

CFFA (*China Facts and Figures Annual*). 1979. Gulf Breeze, FL: Academic International Press

China Agricultural Yearbook. 1981, 1989, 1994, 1995, 1996, and 1997. [in Chinese]. Beijing: China Agricultural Press

China Forestry Yearbook. 1986. *China Forestry Yearbook*, 1949 – 1986 [in Chinese]. Compendium volume. Beijing: China Forestry Press

China Forestry Yearbook. 1987 through 1993. [in Chinese]. Beijing: China Forestry Press

China Statistical Yearbook. 1980 through 1994. [in Chinese]. Beijing: China Statistical Press

Foster A, M Rosenzweig, and J Behrman. 1997. Population and Deforestation: Management of Village Common Land in India. Draft manuscript. Philadelphia: University of Pennsylvania, Department of Economics

Ghimire, Krishna. 1994. Conservation and Social Development: A Study Based on the Assessment of Wolong and Other Panda Reserves in China. Research working paper. Geneva, Switzerland: United Nations Institute for Social Development

Harkness J. Forthcoming. Forest and Conservation of Biodiversity in China: Threats and Prospects. *The China Quarterly*

He B. 1991. *China on the Edge: The Crisis of Ecology and Development.* San Francisco: China Books & Periodicals, Inc.

Huang Jikun, Scott Rozelle, and Fangbin Qiao. 1998. Private Holdings, Conservation, and the Success of China's Forest Policy in the Reform Era. Working paper. Beijing: Chinese Academy of Sciences, Center for Chinese Agricultural Policy

Hyde William F, Gregory S. Amacher, and colleagues. 2000. *The Economics of Forestry and Rural Development: An Empirical Introduction from Asia.* Ann Arbor: University of Michigan Press, Chapter 10

Jefferson G H, and T G Rawski. 1994. Enterprise Reform in Chinese Industry. *The Journal of Economic Perspectives* 8 (2): 47 – 70

Lin, Justin Yifu. 1992. Rural Reforms and Agricultural Growth in China. *American Economic Review* 82 (1): 34 – 51

McMillan, John, and Barry Naughton. 1992. How to Reform a Planned Economy: Lessons from China. *Oxford Review of Economic Policy* 8: 130 – 143

MOA (Ministry of Agriculture). 1997. *White Paper on Agricultural Policy in* 1996 [in Chinese]. Beijing: China Agricultural Press

National Forest Resource Statistics. 1983 through 1989, 1991, 1994. [in Chinese]. Beijing: Ministry of Forestry

Otsuka, Keijiro. 1997. Property Rights and Forests in Africa. Working paper. Washington, DC: International Policy Research Institute

Qian Yingyi. 1994. Lessons and Relevance of the Japanese Main Bank System for Financial System Reform in China. In *The Japanese Main Bank System: Its Relevancy for Developing and Transforming Economics*, edited by M. Aoki and H. Patrick. Oxford, U. K.: Oxford University Press

Qian Yingyi, and Chenggang Xu. 1993. Why China's Economic Reforms Differ: The M – Form Hierarchy and Entry/Expansion of the Non – State Sector. *The Economics of Transition* 1 (2): 135 – 170

Qiao Fangbin. 1997. Property Rights and Forest Land Use in Southern China. Unpublished master's thesis. Beijing: Chinese Academy of Agricultural Sciences Graduate School

Richardson S D. 1990. *Forests and Forestry in China.* Washington, DC: Island Press

Ross, Lester. 1988. *Environmental Policy in China.* Bloomington: Indiana University Press

Rozelle, Scott, Li Guo, Minggao Shen, Amelia Hughart, and John Giles. 1998. Poverty, Networks, Institutions, or Education: Testing Among Competing Hypotheses on the Determinants of Migration in China. Working paper. Davis: University of California – Davis, Department of Agricultural Economics

Schur, Catherine. 1984. Hainan Dao: Contemporary Environmental Management and Development on China's Treasure Island. Ph. D. dissertation. Los Angeles: University of California – Los Angeles, Department of Geography

Smil, Vaclav. 1984. *The Bad Earth: Environmental Degradation in China.* New York: M. E. Sharpe

Smil, Vaclav. 1993. *China's Environmental Crisis: An Inquiry into the Limits of National Development.* New York: M. E. Sharpe

Sun Changjin. 1992. Community Forestry in Southern China. *Journal of Forestry* 90 (6): 35 – 39

World Bank. 1992. *China Environmental Strategy Paper.* Washington, DC: World Bank

Yin Runsheng. 1994. An Empirical Analysis of Rural Forestry Reform in China, 1978 – 1990. Ph. D. dissertation. Athens: University of Georgia, Warnell School of Forest Resources

Zuo Ting. 1995. Nontimber Forest Use in China. Working paper. Kunming, China: Yunnan Provincial Academy of Social Sciences, Rural Development Institute

第七章 市场与制度在海南毁林与更新造林的作用[①]

张耀启，Jussi Unsivuori，Jari Kuuluvainen，Shashi Kant

本章继续分析 1978 年以后的森林覆盖率变化的原因。Rozelle 等在前一章用全国的数据探讨了这一问题。他们认为作为农林改革焦点的产权变化也许起重要的作用。但是，他们发现一般的经济增长比任何具体的林业政策改革对林业的影响更大。这一重要观测告诉我们，对于像林业这样的小部门，宏观经济政策与经济增长比微细的部门政策更重要。因为我们对林业的兴趣不仅是对该部门经济生产力的关注，而且还有对我们的环境的关注，这就提醒我们总体经济对特定的自然环境状况的重要影响。

Rozelle 等提到人工林与天然林在提供环境服务以及对市场的反应的差异。可是，他们未能在他们的计量分析中对此加以考虑。我们在本章对海南岛的研究中，在使用相近方法时更着重分析它们的差异，分析的重点也比前一章更集中。海南作为一个岛，它的市场界线更明确。较小的区域意味着制度方面的变化比前几章更小。因此可以预计我们的问题与数据可以更界定，外部因素的影响也更小，我们的结论更确定。

在我们进行计量分析与做出结论之前，先来看看海南的背景。

一、林业与海南经济改革

海南地处南海，是具有 $340 \times 10^4 hm^2$ 的热带大岛，其面积与台湾相近。自 1988 年海南提升为省级行政区以来，多年来年均经济增长达到 20%，位居全国首位。海南人口也快速增长，从 80 年代的 500 万到目前的 800 万～1000 万（包括外来常住人口）。

（一）改革前的森林覆盖率

海南在历史上曾经被热带雨林所覆盖。到 20 世纪 30 年代，热带雨林还占

① 本文主要在芬兰赫尔辛基大学完成，东南亚经济与环境项目（新加坡）提供资助

全岛总面积的 50%。日本侵占海南后在海南建立了 4 个采伐场,雇有 1500 工人,年采 $1 \times 10^4 m^3$,为 18 个木材加工厂提供木材(陈植,1948)。第二次世界大战时,不少木材用于修路架桥和战争的准备,更多的被火烧掉。

到 50 年代早期,森林覆盖率下降到大约 30%。剩下的主要分布在中部山区(海南农业区划委员会,1980)。为满足岛内外的需求,森林继续减少。从 50 年代后期到 70 年代早期,每年有 $4 \times 10^4 \sim 6 \times 10^4 m^3$ 的热带木材流出岛外。到 80 年代末只有 $4 \times 10^4 hm^2$ 的雨林被采伐且几乎没有更新。由于重复采伐,有些迹地退化成为灌丛和裸地,海南也从 50 年代净木材出口,到 80 年代变为进口。

热带作物(如橡胶、茶与水果)在 20 世纪初就开始引进,但一直到 50 年代后才开始大面积种植(图 7-1)。由于西方的贸易封锁及中国对天然橡胶需求的增加,大规模的农垦系统来种植橡胶林。农垦系统起初有大约 $45 \times 10^4 hm^2$ 的天然林,到 1980 年也只剩下 $10 \times 10^4 hm^2$(司徒尚纪,1992)。

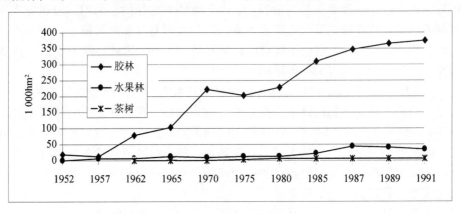

图 7-1 热带作物在海南的发展(1952~1991)

这期间农用地并没有太大的增长,但在当地少数民族中还很普遍的刀耕火种毁掉了大量的雨林。Bao(1991)估计,在 70~80 年代,刀耕火种每年毁掉大约 2700hm^2 雨林,到 70 年代末海南的森林面积达到低谷,覆盖率为 15%,且退化地占很大的比例,在 70 年代中期海南大约有 1/4 的土地为退化地(海南农业区划委员会,1980)。

70 年代末,正当中国经济开始向市场经济方向发展,国际桉树木片市场开始增长之时,海南也抓住了其地理优势。当时的林业部从 1982 年开始在海南规划与建设百万亩($13 \times 10^4 hm^2$)桉树为主的速生丰产林,由林业部提供资金,当地集体提供土地,当地群众提供劳力。其他形式的联合造林也相继得到发展。总的来说这些项目还是比较成功的,到 1995 年这些造林大约占所有人工林的 1/3,从而使森林覆盖率提高 4%。一旦所造林木成熟,这些林木就成为外汇收入的重要来源。1989~2000 年，大约有百万吨的木片出口。

从长期的森林下降趋势，到 70 年代后期这一趋势的扭转，以及 90 年代林地的快速增长（图7-2 和图7-3），海南为我们对"森林过渡"的假设提供了一个实例。这一假设认为，在经济起步阶段森林往往下降，但随着经济的增长，森林最终会恢复增长（Mather，1990；Hyde 等，1996；Rudel，1998 和 Zhang，2000）。

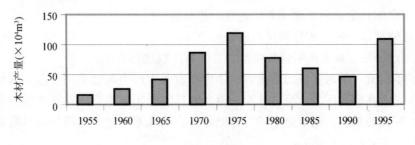

图 7-2　海南木材产量（1950~1990）

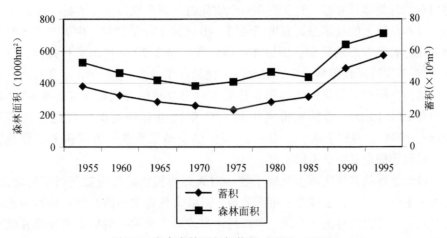

图 7-3　海南森林面积与蓄积（1950~1990）

（二）政策

最重要的有关林业的政策变化始于 1950~1956 年的土改。土改没收了地主的土地，并把它分给群众。但偏远的山区，特别是中部山区的雨林大多划归给国有森工企业。这些国有森工企业大约有 $35 \times 10^4 hm^2$ 雨林，而其中最大的 11 个森工企业就占 80%（海南农业区划委员会，1980）。

后来，1957 年开始的社会主义改造把个人土地划归集体，然后又归为人民公社。这期间虽然有些变化，比如 1958 年大跃进后的非集体化（Walker，1965），但人民公社一直延续到 1976 年。相对于农业，林业一直进行更集体化，也更集权化管理。

农业的农村联产承包责任制是早期经济体制改革的重点。实际上它是土地使用权的私有化，也可以理解为劳动的私有化。相对于农业，林业改革起步要晚些，改革的深度和广度也小些（Zhang 等，1999）。总的来说，林业改革主要体现在以下方面：

① 国有林的管理权下放到国有企业；

② 中央国有企业的管理权下放到省，甚至县一级；

③ 集体林以多种形式分到户或承包给个人；

④ 通过联营方式重新组合各生产要素并对产权进行界定。

联产承包责任制对农业的直接影响体现在农业生产力与效率的提高，这间接地减少了对林地的压力，而对林业来说，到目前为止还主要体现在产权的明晰与不确定性的减少，而不是生产力的提高（在前几章对这些改革与森林覆盖率及蓄积的关系已有论述）。

目前，海南的森林产权及管理与中国其他省份大体相近。但不同的是，海南国有林与集体林并存。这又为在一个省同时分析产权与管理体制提供实例。

虽然总体上的改革是迈向市场经济，但也并不都是这样。中央与省不时地增加森林管理方面的限制。例如在海南，首先是在 70 年代末实行择伐，然后在 1984 年实行采伐限额，之后对允许采伐量逐步减少，到 1993 年又对天然林开始禁伐，同时对退化的土地和森林采取封山育林的方式来恢复。在 80 年代大约有 $10 \times 10^4 hm^2$ 的林地得到恢复，90 年代也有相近次生林地得到恢复（Zeng，1994）。总体上看，全岛 6%～8% 的土地采取这一方式恢复了森林覆盖。承包管护是其中重要的手段。

对天然林的禁伐实际上反映了社会对天然林提供的环境功能需求的增加，比如水土保持、生物多样性、生态旅游。但以采伐为主的国有林业局和当地经济因此受到很大的冲击。为此，中央与地方政府也采取一些措施来补偿并鼓励转产，比如对造林、家具生产及生态旅游等项目的支持。经过 10 多年的努力，尽管当地经济还有困难，但森林已经有很大的恢复。

二、土地利用分配的一般模型

海南的森林史就是一部由天然林的毁灭向更新与森林经营管理过渡的历史。现代森林经营包括人工林与天然次生林的经营，也包括橡胶及水果等热带作物的经营。本文的重点是森林，它们也是当今世界林业政策的焦点。

尽管经济学原理既适用于经营管理的森林也适用于天然雨林，但它们对价格及制度因素的反应是不同的，因为经营管理的森林类似于其他行业的投资

（如农业），而对天然林的采伐更像采矿业。所以我们预计木材价格对天然林的采伐起正作用，但对森林经营管理（比如人工造林）起刺激作用。起初的林业政策也鼓励采伐天然林，只是最近才开始鼓励人工经营与天然林的保护。

比较正式的土地利用模型是，土地类型 A_i（$i=1，2$，分别指天然林与经营管理的森林）是产品价格（p），投入要素的价格（c），可利用的总土地面积 A 的函数。土地利用类型 A_i（面积）受自身价格的正作用影响，而受竞争产品价格的负作用影响。而受投入因素的影响就不那么确定，因为这取决于土地的互补性、其他投入因素及产品价格。

除了市场的直接影响，更广泛意义上的经济因素 E 和制度因素 I 也起很大的作用。所以我们把该地区经济增长、产权及管理因素也加入到模型中。我们预计总体经济的增长会增加对工业材的需求，这会导致天然林的减少，但也刺激经营管理森林面积的增加。产权的完善也会提高生产效率，并增加对森林经营管理投入的回报。

考虑这些因素后的模型是：

$$A_i = A_i(p, c, A; E, I) \qquad (7-1)$$

式中：下标 i 指天然林与经营管理的森林。正如上面分析的，我们将对影响这两类森林的因素作不同的回归分析。

（一）数据与计量经济模型

海南以县为行政管理单位，总共有 19 个县（市），另外还有一个农垦总局。为了克服边界经常变更问题，我们把一些临近的县合并，另外把农垦总局排除在外（因为需要的数据很少）。经合并后我们就只有 13 个单位，在时间上跨越 1957～1994 的 17 个时间点（没有包括每年）。有关森林覆盖率的数据主要来自于林业局和森林资源调查规划院（海南林业局，1957～1995）。因为新中国成立后只有中部县仍有较多的天然林，并在 1985 年后全面开始禁伐，所以对天然林的回归仅包括这期间至少有 2% 天然林覆盖率的县。

价格数据用上交的原木价格、农产品价格与热带作物的价格。经营管理的森林的木材价格主要指的是桉木价格，而天然林木材的价格指的是热带阔叶材的平均价格。我们把热带作物从农产品中分出来，主要是因为它们的价格与其他农产品价格趋势明显不同，对土地质量的要求也不一样，因而与林地的竞争也不相同。这 4 个价格其实只是其价格指数除以农村工业原料的价格指数（参考尹润生 and Newman，1997），我们还消除了通货膨胀，以 1957 年的水平为基准。

我们也用第 6 章 Rozelle 等的方法以人口密度来表示劳动力来源的丰富程度。劳动力成本对于森林经营与采伐是最主要的成本。但是人口密度的增加很显然会增加对林地的压力。

由于早期统计中不用人均国民生产总值（GDP），我们只好用人均总产值（GOP）来代替，并用零售品价格指数消除通货膨胀来计量经济发展水平。这两个指标其实有很大的一致性。

我们主要探讨 1978 年后土地使用权改变的影响。家庭联产承包责任制（HRS）提高了市场的刺激。所以我们用这一指标占总土地的比例来计量它的影响。1978~1987 年就经济体制的改革方向来说有很大的不确定性，这不要说对农民，对当地和中央政府官员也不例外。对政策的理解和执行在地区间差异很大。对林业来说面临着更大的不确定性。因此我们引进了虚拟变量 U 来允许政策变量的影响在这期间有特殊性。

在海南还有大量的林地属于国有林业局，这在不同县有很大差别。那么国有林的比例（SF）就可以用来计量这一体制的影响。对国有林的经营管理在很大程度上要考虑采伐限额与就业保障，所以应该说国有林比例越大受市场的刺激越小。有关土地利用的变量可以从海南农业综合考察委员会（1980）与海南统计年鉴中获得（1957~1995）。因为 HRS 和 SF 这两个变量主要取决于政府，可以把它们作为外生变量（参考 Besley，1985）。

最后我们的计量经济模型是：

$$FC_{jt} = \alpha_0 + \sum_{j=1}^{12} \alpha_j D_j + \sum_{n=1}^{3} \beta_n P_{n,jt} + \beta_4 PD_{jt} + \beta_5 GOP_{jt} + \beta_6 HRS_{jt}$$
$$+ \beta_7 U_t + \beta_8 HRS_{jt} U_t + \beta_9 SF_{jt} + \varepsilon_{jt} \qquad (7-2)$$

式中：FC 表示森林覆盖率（即每个县的天然林与经营的森林占总土地面积的比例），下标 j 和 t 表示县和时间；D 是区域虚拟变量；ε 是正态分布的剩余误差。区域虚拟变量表示没有观察到的其他因素。除 D，HRS，U 和 SF 外的所有变量都是自然 log 后的值。因此参数 β_1 到 β_5 的值也是弹性值[①]。

模型的估计是根据逐步回归一般最小平方法（GLS）一用 Cochrane-Orcutt 转换来考虑数据自相关性（Kmenta，1986；Greene，1997）[②]。表 7-1 是计算的估计结果（由于跨区间的宏观经济、地理及社会经济因素的相关性，区域虚拟变量很可能也有相关性）。多个模型比较后，这一回归结果最令人满意。log-likelihood 值也在满意区间，在解释天然林与经营管理的森林的两个回归方程中的 18 个参数估计中有 16 个显著。

---

① 我们也企图估计对天然林与经营管理森林变化的原因。但是，由于天然林的回归不太令人满意，从而使对这两类森林的比较不可能实现。天然林的回归的问题主要是由于其变化太小，以及不可克服的自变量相关问题，而且估计的参数统计不显著

② 把外生变量延迟后并不能提高统计结果。

表7-1　海南经营管理的森林与雨林的一般最小平方估计（1957~1994）

	变　量	经营管理的森林（%）	雨林（%）
α_0	常数	−3.74 (7.03)	2.98 (3.40)
P_t	木材价格	0.61 (5.81)	−1.52 (4.80)
P_a	农产品价格	0.11 (1.16)	0.33 (6.55)
P_c	热作产品价格	−0.40 (4.22)	1.29 (7.68)
PD	人口密度（人/km²）	2.21 (42.57)	−0.61 (21.51)
GOP	人均产值（百元/人）	0.59 (22.48)	−0.31 (18.33)
SF	国有林占总土地的比例	0.42 (7.17)	−0.77 (7.80)
HRS	HRS 占总集体土地的比例	0.79 (8.56)	−0.54 (16.06)
U	不确定性虚拟变量	−0.09 (2.73)	−0.76 (0.88)
$HRS \cdot U$	HRS 与不确定性的联合变量	−1.55 (15.49)	0.66 (17.07)
ρ[1]	自相关系数	0.64	0.53
log-likelihood		134.7	144.6

注：对经营管理的森林数据跨越 1957~1994，包括 13 单元；对雨林的数据跨 1957~1985，包括 8 单元。括号内为 t 值。区域虚拟变量没有在该表内列出。这一问题在 Zhang et al.（2000）中有更多的讨论。
① 因为不同的自相关并不能改变太多标准差，所以我们采用单一自相关系数

（二）估计结果：森林覆盖率

与预期的一样，木材价格对经营管理的森林起刺激作用，同时对天然林的采伐也起刺激作用。木材价格上升，天然林面积减少。至少在 1985 年对天然林禁伐前，阔叶材价格上升刺激像采矿一样的天然林采伐业。

农产品价格对天然林和经营管理的森林的覆盖率都起正作用，但对经营管理的森林却统计性不显著。这意味着农产品价格越高就会引导产生更多集约经营的农业，这样就有可能使有些农地留下来用于林业。另外农产品价格越高可能把劳动力从森林（对天然林和经营管理的森林）采伐业中吸引到农业生产，因为农民从农业中就可以获得足够的收入，而不用从事采伐业①。从这方面来

---

① Bluffstone（1995），Foster et al.（1997），和 Hyde and Kohlin（2000）讨论了这一理论并且从印度与尼泊尔提供了类似的例证

看，农地与林地利用并不冲突，有时甚至是互补的。海南人工林的重要性在于减少水土流失，农产品价格上涨可能刺激人工林的投资。

热作产品对经营管理森林的覆盖率起负作用，但统计性不显著——这也意味着它对人工林土地利用有冲突。但是热作产品价格对天然林起正作用，这也许意味着热作与天然林有一定的互补性。这一结果很有意思，因为我们都知道农垦局曾经把大量的雨林改造为橡胶林。这会不会是因为在林转胶的过程中降低了胶价，从而抑制了林转胶的程度？

人口密度对经营管理森林的覆盖率起正作用，对天然林却起负作用。显然人口增加意味着对木材及土地需求的增加，因而加剧对天然林更多的采伐与利用，同时也导致经营管理森林的扩大。对天然林的利用可以表现在对林产品方面，也可以对土地本身，即转移到别的用途上。对森林资源需求的增加也意味着导致经营管理森林的发展来取代天然林以获取林产品与其他森林的功能。

总体经济的发展与增长　经济增长对经营管理森林的覆盖率起正作用，但对天然林却起负作用，这并不足以为奇，因为总体经济的发展、需求增加，基础设施（包括道路与制度）的改善，大大地减少了采伐天然林的成本及森林经营管理的成本。90年代经营管理的森林的发展与海南的经济发展刚好吻合。另外，更富裕的社会当然对非消耗性的森林价值与功能有更高的要求。其实在海南有20%的人工林就是为了发挥这一价值而营造的，这一点与我们的解释相符。1985年后对天然林的禁伐更说明了这一点。

林业政策　国有林业局控制的比例对经营管理的森林起正作用，但对天然林起负作用。这与我们的预计相符，其实国有林业局与国有林场的成立之初就肩负两个使命：前者为了采伐天然林，后者为荒地造林。当然，对于前者国有林业局来说这一使命现已结束。

非集体化与家庭联产承包责任制引导了对新承包或拥有土地的保护与造林，但也可能导致加速对天然林的采伐（至少在80年代初），这可能是由于放松了对天然林的控制与管理造成的。所以非集体化一方面导致天然林的采伐，另一方面也提高了个人控制的森林经营管理。

家庭联产承包责任制导致的不确定性也大大地影响了造林与森林经营。为此我们用 U 和联合变量 $HRU \cdot U$ 来表示其特定的影响。不确定性加速了采伐，延缓了经营管理的投资[①]。这一不确定性对天然林采伐的影响不大，因为这些森林主要还是国有，不受非集体化的影响（不确定性 U 对天然林的影响统计性不显著）。

（三）森林覆盖率变化的分解

我们还可以分析其弹性并把导致天然林与经营管理森林的总变化分解来追

---

① 这进一步证实了不确定性对林业的影响，在第二章也有相似的观点，在第四章也提供了一些例证

溯不同因素的贡献程度。表7-1中的前5个系数就是弹性系数。表7-2是分解分析的结果（分解分析是用计量自变量对因变量影响的参数乘以该自变量变化的绝对值得到）。

很显然表7-1显示有许多因素对经营管理的森林有统计性显著影响。表7-2说明木材与热作产品的价格及 HRS 对经营管理的森林影响最大（64%）。人口密度与总产值的变化对经营管理的森林影响占25%。人口密度是惟一具有弹性影响的因变量：每平方公里增加百人带来大于1%的经营管理森林覆盖率的变化，但人口密度变化的绝对值不大，所以总影响也不大。

木材与热作产品价格对天然林的降低也有弹性影响，由于在我们分解期间这两个因素的绝对值变化较大，所以它们对天然林的变化贡献最大。但是人口密度与总产值也解释了1985年禁伐前天然林降低的19%。

表7-2　森林覆盖变化的分析

	经营管理的森林（%）			雨　林（%）		
	估计参量 （1）	变量的变化 （2）	对增加的贡献 （3）=（1）×（2）	估计参量 （4）	变量的变化 （5）	对减少的贡献 （6）=（4）×（5）
P_t	0.61	26.05	15.90 (45.23)	−1.52	18.86	−28.67 (−209.82)
P_a	0.11	22.41	2.47 (7.02)	0.33	15.43	5.10 (36.28)
P_c	−0.4	28.50	−11.40 (−32.45)	1.29	10.5	13.55 (99.14)
PD	2.21	1.39	3.07 (8.74)	−0.61	1.32	−0.81 (−5.89)
GOP	0.59	9.85	5.81 (16.54)	−0.31	5.87	−1.82 (−12.96)
SF	0.42	0.18	0.08 (0.22)	−0.77	0.74	−0.57 (−4.17)
HRS	0.79	23	18.17 (51.71)	−0.54	10	−5.4 (−39.52)
U	−0.09	0	0 0	−0.76	1	−0.76 (−5.56)
$HRS \cdot U$	−1.55	0	0 0	0.66	10	6.60 (48.31)
残余			1.05 (3.00)			−1.25 (−9.14)
总和			35.14 (100)			−14.04 (100)

注：由于这两个回归跨越时间不同，因变量的变化值也不同

三、结论与讨论

本研究向中国也向世界揭示在林业经济、管理及政策方面的两点事实:

① 在探讨对林业的重要影响因素时,经营管理的森林与没有经营管理的天然林必须分开分析;

② 必须超越森林的范畴来分析林业的重要影响因素。

我们用海南实证阐明了这两点。

我们不仅应该在考虑森林提供的各种产品与服务时,而且应该在分析市场与政策的作用时,区分经营管理的森林与没有经营管理的天然林。对市场与政策的反应,这两类森林是不一样的,对一类起刺激作用,对另一类可能起抑制作用。这两类森林都可以生产工业材,也都可以改善水源质量,但天然林对于提供环境功效有其优势。这差别意味着在考虑它们的替代性时有特殊的含义。更多面积的经营管理的森林意味着在满足木材需求而不牺牲天然林及其他非消费性环境服务方面提供了更大的可能。

在考虑市场与政策对林业的影响时,非常重要的一点是必须广泛探索,不能局限在林业内部。林业政策固然重要,但其他经济状况,比如宏观经济增长与稳定也同样重要,特别是当林业相对于其他经济部门还很小时。

在这个分析中,9 个解释变量中的 7 个变量(包括木材价格)对经营管理的森林与没有经营管理的天然林起完全不同的作用。虽然木材、热作产品价格及 HRS 与林业相关最大并且对这两类森林影响最大,可是农产品价格与总体经济发展水平也很重要。农产品价格分别说明 7% 与 35% 经营管理的森林与没有经营管理的天然林的变化,总体经济发展水平分别说明 17% 与 13% 经营管理的森林与没有经营管理的天然林的变化。

大约 20 多年前的海南,未绿化但可用于营林的土地面积与森林覆盖面积相当。随着总体经济的增长、木片出口的发展与制度的变化,每年都有一定面积得以绿化。这包括新的以商品材为目的的人工林,也包括以环境保护为目的森林。

海南的经历也可以用来预计中国其他地区的森林。目前中国大部分地区的现状与 20 年前的海南有许多相近之处。那些未绿化的土地并不是被农业所占用,而是由于偏低的木材价格(特别林农实际得到的部分)、不明确的林地产权以及没有保障的产权而没有被绿化。大部分土地并不是没有所有者,而是由于所有者不能或不愿行使其权利,这其实是导致没有积极参与森林经营管理的更重要原因。因为当经营管理(特别是看护其成果)极为昂贵时,不经营就是最理性的行为。

　　所以对中国林业的最大挑战并不是人口与经济的增长，也不是土地质量与来源，而是需求和制度问题。需求问题与经济发展相关。需求与制度问题导致森林经营管理相对昂贵。由于制度对于减少交易费起重要的作用，所以它对于从没有经营管理的天然林或荒地到经营管理的森林的转变也许比价格起更重要的作用。因此，未来林业政策的重点应该针对制度的改善以减少产权的保护费用以及提高农民对产权的稳定性与连续性的信心。

　　目前政府大规模造林主要还是直接投资，这也许并不是最有效的途径。没有制度的保障来减少保护费用，阻止外人窃取成果就很困难。未能保护自己的成果，任何营林投资就很可能是浪费。如果森林经营有利可图，私人投资就很自然。因此，政府应首先加强制度建设以促进产权的界定、保护与转换。

参考文献

Bao K. 1991. The Provincial Government's Making an Initiation: Experiment of Sustainable Development in Hainan. In *Proceedings of International Advisory Meeting on the Economic Development of Hainan in Harmony with the Natural Environment*. Haikou, China: International Advisory Council for Hainan Economic Development, 93 – 96

Besley T. 1995. Property Rights and Investment Incentives: Theory and Evidence from Ghana. *Journal of Political Economy* 103 (5): 903 – 937

Bluffstone R. 1995. The Effect of Labor Markets on Deforestation in Developing Countries under Open Access: An Example from Rural Nepal. *Journal of Environmental Economics and Management* 29 (1): 42 – 63

Chen Z. 1948. *The Exploitation of Hainan's Resources* [in Chinese]. Haikou, China: Zhongzhen Publishing House

Foster A, M Rosenzweig, and J Behrman. 1997. Population and Deforestation: Management of Village Common Land in India. Draft manuscript. Philadelphia,: University of Pennsylvania, Department of Economics

Greene W H. 1997. *Econometric Analysis*, 3rd ed. New York: Prentice – Hall International Inc.

Hainan Forestry Bureau. 1957 through 1995. *Hainan Forestry Statistical Materials* [in Chinese]. Haikou, China: Hainan Forestry Bureau

Hainan Statistics Bureau. 1957 through 1995. *Hainan Statistical Yearbook* [in Chinese]. Haikou, China: China Statistical Press

HAZC (Hainan Agricultural Zoning Commission). 1980. *Collection of Hainan Agricultural Zoning Reports* [in Chinese]. Haikou, China: HAZC

Hyde W, and G Kohlin, 2000. Social Forestry Reconsidered. *Silva Fennica* 34 (3): 285 – 314

Hyde W, G S Amacher, and W Magrath. 1996. Deforestation, Scarce Forest Resources, and Forest Land Use: Theory, Empirical Evidence, and Policy Implication. *World Bank Research Observer* 11: 223 – 248

Kmenta J. 1986. *Elements of Econometrics*, 2nd ed. New York: Macmillan

Mather A. 1990. *Global Forest Resources*. Portland, OR: Timber Press

Rudel T K. 1998. Is There a Forest Transition? Deforestation, Reforestation, and Development. *Rural Sociology* 63 (4): 533 – 552

Situ S. 1992. *Historical Land Use Development in Hainan* [in Chinese]. Haikou, China: Hainan Press

Walker K R. 1965. *Planning in Chinese Agriculture: Socialization and the Private Sector* 1956 – 1962. London: Frank Cass and Co.

Yin Runsheng, and David Newman. 1997. Impacts of Rural Reforms: The Case of the Chinese Forest Sector. *Environment and Development Economics* 2 (3): 291 – 305

Zeng Q. 1994. A Brief Introduction to Closing the Land for Reforestation in Hainan Province. *Tropical Forestry Newsletter* 2: 24

Zhang Y. 2000. Deforestation and Forest Transition: Theory and Evidence in China. In *World Forests from Deforestation to Transition?* edited by Matti Palo and Heidi Vanhanen. Dordrecht, the Netherlands: Kluwer Academic Publishers, 19 – 43

Zhang Y, G Dai, H Hung, F Kong, Z Tian, X Wang, and L Zhang. 1999. The Forest Sector in China: Towards a Market Economy. In *World Forests, Society and Environment*, edited by Matti Palo and Jussi Unsivuori. Dordrecht, the Netherlands: Kluwer Academic Publishers, 371 – 393

Zhang Y, J Uusivuori, and J Kuuluvainen, 2000. Econometric Analysis of the Causes of Forestland Use/Cover Change in Hainan, China. *Canadian Journal of Forest Research* 30: 1913 – 1921

第八章 林业、贫困和农村发展
——竹业发展展望

Manuel Ruiz Pérez, Brian Belcher, *傅懋毅*, *杨校生*

这一章和下一章将讨论两个问题，即收入分配和环境问题。伴随着中国 20 多年的成功改革和经济增长，这些问题在目前显得日益重要。自 1978 年以来，农民收入增长了 6 倍多，但是中国城市，特别是东部沿海地区的城市经济增长更快，在城市与农村居民之间，尤其在西部地区和其他地区之间产生很大的贫富差距。1997 年，中国实施了"西部大开发计划"来解决东西差距，表明中国领导人对这一问题的忧虑。

同时，随着经济的快速增长，中国也面临着一些环境问题：城市空气污染、工业废水产生的水质问题以及持续的土壤侵蚀这个世纪难题。中国领导人也正在着手解决这些问题。朱镕基总理在 1999 年 3 月 5 日召开的全国人民代表大会上所作的政府工作报告中，将可持续发展列为 21 世纪政府两项基本战略之一；在 1999 年 3 月 13 日召开的"人口、资源与环境"年会上，江泽民主席强调了环境保护的重要性，他宣布，2000 年前环境未达标的所有企业将被关闭。

我们最感兴趣的是林业在这个问题中的角色，尤其是林业具有克服贫困和贫富差距的潜力，环境损失和环境恢复都源于林业。在本章，我们将讨论第一个问题，Sayer 和孙昌金将在第九章讨论第二个问题的部分内容。这两个问题包含的范围很广，但对它们开展的实验性研究都很少，所以我们将依据自己对中国竹业的研究来说明林业发展对农村家庭的影响。在第九章，Sayer 和孙昌金将强调他们对天然林栖息地消失的忧虑，并作为一个例证来说明中国森林变化引起的环境后果。

本章以对中国农村贫困现状和林业潜在作用的简短概括开始，然后对竹业作一般性的讨论，并提出证据，这些证据是通过我们对农民在竹子生产快速发展中所获得的收入方面的研究得出来的。竹子具有多种用途，是中国仅次于薪材和商品材的处于第三位重要的林产品。由于竹业生产受到政策方面的限制比商品材小，很适合我们的调查。所以，最近的竹业发展史对说明林业发展可能对家庭收入和地区总的发展产生的影响更具有代表性。我们将会注意到，许多家庭都从竹业生产快速发展中获利，但最贫困的人群并不是最大的受益者。而且，竹子在社会经济发展中发挥着作用，但随着进一步发展，竹子的重要性将会减弱。这个有关竹子的观点与把林业视作发展较快的行业的观点并不矛盾，但是，这提醒我们，在实际应用的时候，确实应该更谨慎，尤其是有关对最贫困人群的帮助方面。

一、贫困与林业

尽管中国发展很快，但仍然有几千万的贫困人口。1998 年，中国有 2.3 亿人生活在每天 1 美元的国际标准贫困线以下，占总人口的 18.5%。即使按照中国自己制定的较低标准，也还有 6 千万人，即总人口的 4.6% 没有脱贫（世界银行，2000）[①]。

在农村地区，贫困问题更加突出。农村人口的人均收入低于城市人口的40%，人均消费低于城市人口的 35%（中国国家统计局，2000）。农村和城市贫困的性质也不一样。因为中国农村土地的分配原则是在村内平均分配，农村的贫困与总体上低水平的公共服务和对自然灾害和宏观经济敏感性的关系比与粮食安全的关系更为密切（第 1、2 章；Jalan 和 Ravallion，1999；Liu et al.，1999）。

经济发展是导致家庭之间和地区之间贫富差距的根源，例如，中国西南部的人均国民生产总值（GDP）只相当于东部沿海的44%，并且这种差距还在扩大（中国国家统计局，2000）。再例如，少数民族仅占中国总人口的9%，但却占中国贫困人口的大约40%（世界银行，2000）。

贫困与遥远偏僻和信息隔绝密切相关。90 年代中期，592 个正式确认的贫困县就有496 个在山区（林业部，1995）。正是在这些因受到自然条件限制而难以到达的地区，森林才得以保存下来，所以，隔绝、贫困和较好的森林覆盖并存的模式很常见，而解除这种因果联系是一项艰巨的任务。

相对于中国工业整体水平来说，森林工业的表现较差，也更使形势复杂化了（林业经济研究，1998）。第三次全国工业调查显示，森工企业普遍亏损，国有森工企业的境况最糟。国有森工企业的平均亏损额比全国工业企业高 13.9个百分点（SFA，1999）。林业工人的生活处于中国较低的水平，国家统计数据显示，他们的工资水平在中国 60 个行业中是最低的。林业工人的平均工资仅

---

① 贫困是一个多方面综合的现象，虽然它通常以食品和物质资料消费的减少为特征，但与教育缺乏、健康状况恶化、处于弱势状态和无权无势有很大关系（世界银行，2000）

为全国平均水平的55%（Chen 和 Liu，1999；国家统计局，2000）。

同时，在一些贫困地区，林业往往是主要的，甚至是惟一的收入来源。就全国水平来说，林业仅占农村收入的2%（国家统计局，2000）。但是，在一些收入低，但森林资源丰富的县市，林业占整个家庭收入高达80%（Da，1999；Zhang，2000）。在许多贫困的县市，林业产业通常确实是惟一的产业，在这种情况下，林产业既是地方经济发展的支柱，又是主要纳税者（Peng，1999；Zhang 和 Yuan，1999）。

根据森林和贫困高度的相关关系，有人认为，森林贮量的耗尽将加剧贫困（Niu 和 Harris，1996；Smil，1997；Harkness，1998）。也有人认为对此有不同看法。Liu 和 Veeck（1999）根据县级和省级统计数据，建立多元县级经济模型，调查了贫困地区林业对农民收入的贡献率。他们发现，森林丰富县和贫困县之间有很多交叉，但有关森林数据和收入之间并无关系。他们得出结论，森林资源的可利用程度对人均收入的贡献率很小。

可见，有关这个问题有不同意见，森林资源和林业活动可以加快农村发展呢，还是贫困的一部分？我们将从竹业方面探讨这个问题。

二、林业总体的机会和竹业

为什么竹子是我们合适的调查重点？竹子相对于商品材有着自己的比较优势：生长周期短、需求量大、相对宽松的采伐和运输政策，以及低税率。一些农民认识到投资商品材有较好的回报潜力，但木材经营受到较严格的约束，对他们来说，投资竹业不失为理想选择。政策限定减少了木材经营能获得的回报，也增加了风险。农民对竹业投资最终获得回报更有信心。在第二章，刘大昌和 Edmunds 讨论了湖南和浙江农民正是由于这个原因选择投资竹业，在第三章，刘金龙等介绍了整个南方集体林区的农民都是这样做的，还有许多人对此作了介绍（联合调查组，1999；Wang 和 Zhao，1999；Cao 和 Zhang，待刊）。可见，我们对有关投资行为和竹子收入回报的观察可以表示我们对中国放宽商品材采伐和运输规定后所预期的结果。

（一）私有林业的机会

中国人均拥有的森林资源在世界上是最低的，约为世界平均水平的一半。这就意味着可利用的天然林资源非常少，不能满足森林工业的需要，所以，中国依赖人工林来满足森林生产的需要，这也就不足为奇了。林产品的农场化生产通常是很重要的。

这一点会影响森林投资和发展计划，对林业在家庭收入的贡献率和脱贫有着直接的影响。各级林业行政部门,作为惟一的或与其他部门合作的主管单位,制定有关林区林业发展规划实施的管理规定。但是,他们的规定限制了木材采伐和运输,甚至对来源于农业用地上的木材也一样,对木材征收的税费也很高。并且,只有在获得当地计划部门允许的情况下,林业部门才批准改变林业用地的用途,而得到当地计划部门允许的可能性很小。所以,想要在法律规定范围内提高土地回报的农民通常都转向种植竹子和水果①。中国人通常称之为"经济林"。

总之,这就意味着农民、林农和林业主管部门都在林业用地、荒山,甚至农用地上积极发展果园和竹林(Huang 和 Li, 1997;Yu et al. , 1999),经济林面积从 1978 年的 $610 \times 10^4 hm^2$ 扩大到 1997 年 $2190 \times 10^4 hm^2$,产量从 $700 \times 10^4 t$ 增长到 $5300 \times 10^4 t$,均居世界首位。同样,人工竹林面积从 1980 年的 $320 \times 10^4 hm^2$ 增长到 1999 年的 $430 \times 10^4 hm^2$,产量从 $440 \times 10^4 t$ 增长到 $1420 \times 10^4 t$(Ruiz Pérez et al. , 2001)。因而,在常规的用材林逐渐枯竭、森林工业显示衰退的迹象时,一般的经济林和竹林以及相关产业却很红火,给农民提供了增加收入和脱贫致富的有利机会。

(二) 竹业

本章的剩下部分回顾了中国竹业最近发展史,先是对竹子本身的讨论,进而介绍了我们的有关研究,从安吉县扩展到对 6 个县的比较研究。

中国有竹子 300~500 种(因分类系统不同有差异),100 种以上具有较高的经济价值(Zhu et al. , 1994)。90 年代中期,中国有 $700 \times 10^4 hm^2$ 有价值的竹林,其中人工林 $400 \times 10^4 hm^2$,其余为天然林。最常见的竹子是毛竹(*Phyllostachys heterocycla* var. *pubescens*),占 $280 \times 10^4 hm^2$。1999 年,竹林占中国森林面积的 3%,但占林业出口的 25%。加工和未加工的竹产品总值达 231.4 亿元(28 亿美元)(SFA, 1999)。

竹子的利用方式有两种,竹材就像普通木材一样,未加工时可用于杆材或脚手架,加工后用作板材、地板、纸浆和造纸;新鲜或经加工过的竹笋作为蔬菜食用②。鉴于竹子的双重用途,它既具有常规材用林的经济价值,又具有经济林的特点。

竹林具有多种诱人的经济特点,投资小,生产周期仅一两年,而且产品可随市场变化适时调整。竹材生产周期比竹笋长,但可获得较为稳定的经济回

---

① 1998 年开始实施的西部大开发计划和天然林资源保护工程鼓励在退化坡地上造林和更新,尤其在主要江河流域

② 竹笋还有其他一些方面的用途,如饮料、入药以及用于给米饭着色和增加香味等,未包含在这两种用途中

报。对毛竹来说，竹笋是每两年收获一次，其经济回报大于竹材，但竹笋价格波动较大，也更容易就市场行情增加或减少产量。经营竹林的利润大于木材，其单位土地面积的收入是松树或杉木的 2～5 倍。因此，只要环境条件合适，农民发现竹子比木材更吸引人，并积极用竹子取代针叶林。

1998 年禁伐政策的出台增加了对木材替代林的需求，竹子生产立即得到好处。1999 年竹子价格以每年 5%～10% 的速度增长，新造竹林大约增长了 17%。自 1997 年以来，竹材产量增长了 30%。有人预言，2010 年前，竹子将取代 $2900 \times 10^4 \mathrm{m}^3$ 的木材（CFIC，1998），国家林业局相信，在 2050 年前，竹业将成为林业的主导产业（Li and Xu，1998）。

（三）安吉经验[①]

安吉县属于浙江省这个临近上海的经济发达省份，中国 4 个省份的竹林面积之和占总竹林面积的 2/3，浙江名列其中，浙江安吉也是中国十大"竹子之乡"之一。浙江总体发展以及竹业的发展比其他地区都较早、较快，其发展模式后来也被其他产竹省应用，我们期望这种模式也成为整个林业的发展模式。

1975 年，安吉县有 51 400hm² 的竹林，几乎 99% 为集体所有，其余的 1% 为国有林场所有。当时，竹子都以固定的收购价格卖给垄断性的供销合作社。到 1998 年，安吉的原竹产量已占到森林产值的 70%，占农业产值的 15%。竹子加工业占该县工业总产值的 67%，相对于 1980 年的 8% 获得大幅增长。

从 1980 年开始，政府允许超出生产配额的竹子进入市场，生产性竹林面积立即增长了 5%。不过，安吉的竹林生产增长最快的时期是在实行家庭联产承包责任制的 1983～1984 年。1982 年由集体经营的毛竹林面积增长到 $4.3 \times 10^4 \mathrm{hm}^2$，但到 1984 年时，减少为 $3.4 \times 10^4 \mathrm{hm}^2$，由家庭经营的毛竹林则从 1980 年的零增长到 1984 年的 $4 \times 10^4 \mathrm{hm}^2$。安吉的竹材产量在 1983 年和 1988 年之间增长了 63%，而竹林面积几乎没有增长，都是通过集约经营获得增产的，竹林平均产量从 1975 年的每公顷 208 株增长到 1982 年的每公顷 224 株，1989 年更达到每公顷 333 株。

在改革初期，市场价格高于收购价格，这就刺激了农民设法逃避较低的收购价格和收购任务，实行家庭联产承包责任制后，增产的竹子大都以较高的价格在市场上销售。这就迫使政府提高收购价格，直到 1985 年双价制被取消。至此，全国 91% 的竹子产量来自农民个人。

竹材价格和产量持续升高。直到 1990 年，竹材供大于求，价格暂时下降，导致产量下降 12%，但又很快反弹，到 1994 年竹材产量增长了 29%。总之，

① 下面两部分就政策对竹业的影响展开了更广泛的讨论，详见 Ruiz Perez（1996）

从 70 年代后期到 90 年代中期，竹子价格增长了 300%（以不变价计算），竹材产量增长了 79%，到 1998 年，增长了 90%。如果将竹笋包括在内，总产量的增长更高。

加工业的发展　1978 年，安吉 96% 的竹子未经加工就出售和运输到外县，当地仅有 19 家竹子加工企业，雇佣 460 个工人，加工的产品主要有 3 类：竹凉席和地板、竹笋以及手工艺品，总价值仅 960 万元（67 万美元）。

但是，地方加工能力迅速增加。中国市场体制改革初期，允许超出收购任务的部分在市场销售，为许多非国有加工企业（乡镇企业）的诞生提供了基础。乡镇企业也为中国大量的个人存款提供了出路。到 1985 年，安吉有 154 个竹子加工企业，工人 3 370 人，年产值 1 231 万元（416 万美元）。

1988 年，安吉允许外商投资，批准建立了合资企业，中方雇员允许持有获得的外币工资。这种改革引发了加工能力新一轮的扩张。至 90 年代中期，有 19 家合资企业建立，雇佣工人超过 3 000 人，年产值 3 600 万元（450 万美元），生产的产品大部分都出口，国内企业和合资企业的出口从 1980 年的 10 万美元，猛增到 1994 年的 2 300 万美元，1998 年的 5 630 万美元。

合资企业采用新的实物资本和改进的技术，丰富了产品种类，提高了产品质量。外部市场的竞争和机会产生了多方面的效果，增加了对竹材的需求量，刺激了许多小型家庭加工企业的产生，支持了一些较大外资加工企业。

90 年代中期以前，加工业的迅速发展，刺激了竹子原材料价格的上涨。相应地，市场体系逐渐变得专门化，市场中间商开始出现，90 年代中期，有 200 多个竹子中间商。同时，由于担心原材料的供应问题，一些加工企业开始在竹子收获之前与农民签订收购合同，有些甚至预付定金。最后，加工企业开始从外县进口原材料。

1998 年，安吉有 1 182 家加工企业，拥有员工 18 914 人，年产值超过 8.75 亿元（1.05 亿美元），但 1975～1998 年，竹农人数仅略有增长，从 11.1 万人增长到 12.3 万人。至 1998 年，竹子加工基础建设和专门化已经发展到相当的水平，1/3 未经加工的竹子（主要是低值小径竹和竹枝）被安吉的农民运到外县，而加工企业却需从外地进口相当于当地 20% 的原材料。

竹业在 90 年代中期经历了一段停滞不前的阶段，但很快就得到了恢复。首先，外县对安吉竹子加工企业原材料的供应减轻了价格上涨的压力；其次，1997 年的东亚金融危机减少了出口要求，加工企业经历了一段生产能力过剩和调整时期，至 90 年代末逐渐复苏，开始增长，只是增长速度下降了。我们现在所看到的竹业，包括竹子原材料和竹子加工产业，也许可以说"成熟"了。

竹子和收入分配[①]　中国改革开放期间竹子生产发展是显著的，但经营竹子的农民家庭数量和竹林经营面积几乎没增长。竹业已经从单纯农业活动转变为竹子市场营销和加工活动，至1998年，安吉在这些活动中就新增工人19 000人，但是，受安吉竹业快速发展影响的竹农超过12万人，我们将调查竹业发展对他们收入的影响。

表8-1　乡镇基本数据（1994～1995年）

乡镇	人口	总面积（亩[①]）	人口密度/km²	耕地面积（亩）	人均耕地（亩/人）	竹林面积（亩）	人均竹林（亩/人）
昆铜	16 155	135 036	179.5	5571	0.34	68 633	4.25
凤凰山	14 918	130 510	171.5	5928	0.40	57 496	3.85
港口	9783	71 609	204.9	4737	0.48	48 067	4.91
天荒坪	19 001	151 952	187.6	11 475	0.60	64 848	3.41
报福	18 316	200 636	136.9	8303	0.45	94 506	5.16
章村	15 656	131 071	179.2	6867	0.44	64 728	4.13
永和	13 463	162 980	123.9	5337	0.40	80 225	5.96
赤坞	12 479	111 550	167.8	6092	0.49	47 896	3.84

资料来源：安吉县统计局　①1 亩 = 1/15hm²，下同

我们的分析是建立在几年研究的基础上的。我们首先与全县主要的信息员进行讨论，讨论之后，就有关土地状况、土地用途、收入来源、劳力和开支等情况进行问卷调查。利用分层随机抽样方法，从安吉8个乡镇的每个乡镇抽出5个村子，共调查了200位受访者。为符合竹子两年的产量周期，我们以每两年的增长数据为基础汇总，并参考1989～1990年以来的统计报表数据，补充了我们的调查结果，我们认为从那时到现在的统计报表是可信的。

表8-2　安吉县样本农户的基本数据（1994～1995年）

变量	平均值	标准差	最小值	最大值
户主年龄（年岁）	43.6	8.88	24	69
家庭人口	4.0	1.05	1	7
家庭劳动力	2.6	0.89	1	6
教育水平[①]	2.1	0.74	1	3
耕地面积（亩）	2.7	1.83	0.2	18
经济林（亩）	0.4	1.53	0	14
竹林（亩）	14.9	10.05	1	70
其他林地（亩）	3.5	10.49	0	111
总面积（亩）	21.2	15.64	2.8	127

①　教育水平分为3个层次：1 = 中学（12 年）；2 = 初中（9 年）；3 = 小学（4 年）

———————————

①　这部分利用了以前发表的更详细的材料，见 Ruiz Perez et al., 1999

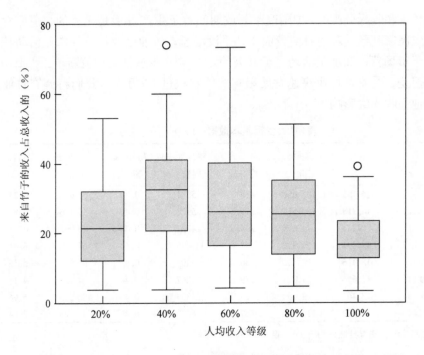

图 8-1　竹子收入在安吉县各收入水平群体中的相对重要性（1989～1990）

表 8-1 和表 8-2 列出了各乡镇的基本情况和 1994～1995 年安吉典型农户的情况，农村家庭平均收入是 14 033 元，收入来源主要有 4 个方面：水稻生产、家畜养殖、竹子生产和劳务。竹子生产收入仅次于劳务收入排第二位，平均占家庭总收入的 25%，其中竹材占 21%，竹笋占 2.5%，竹枝占 1.5%。1989～1990 年度的统计报表没有提供可供比较的完善数据，但我们知道 1989～1990 年度竹子所占农村家庭收入比例达 24%，安吉山区农村家庭收入从 1989～1990 年度到 1994～1995 年度增长了 37%，每年 6.7% 的家庭收入增长速度低于同期全国家庭平均数，但高于全国农村家庭平均收入的增长速度。

我们将 200 户调查家庭按照收入分成 5 组，以研究竹子的重要性是否随着家庭收入水平的不同有所改变。图 8－1 和图 8－2 是对 1989～1990 年度和 1994～1995 年度 5 组家庭的研究结果。两条曲线都近于抛物线，说明竹子对于中等收入家庭来说，是更重要的收入来源，竹子收入在 1989～1990 年度第二组家庭和 1994～1995 年度第三组家庭中所占比例均高达 30%，在其他组的家庭中，竹子收入业也占 20%。

1994～1995 年度的调查显示，5 组家庭的农业收入相对较稳定，所以，我们得出结论，农业为所有农村家庭提供了经济基础。竹子收入的绝对量在收入较高的家庭中增长了，正在成为他们在农业收入中越来越重要的来源，但是，

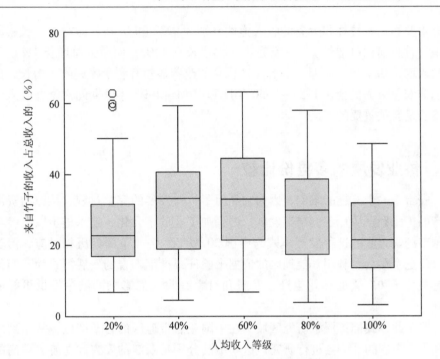

图 8-2　竹子收入在安吉县各收入水平群体中的相对重要性（1994~1995）

非农业的劳务收入是不同组家庭收入差距的最重要因素，尤其是对于收入较高的家庭来说，更为重要。

我们感兴趣的是影响家庭收入增长的因素，也就是有关竹子是否能够增加家庭收入，是否能够帮助穷人脱贫致富的信息。基于不同家庭劳力和土地资源的量值，通过对 5 年人均收入差距的回归分析，我们研究了收入增长的来源（表 8-3）。很显然，男劳力、可耕地、竹林面积和非农业劳务等因素对收入增

表 8-3　1989/1990 年至 1994/1995 年安吉县人均收入差异的来源

变量	系数 B	系数 β	T 值
户主年龄（年岁）	−19.8	−0.127	−1.996
家庭人口	−297.8	−0.225	−3.198
男劳力与总劳力比值	1361.6	0.152	2.244
耕地面积	114.6	0.151	2.373
竹林面积	53.9	0.390	5.997
非农业与总工作比值	855.2	0.157	2.420
乡镇	107.5	0.178	2.717
常量	1632.8		2.863
$R^2 = 0.341$	修正 $R^2 = 0.317$	$F = 14.178$	概率 $F < 0.0001$

长有重要影响。竹林和劳务的收入弹性分别为 0.32 和 0.48,即对于一般家庭来说,竹林面积每增长 1%,家庭收入仅增长 0.32%,而劳务每增长 1%,家庭收入增长 0.48%。而且,竹林生产机会的改善显然有利于家庭收入增长,额外的非农业劳务机会在 1989~1990 年度和 1994~1995 年度期间对家庭收入明显增长是至关重要的因素。

三、竹业发展的多县份比较

安吉是一个有趣的案例,因为它经历了竹业发展的完整过程,从原始资源生产的扩张到资源加工的早期发展,再到加工业的多元化、技术进步以及参与全球市场。竹业的这种发展模式与中国 20 多年经济改革的经历相对应,但安吉仅仅是个小县,利用其他地区的证据来验证或推翻安吉的发展模式为我们得出有关竹子和广义的林业生产、发展和对家庭收入的影响的结论提供更好的基础。

鉴于此,我们扩展了研究区域,在中国亚热带地区的竹子产区,从东到西选择了 3 个省的 6 个县进行研究,这 6 个县分别是浙江的安吉和龙游、湖南的平江和桃江以及四川的沐川和长宁(图 8-3)。东部各县距离国内大市场较近,又是沿海地区,出口机会较多。东部地区家庭收入较高,前两个县经济发展较其余 4 个县快。实际上,在 1980~1998 年期间,这 2 个县的 GDP 增长速度比全国平均水平高。东部地区的快速发展是引起地区收入差距的重要因素,地区收入差距问题是中国制定政策必须考虑的新的重要因素,也是本章内容的依据之一。

另一方面,中国在过去的 15 年内,不断加大基础建设投资,这些投资,特别是对高速公路和铁路的投资,以及持续的经济改革提高了西部欠发达地区生产者的竞争力。中国西部地区的发展已经在重复安吉的经验,只是时间延后了,我们有相关的资料可归纳出竹子、发展和对家庭收入影响的结论。另外,如果有不同于安吉的情况,甚至与安吉的情况是对立的,那将会产生新的问题,也会使我们在从安吉的经验作出归纳的时候更加谨慎。自 1997 年中国积极实施"西部大开发"战略以来,对发展模式的观察要求更加苛刻。如果能印证在安吉所观察到的发展模式,那么我们就可以预测这项新的战略计划将有潜在的效果。

我们对这 6 个县的评价是建立在 1980~1998 年县级统计数据和对 6 县重点信息员的访谈,以及对其中 3 个县(龙游、平江和沐川)农民家庭和工厂管理

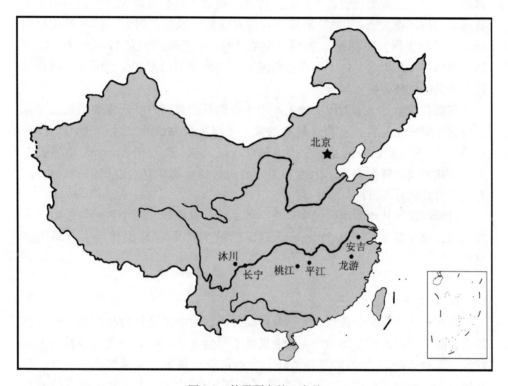

图 8-3　竹子研究的 6 个县

者的详细调查的基础上的①。

（一）初级生产②

　　一般而言，从 80 年代中期到 1994 年，相对于全国平均价格指数来说，竹子价格在增长，这是竹林面积进一步扩大和经营集约化的信号（Gu，1992）。1994 年竹子价格不高，遏制了竹林经营的发展态势，直到 1998 年禁伐规定的实施，为以竹代木提供了契机，6 个县种竹农户从 1980 年的 24.4 万人增加到 1998 年的 46.5 万人，同时，种竹农户比例从 19% 增加到 26%。

　　6 县竹子产量持续增长，所有被访谈的重点信息员都反映，稳定的政策环境是竹业发展的先决条件（这个结果与第二、四章的中心点一致）。无论在东部，还是在中部、西部，竹林的主产品都是竹秆，从东部和中部的毛竹到西部的慈竹，但这 6 个县都已开始进行多样化投资，扩大竹笋产量。在东部两个较

　　① 龙游县于 1983 年建立，其县级统计资料也始于那一年
　　② 这部分的资料来源于 Ruiz Perez 和 Belcher（2001）

富裕的县份,土地的机会成本最高,竹林面积和竹农数量增长最少。但由于两县属于山区,在大于25°的坡地限制发展农业而鼓励发展林业,这项政策也刺激了竹子的发展。中部地区的桃江县在1983年遭受严重的竹林蝗灾,波及25%的竹林,几年内,竹子产量急剧减少,竹林面积的发展受到限制。西部地区2个县的竹林面积增加最快。

东部县的单位土地面积上的生产力比中部县的高,竹林产量的增长几乎都是得益于集约化经营。安吉是最富的县,平均生产力最高,达25株/亩(315株/hm²),平江是最穷的县,生产力最低,仅7株/亩(105株/hm²)。富县农业专业化程度、资金来源、土地和劳力的机会成本都较高,农民的投入也高,与生产力高低是相符的。

尽管西部与其他两地区的生产力不可比较,但该地区两个县的竹子生产发展最快,而且当地的丛生竹比东部地区的散生竹更容易成林,生产周期亦更短。

(二) 加工业

在6个县中有5个县竹子加工业得到发展,为农民增加竹林产量、通过预加工获得额外收入和在加工业中就业提供了机会(表8-4),但是,各县加工业状况,无论是近20年的发展趋势还是目前的组成情况,都迥然不同。我们将利用对企业管理者的调查,对3个县(西部的沐川、中部的桃江和东部的龙游)的情况给予概括的介绍和讨论。

表 8 - 4　当地竹材加工的百分比

县　　名	当地加工率(%)		
	1980~1985	1995~1998	增　量
安　吉	14	62	48
龙　游	10①	71	61
平　江	41	23	-18
桃　江	38	100	61
长　宁	23	88	65
沐　川	100	100	0

① 1983~1985年的数据

沐川　无论是总体上来看,还是就竹加工而言,沐川工业比较单一。1998年,造纸占所有竹加工业的99%,占全县工业的36%。沐川竹加工的主要特征是规模小,数量多,劳动密集型,这些私人作坊都是以生产包装纸为主,过去20年的加工增长几乎都来源于这些作坊。不过,该县确实有许多机械化造纸厂，其中一家在 2001 年的生产能力达到 $6 \times 10^4 t/a$。

沐川造纸业的高利润率预示着这个产业将会继续发展，实际上，我们应该可以预测到这种发展，因为中国的整体发展非常强劲而持续，并且，在大多数国家，造纸业增长通常比人均收入增长快。

桃江　桃江的经济结构形式比沐川或龙游稍微复杂，1998 年的竹加工仅占工业总产值的 12%，竹席加工业占整个竹加工业的 84%，而桃江直到 1992 年才有了竹席加工。这个产业高达 19% 的利润率意味着这个产业还正在发展并且将继续发展。

在这 3 个县中，桃江的工资水平最低，人均收入最低，第一产业对县国民生产总值的贡献率最高。这里的加工业有很好的发展机会，它利用工资水平低的优势，获得比沐川和龙游更快的发展。

龙游　龙游是 3 个县中最发达的县份，其人均收入大约是沐川或桃江的 2 倍，产业结构更多样化，竹子加工业在 1991 年仅占工业总产量的 7%，并且持续下滑。造纸业占竹子加工业的 54%，但竹胶合板和竹笋加工业发展更快，竹产业还包括一些量少但重要的部分如竹地板、竹席、竹扫帚和竹筷等。竹产业在过去 20 年间一直在增长，但目前 8% 的利润率与该县其他产业的利润率基本持平，这就意味着竹加工业在龙游已没有竞争优势，也不再具有主导地位。

（三）工资、就业和农民收入

竹加工业的工资和就业　林业产业的工资在 1998 年仅是全国平均水平的 55%，与其他行业工资差距的变化也很大，属于中国工资水平最低的行业。在我们研究的 3 个县中，沐川的工资水平是全省平均的 78%，桃江是全省平均的 91%，而龙游仅为全省平均的 58%。

如果我们将相对工资与林业产业的人均收入进行比较，这种关系就更明显（图 8 - 4）。由此，我们可以推出如下 3 点结论：

（1）在工业结构和经济发展总体水平都较高的地区，产业包括林业产业必然要为劳动力和工资相互竞争，行业内工资和收入就会抬高。这个地区的林业产业工资高于其他地区的工资，因为其工资水平迫于当地其他行业竞争被抬高了，但是林业的就业率依然较该地区其他行业低。由于工资水平较高，林业产业内劳动力相对集中的部分不大可能会发展。

（2）在工业结构和经济发展总体水平没那么高的地区，就业选择的机会有限，林业产业的工资就接近于其他产业的工资。该地区所有行业包括林业的工资水平低，反映地区发展水平低，或许还反映出低工资的就业竞争大。

（3）在第二种情况下，工业发展的机会较大，尤其是像竹子生产和加工这样劳动力相对集中的产业，更是如此，这样，通过较低的工资标准对降低生产

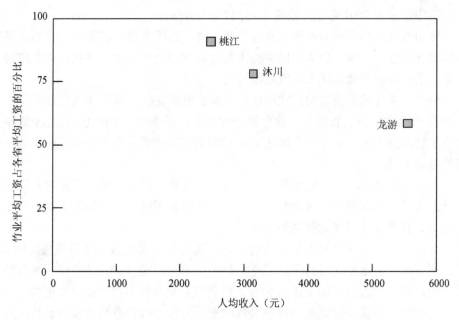

图 8-4　人均收入和竹业工资相对比例之间的关系

成本非常有效。

　　龙游有多样化的工业和多样化的竹加工业,属于第一种情况,在 3 个县中,龙游是最发达的地区,人均收入最高。龙游的工资水平较高,但竹加工业的工资水平低于其他行业,龙游竹加工业的发展可能已经过了它的巅峰期。

　　第二种情况是以像桃江这样的县为代表的。桃江的产业多样化程度最低,地区经济发展最落后,竹子第一产业对该县 GDP 贡献率最大。桃江的总体工资水平最低,在竹产业中占主导地位的竹凉席工业的工资水平也最低,鉴于当地相对较低的工资水平,桃江的竹产业发展比其他两县更快。

　　沐川介于以上两者之间,拥有一定规模的工业,第一产业对全县 GDP 的贡献率也处于中间水平,不过,工资水平也较低,竹加工业仍在发展。

　　有关妇女在竹产业中的就业情况可以补充说明我们的论断。沐川和桃江的竹加工业中妇女所占的比例较低,分别为46%和47%,而在较发达的龙游,妇女在竹加工业中所占的比例是62%。竹加工业是一个工资水平较低、在发达的市场条件下对劳动力吸引力较低的产业,这一讨论与上面所看到的差异是相符的;对中国的性别评估显示,妇女在缺乏吸引力的产业里所占的比重更大(Riley,1995;Hare,1999),这样的论断与上面的差异也是相符的。

　　农村收入　从我们对县级水平的观察中,可以预见竹子在经济发展中的作用,但是,竹子在增加家庭收入和消除贫困方面的作用如何呢? 竹子在增加家庭收入方面是否与在安吉观察到的情况(图 8 - 1 和图 8 - 2)类似呢?

　　3 个县的农村家庭收入都增加了，正如中国所有其他地区一样，不管是按照增长速度还是按照增长绝对值来看，处于东部发达地区的龙游农村的家庭收入都是最快的。中国东部和东南部所有产业的增长都较快，这也是中国政策忧虑之一。

　　各县农村家庭收入差距增加，3 个县家庭样本的基尼系数也增加，龙游的增加量最低，从 1989～1990 年的 0.24 到 1995～1996 年的 0.25，而桃江的增加量最高，从同期的 0.23 增加到 0.29[①]。农业收入和非农业收入增加的差距是造成各县基尼系数增加的重要因素，因此，基尼系数的增加主要源于非农业产业，这种增加可能也代表了农业和非农业之间扩大的差距，这种本地收入差距将会加剧原本因东部和西部的地区差异引起的有关分配的政策忧虑。

　　3 个县的竹林生产和预加工已经改善了农民家庭收入状况，竹业活动占家庭收入的份额在 1989～1990 年到 1995～1996 年持续增加[②]。竹业收入占家庭收入比例以龙游最高，从 1989～1990 年度的 25% 增加到 1995～1996 年度的 41%，增加速度以沐川最高，从 1989～1990 年度的 14% 增加到 1995～1996 年度的 37%，这主要因为造纸工业的发展和在大于 25° 坡地上的禁伐政策。这种现象与我们对竹林生产在西部县发展更快的认识是一致的。沐川的基础建设取得了令人瞩目的发展，而且最近对生产发展产生了积极的影响[③]。

　　竹子收入在家庭中分配一直在变化，图 8-5 显示了桃江县家庭收入的分配情况。1995～1996 年度比 1989～1990 年度有更多的家庭从竹林获得更多的收入，同时，收入的范围也扩大了。沐川和龙游的家庭收入情况有着类似的经历，县与县之间的主要不同点是龙游家庭从竹林获得的收入有更宽的范围，这也是我们预期在较为发达地区和经济多样性较为丰富地区会发生的。

　　图 8-6 显示了 1995～1996 年度从竹林所获收入在家庭总收入中的分配，图 8-7 显示了这种收入的增长比例。图 8-6 与图 8-2 的安吉进行比较，图 8-7 与表 8-3 的回归相关。很显然，龙游竹子对家庭收入的贡献比其他两县要高，而桃江最低，在各收入阶层都是如此。只有沐川的数据显示了我们在安吉观察到的趋势，中等收入家庭从竹林生产中获得的收入比例更高。低收入家庭从竹林生产获得的收入比例很低。

　　图 8-7 强调了第二点，在所有 3 个县中，竹林生产对于高收入家庭的收

　　① 基尼系数是衡量收入不平衡的指标：基尼系数为 0 表示样本中所有家庭收入都相等，而基尼系数为 1 表示全部收入仅为一个家庭所有。基尼系数在世界范围内的变化在 0.26～0.60 之间。对于发达国家来说，基尼系数为 0.40 时是正常的

　　② 在安吉，我们仅将竹子收入作为家庭收入的组成部分，而在沐川、桃江和龙游，则包括了竹子收入加上对竹子产品进行预加工所取得的收入。竹子预加工在桃江是很重要的部分，沐川和龙游次之，安吉最低

　　③ 90 年代后期，由于交通条件改善，沐川到成都的旅行时间减少到原来的一半

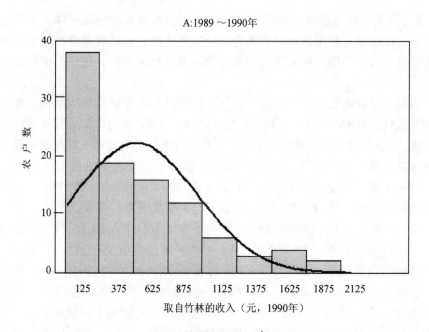

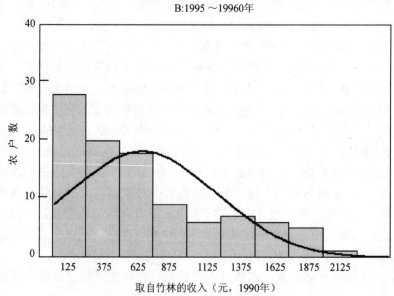

图 8-5　桃江县取自竹林的家庭收入的分布

入增长比对于中等和低收入家庭收入增长来说,是更重要的收入来源;在 3 个
县的两个中,这种生产对于中等收入家庭比低收入家庭来说,是更重要的收入
来源(方差分析显示,这些差异达到统计上的显著水平)。

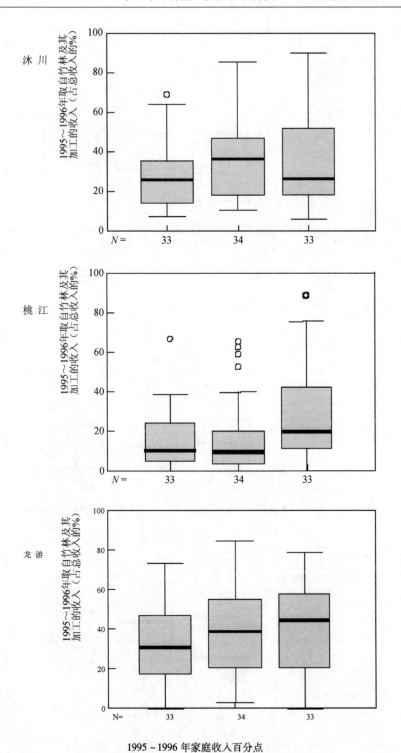

1995～1996 年家庭收入百分点

图 8-6 竹子对于 3 个县低、中、高收入家庭的相对重要性（1995～1996 年）

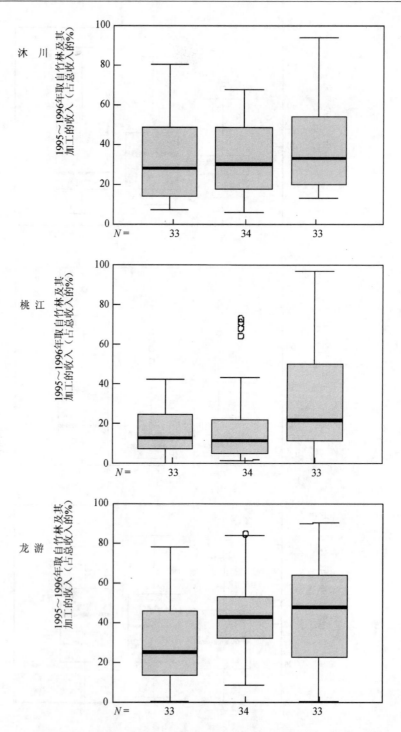

1995～1996 年与 1989～1990 年相比家庭收入变化的百分点

图 8-7 竹子在 3 个县低、中、高收入家庭收入变化中的作用

　　这些结果支持了我们在安吉发现的部分观点，具体的说，竹子并不是"穷人的木材"，相反，那些竹子在经济发展中占主导地位的地区，穷人确实从竹子获益，但他们获得的利益相应地比高收入家庭少。在安吉，正是中等收入家庭而不是高收入家庭从竹子获得最大的利益，而在 3 个县的其他家庭样本中，高收入家庭从竹子中获得的利益最大①（安吉的中等收入家庭占据这样一个位子，即处于那些不需要从竹子中而能从非农业活动中获得更多收入的富人和那些不能充分利用竹子即没有足够的竹林资源的穷人之间）。当然，安吉比其他 5 个县富裕得多，其人均收入是排列其后的龙游的 2 倍，这就导致我们作出如下结论，即随着经济发展，源于竹子的收入将会更如安吉的情况一样。竹子作为收入增长驱动力的角色将没那么重要，而被其他可以带来更高利益的产业所取代，这些产业往往不是农业方面的，将会吸引更多企业型农民参与进来。

四、结论

　　竹子对农村发展和摆脱贫困可以发挥作用吗？我们已经讨论了中国竹子生产和加工经验，重点讨论了 6 个县经验。竹子通常被认为是传统木材的优越替代品。竹林和其他木本作物如水果和干果，在中国官方统计中被划分为"经济林"，这些经济林占自 1978 年改革开放以来林业扩大投资的大部分，原因是显然的，经济林较早能得到回报（这既出于纯粹的投资考虑，又出于对于政策不稳定性的警惕），每年甚至更短周期能获得固定收入，经营灵活，更容易与农业调整（经营单位较小），不像传统森林，政策限制较少。

　　竹业发展经历告诉我们，商品材生产对农村发展和摆脱贫困具有潜在的作用，如果那些妨碍传统林业投资的税费和规定减少了，那么，木材生产和木材工业的整体表现就会接近于我们对竹子所观察到的结果。市场是相似的，在需求一方，竹子和木材在许多方面存在竞争，板材、地板、胶合板、造纸纤维，甚至一些建筑框架材料；在供应一方，它们对相似的农业资源存在竞争，因为中国已经耗尽了天然林中可利用的竹林和用材林。因此，无论是木材还是竹制品的发展，必然大都来自对人工林的投资。

　　在我们所研究的几个县中，农民对发展竹子表现出积极的态度，在环境条件适合的地方，发展人工竹林。竹子加工是农村发展的重要组成部分，小规模、低水平的初期投资在大部分竹加工产业中是必要的，这就形成了分散的竹

---

　　① 从竹子收入所占比例在中等收入家庭和高收入家庭之间的差异不大，而在高、中等收入家庭和低收入家庭之间的差距很大，在统计上达显著水平

加工产业,增加了当地需求,以及竹子价格的上涨,还给农民提供了从在农业的劳力和资金投入、竹子预加工和在受雇于竹子加工业获得收入的机会,当地机会的改善增加了农民的财富。

随着地区经济的发展,竹子在地方企业和家庭福利方面的角色改变了。在我们调查的县中,竹子工业是早期工业的关键点,提供了许多机会,从当地出产的原材料市场到非农业收入甚至一些外汇收入。然而,这种先驱性的角色发挥的作用是有限的,我们所得到的证据显示,随着地区经济发展和进入更先进的工业阶段,竹产业失去了他们原先的活力。

这并不意味着一旦发展了,竹产业就会消失,相反,在我们调查的最富裕的安吉县,竹林生产和加工是这个县基础工业的重要组成部分,即便其他一些产业现在发展更快。看来,竹子在安吉发展的很长一段时期内,依然扮演着重要角色;竹子既是安吉县现代机械化造纸工业的原材料,又是一些特有出口产品的原料,所以在这方面显得尤其重要。

政策改革对鼓励竹业发展非常有利,政策改革已经改变了决策体制,人们表现出热情的回应。改革的关键因素是增加并确保对土地和资源占有权的力度,鼓励国际贸易和投资政策,允许私人和合资加工企业自由发展和管理,以及通过海外投资和技术转让所得,还包括国内交易的自由化,允许自行定价和资源分配的市场机制,对国内市场准入提供更便捷的渠道。这些改革措施刺激了市场需求,导致竹子价格上涨,促进了竹林的集约化生产和经营。我们预测,同样的改革措施对林业的其他部分也会产生相似的效果。

竹业发展对地区收入有什么效果呢?虽然样本县的大部分农民扩大了竹林生产活动,增加了收入,但扩展的程度在不同收入阶层的农民之间并不是一致的。无论是从绝对值还是相对值来看,中等收入和高收入阶层的农民做得更好。竹子预加工以及非农业生产为提高收入提供了最好的机会,中等收入和高收入阶层主要从这些活动中获利,低收入阶层似乎从这些活动中获利较少,无论是从绝对还是相对数量来看,都是这样。显然,市场机会并不是诠释贫困最重要的因素,改善的市场和政策已经改善了农民的财政资源,但仍有很多农民处于相对贫困状况,尽管在过去10~20年间他们的收入得到了提高。

随着我们研究的开展,我们注意到两种趋势值得进一步探究。首先,随着发展,我们观察到一种专业化的趋势,在一些较大的家庭式农场,他们对承包荒山荒地、承包前集体土地,以及其他土地重新分配的机会中处于有利的地位,有利于开展林业活动。例如,我们发现承包了200亩茶园的农民,10倍于龙游的平均林地面积;还有一个农民经营了700亩林木,以及近200亩竹林,20倍于沐川林地的平均水平。竹子加工业也存在着规模化和专业化的趋势,在桃江就有一个案例,一个农民每年从竹加工厂获得11.5万元的收入。有趣的是，林业活动似乎比农业活动更适合于实行规模化和专业化，尤其是比水稻这样的作物，至少是在目前的发展阶段和我们所调查的县份是这样的。

这就引发了一个有趣的问题，林业发展是否是导致中国农村农民分隔和分化的根源[①]？随着经济发展和农村家庭开拓新的机会，中国农村的平均主义基础正在改变。农民正在变得更专业，他们的收入水平以及对土地和其他资源获得能力的差距正在扩大，会出现一个大的土地所有者阶层吗？林业资产对于这些土地所有者来说处于什么样的位置呢？

第二个趋势是县级水平上竹子初级和次级加工活动以及第三产业的专业化。安吉为竹子旅游提供了一个典型范例[②]。安吉处于中国最富裕和最富有活力的地区之一，这种区位优势促进了从数量到质量转变，包括风景价值、景观和物种多样性，以及新的环境问题。新的政策和伴随的经济措施正在把人工竹林的焦点从集约型单作转变到复合型多功能体，保持合适的土壤覆盖和较多的物种也是生产的重要组成部分（Ruiz Perez et al. , 2001）。

最后，要提到林产品生产和加工增加的收入及创造就业机会上。在这方面还有许多其他重要的问题我们没有讨论，如没有讨论森林的重要生计和安全功能，也没有讨论来自天然林的非木材产品的作用，而这是中国一个较大的产业，也没有讨论政策改革对它们的影响。有些政策已经产生了负面效果，虽然它们改善了森林状况，提高了森林管理效率。由于政府对国有林场补贴的减少和实行的禁伐政策，在对林业行业造成的高失业率就是一个例证。对这些问题的调查研究将是我们以后继续研究的内容之一，也是第十章的重要组成部分。

参考文献

Cao Guangxia, and Lianmin Zhang. 1997. Preliminary Study of Rubber Plantation as a Local Alternative to Shifting Cultivation in Yunnan Province, China. Paper presented at the Indigenous Strategies for Intensification of Shifting Cultivation in Southeast Asia workshop, June 23 – 27, Bogor, Indonesia.

CFIC (China Forestry Information Center). 1998. *Development of China's Wood Industry*. Beijing, China: Chinese Academy of Forestry

Chen B, and J Lu. 1999. China's Major Forest Regions: Natural Forest Protection and Sustainable Development. *Forestry Economics* (China), 5 (2): 8 – 16

China Statistical Yearbook. 2000. [in Chinese]. Beijing: China Statistical Press

---

[①] 农民分化的过程主要是通过对荒山荒地和其他集体土地拍卖发生的，森林是这些土地的主要组成部分（Hanstad 和 Li, 1997）

[②] 中国的森林旅游发展很快，具有很大潜力。1995 年，超过 6300 万人（主要是发达地区和大城市周边的人）进入林区休闲（Da, 1999）

Da F. 1999. Natural Forest Protection in Sichuan Province. *Forestry Economics* (China) 5 (2): 37 – 43

Gu D Q. 1992. The Influence of Bamboo Industry on Bamboo Growing Areas. In *Bamboo and Its Uses: International Symposium on Industrial Use of Bamboo*, edited by S. Zhu, W. Li, X. Zhang, and Z Wang. Beijing: International Tropical Timber Organization – Chinese Academy of Forestry, 329 – 332

Hanstad T, and P Li. 1997. Land Reform in the People's Republic of China: Auctioning Rights to Wasteland. *Loyola of Los Angeles International & Comparative Law Journal* 19: 545 – 583

Hare D. 1999. Women's Economic Status in Rural China: Household Contributions to Male – Female Disparities in the Wage – Labor Market. *World Development* 27 (6): 1011 – 1029

Harkness J. 1998. Recent Trends in Forestry and Conservation of Biodiversity in China. *The China Quarterly* 156: 911 – 934

Jalan J, and M Ravallion. 1999. Are the Poor Less Well Insured? Evidence on Vulnerability to Income Risk in Rural China. *Journal of Development Economics* 58: 61 – 81

Joint Survey Group. 1999. Sustainable Forestry Development and Achievements in Loess Plateau. *Forestry Economics* (China) 4 (1): 10 – 20

Li S and C Xu. 1998. China's Bamboo Development Process and Development Strategies Towards the 21st Century. *Journal of Bamboo Research* 17 (1): 1 – 5

Li Z, and G Veeck. 1999. Forest Resource Use and Rural Poverty in China. *Forestry Economics* (China) 4 (1): 80 – 92

Liu Y, W C Hsiao, and K. Eggleston. 1999. Equity in Health and Health Care: The Chinese Experience. *Social Science and Medicine* 49: 1349 – 1356

MOF (Ministry of Forestry). 1995. *China Forestry Action Plan* [in Chinese]. Beijing: China Forestry Publishing House

Niu W Y, and W M Harris. 1996. China: The Forecast of Its Environmental Situation in the 21st Century. *Journal of Environmental Management* 47: 101 – 114

Peng Zeyuan. 1999. Adjusting the Forest Benefit Structure to Push Forestry Sustainable Development. *Forestry Economics* (China) 5 (2): 51 – 59

Research Group of Forestry Economics. 1998. An Analysis of the Development Speed and Economic Benefit of Chinese Forestry Industry Enterprise. *Forestry Economics* (China) 3 (1): 10 – 21

Riley N E. 1995. Chinese Women's Lives: Rhetoric and Reality. *Asia Pacific Issues* 25: 1 – 8

Ruiz Pérez M, and B Belcher. 2001. Comparison of Bamboo Production Systems in Six Counties in China. In *Proceedings of the Workshop on China Social Economics, Marketing and Policy of the Bamboo Sector*, edited by F. Maoyi, M. Ruiz Pérez and Y. Xiaosheng. Beijing: China Forestry Publishing House, 18 – 54

Ruiz Pérez M, M Fu, J Xie, B Belcher, and M Zhong. 1996. Policy Change in China: The Effects on the Bamboo Sector in Anji County. *Journal of Forest Economics* 2 (2): 149 – 176

Ruiz Pérez M, M Zhong, B Belcher, C Xie, and M Fu. 1999. The Role of Bamboo Plantations in Rural Development: The Case of Anji County, Zhejiang, China. *World Development* 27 (1):

101 - 104

Ruiz Pérez M, M Fu, X Yang, and B. Belcher. 2001. Towards a More Environmentally Friendly Bamboo Forestry in China. *Journal of Forestry* 99 (7): 14 - 20

SFA (State Forestry Administration). 1999. National Report of the People's Republic of China: Towards ITTO Year 2000 Objective. *Forestry Economics* (China) 5 (2): 85 - 102

Smil, Vaclav. 1997. China Shoulders the Cost of the Environmental Change. *Environment* 39 (6): 6 - 37

Wang C, and X Zhao. 1999. Components and Measures for Integrated Mountain Development in China. *Forestry Economics* (China) 4 (1): 21 - 29

World Bank. 2000. *World Development Report*, 2000 - 2001. Washington, DC: World Bank

Yu G, L Yu, C Huang, and G Chen. 1999. Survey and Exploitation on Forestland Transfer in Integrated Mountain Development. *Forestry Economics* (China) 4 (1): 30 - 34

Zhang Z. 2000. Natural Forest Protection Program. First meeting of the China Council for International Cooperation on Environment and Development, Forests/Grasslands Task Force. Unpublished notes from presentations and discussions on July 18 and 19

Zhang Dongcheng and Rong Yuan. 1999. Problems and Countermeasures for the Development of Rosin Derivative Products for Naval Stores Industry in China. *Forestry Economics* (China) 4 (1): 61 - 66

Zhu Shilin, Naixun Ma, and Maoyi Fu. 1994. *A Compendium of Chinese Bamboo*. Beijing: China Forestry Publishing House

第九章 政策改革对森林环境和生物多样性的影响

Jeffrey A. Sayer，孙昌金[①]

中国拥有丰富多样的森林环境——从南部和东部的热带雨林到西部的高山系统，再到北部的沙漠，如此丰富多样的环境使得中国成为世界上生物多样性最为丰富的国家之一。中国的天然林支撑着濒危物种的重要栖息地，提供牲畜的饲料和农村人口的燃料，以及食物和在国际市场上日渐走俏的中草药。这些天然林还是不断兴起的森林旅游业的基础，因为中国人在这方面能花的时间和金钱越来越多。例如，2001 年到中国森林公园的游客达到了 8300 万人。除了开发天然林的环境服务之外，中国还营造了 $1700 \times 10^4 hm^2$ 防护林，重点是在北部和西南地区，雄心勃勃地要战胜风害和每年侵蚀掉 $2000km^2$ 土地的荒漠化（Gluckman，2000）。

中国西北地区的高山和高原是世界五大河流的发源地：长江、黄河、湄公河、黑龙江和印度河；这些河流覆盖了世界上人口最为稠密的地区。它们为全球差不多一半的人口提供水源，这些人口分布在中国、中南半岛和南亚。总之，中国的林区包括天然林和人工林，不仅仅是极其重要的地区性和国家资源，为现代工业和农村人口的生计提供原料，而且它们还在环境方面为国内、国际提供服务。

中国的森林经受了数千年的开发利用。这种开发利用的压力在近代尤为巨大，特别是社会主义现代化的早期（1949~1978）包括"大跃进"时期（20世纪50年代后期）。对森林的毁坏在 20 世纪 70 年代达到危机的程度。相应地，中国政府采取了一些措施来促进造林和森林的可持续经营。本书的第一、四、五、六和第七章讨论了这些政策措施和开始于 20 世纪 80 年代中期并且延续至今的中国商品林的扩张。中国森林面积的增加发生在森林所面临的压力空前巨大的时候，这些压力的来源是人口增长、经济快速增长和中国公路和铁路系统

---

① 作者分别为国际林业研究中心主任和中国社会科学院生态与环境经济研究中心主任。作者衷心感谢胡涛和朱春全博士的帮助

对偏远地区的全面延伸。不过，森林面积的增加集中在所谓人工林和经济林果园的增加。总体上说，中国政府为增加森林覆盖率的努力被广泛地认为是成功的，但是，也有些人认为，在增加森林面积和木材供应方面的成功是以牺牲天然林和相关的森林生物多样性以及森林的其他环境功能为代价的（Smil, 1993；Rozelle *et al.*, 1997；Harkness, 1998）。

我们将在本文中回顾中国有关森林环境功能的相关政策和近期中国保护区管理的历史。本章的第二部分将逐一讨论 4 种森林产品或者环境服务——保护生物多样性、生产非木材产品、森林游憩和旅游以及流域管理和对下游水文的影响，但我们的侧重点是第一种服务，即生物多样性；因为我们在这方面相对知道的多些。在此过程中，我们将回顾有关这些产品或服务增加或者减少的观点，并加以评价。

一、背景：资料与环境政策

（一）资料

与其他国家的情况类似，在中国全国性的宏观统计资料能提供的关于森林的环境价值的信息有限。树种构成单一并且其树种在水土保持方面性能又差的人工林有可能取代环境价值高树种构成丰富的森林。即使那些受到破坏的次生林也许都比工业人工林在水土保持和生物多样性方面的价值要高，有关森林的这种环保价值的宏观统计数据难于获得是众所周知的。正是在关于森林质量的指标方面的这种需要促成了蒙特利尔进程和其他一系列国际进程，开发测量森林质量的指标和标准。现有评估森林环境价值的方法的不足推动了"森林资产指数"（WCFSD, 1999）的开发，"新千年评估"全球森林系统提供产品和环境服务的能力（World Resources Institute, UNEP），或者开展"多种资源评估"以替代仅仅统计一国木材资源的"森林资源清查"（FAO/UN, 2001）。所有这些努力都面临重大的方法论方面的挑战；迄今为止，全世界只有 6 个国家开展了一次多种资源评估。即使在这些国家中，木材资源清查仍然是评估的重点。

由于没有正式的项目监测森林的环境功能，我们将依靠中国已经发表的森林资源清查资料和知情者的零散的观察所得。我们承认这种方法的不足，这也同时支持我们的一个主要结论——就是有必要开发一套可靠的指标体系来评价森林的质量。因此，我们注意到中国国家林业局目前通过国际合作来为中国北方和南方热带地区开发森林可持续经营的标准和指标体系的努力。考虑到中国天然林资源的巨大损失以及计划中和正在开展的大规模造林投资和其相关的投资有效性的不确定性，这种努力更显必要。

准确评估中国森林资源状况的难度从已经出版的关于森林覆盖率的资料的差别中就可以看出。根据粮农组织权威的 2000 年森林资源清查报告 (FAO/UN, 2001) 和中国 1998 年的森林资源清查资料,中国共有 $1.63 \times 10^8 hm^2$ 森林和林分,占国土面积的 20.4%。粮农组织同时报告中国的森林面积以每年 $180.6 \times 10^4 hm^2$ 或者说 1.18% 的速度增加。但是,这些数据比以前发表的数据要大得多。1998 年 UNEP/SEPA 所作的国别生物多样性研究 (以早前的粮农组织资料和中国 1993 年的森林资源清查资料为基础) 记载中国共有 $1.337 \times 10^8 hm^2$ 森林,占国土面积的 13.9%。这种差别源于中国 1998 年清查中应用的关于森林覆盖的定义比以前清查中所用的定义要宽泛得多。森林郁闭度的要求从 30% 降到了 20%。就是说,有些在 1993 年清查时不算森林的疏林或者新造林在 1998 年清查时就会算作森林。后一种森林,即新造林,尤其重要,因为中国 1998 年新造森林很多,其中许多森林还没有达到 30% 的郁闭度。中国的官方统计资料从来没有说明,如果继续使用 30% 郁闭度指标 1998 年的森林覆盖率会是多少。这种差别反映出使用官方的森林统计资料来推测森林价值的变化有多难。

在有些情况下,人们使用遥感图像来获得关于森林面积和生物量变化的信息。这种方法能让研究者提取森林覆盖率方面的信息,满足几乎任何一种要求。然而,遥感非常昂贵,由此获得的覆盖率和生物量资料也许能够、也许不能够反映相关的生物多样性和环境价值。Runnstrom (2000) 最近所作的粗略的卫星遥感图像分析表明,在 1982~1993 年之间中国北部有些地区的生物量确实增加了。这种增加一部分是由于农地的栽种更为集约化了,相应地在黄河流域增加了防护林面积。不清楚的是,这是否在环境价值方面如生物多样性方面产生了显著影响。生物量增加的第二种原因源于一系列防治荒漠化的措施。看起来似乎第二类原因对生物多样性产生了积极的影响。Runnstrom 的发现很重要,因为中国以前关于造林的报告很多都是夸大其词的,造林的成活率很低 (e. g., Smil, 1993)。

(二) 环境政策

森林政策的变化对中国森林和森林生物多样性的影响一直很大。新中国历史上发生过 3 次大毁林。第一次是 20 世纪 50 年代的 "大跃进" 时期。当时乡村都在大炼钢铁,成片的森林被毁,用来烧炼钢铁的炉子。第二个大毁林期是 "文化大革命"。森林划给社队当地管理,但很快被毁掉。成群结队的爱国农民喊着口号,要把所有地里的东西挖出来,把天上飞的东西打下来,把水里游的东西捞上来。第三个毁林期是 20 世纪 80 年代经济开放之后。国民经济的各个方面都获得了快速发展。在这一时期,各个林场超额采伐,东北和西南地区许多森林被砍光了。此外，西双版纳和海南省的热带森林也在这一时期被大规模采伐，用以种植橡胶林。森林火灾频繁，最大的一次是 1987 年的黑龙江大火。仅仅这一场大火就会烧毁了 $100 \times 10^4 hm^2$ 森林，其中的 1/3 无法恢复。

从此之后森林防火的加强以及在火灾报警与扑灭方面的投资无疑减少了森林火灾发生的频度和严重程度，相应地有利于地方生物多样性的保护。

前面各章曾提到林业政策的改革使森林覆盖率在 1978～1993 年之间增加了 16%，使中国的森林蓄积首先下降，然后在第三次与第四次资源清查期间增加了 9%（1998 年清查中所采用的森林的定义使得评估近期森林面积和蓄积的变化变得更为困难）。当然，这是宏观上的增加，受到针对不同土地的各种政策的影响。所以，它们在生物多样性尤其是防止水土流失和流域管理方面的影响是不一样的。这一点我们在本章后面还会谈到。

森林保护的法律基础近年来得到了大力加强。1985 年开始实施一部基本的《森林法》，1988 年开始执行《野生动物保护法》。此后，颁布了一系列关于这些法律的实施细则。1997 年粮农组织报告中国有 4 部林业方面的法律，4 部行政条例，以及 60 部以上相关部门规定，200 条以上关于森林管理的保护的地方政府法规（粮农组织，1997）。此后，政府实施了更多的政策措施和项目来促进森林保护。其中比较重要的是 1988 年开始的天然林保护项目（NFPP）。这一工程的目标是保护长江和黄河上游的 $6110 \times 10^4 hm^2$ 森林以及华北与内蒙古的 $3300 \times 10^4 hm^2$ 森林（国际合作委员会林草工作组，2000 年）。长江和黄河中上游的天然林自从 1988 年以来开始被禁止采伐。

中国是生物多样性公约的履约国，并且在国家生物多样性保护行动计划中承认其生物多样性具有全球重要性。中国还签署了其他几项国际保护公约，例如《国际濒危物种保护公约》（CITES，始自 1981 年）和 RAMSAR《国际湿地保护公约》。

最近中央政府还开始实施一项庞大的退耕还林工程，把 25°以上的坡耕地还林或者还草。目的是在 2000 年把长江和黄河上游的 $35 \times 10^4 hm^2$ 坡耕地种上林草。到 2003 年将另有 $300 \times 10^4 hm^2$ 土地被造上林，到 2010 年再加上 $500 \times 10^4 hm^2$，并且所有坡度在 20°以上的农耕地将在 30～50 年内还林或者还草。此外，中国的野生动物保护法有濒危或者高价值的物种分类，并且对屠杀或者贩卖违禁物种实行处罚。最高刑罚非常严厉，包括死刑和无期徒刑。今年有 30 多人因为屠杀或者贩卖大象和大熊猫而被执行死刑。此外，中国还增加了有关控制 CITES 所列濒危物种进出口的法规。

1999 年朱镕基总理提出可持续发展为中国 21 世纪发展的两大国策之一（在对全国人大的政府工作报告中）；江泽民主席在 1999 年 3 月 13 日的人口、资源和环境会议上强调了环境保护的重要性。他宣布，所有不能环境达标的企业将于2000年被关闭。例如,从那之后200多家小造纸厂被关闭。在这些国家最高领导人讲话之后,在2001年3月全国人大会议上通过的"十五国民经济和社会发展计划纲要"(2001~2005年)对环保和可持续发展给予了前所未有的关注和重视。"十五"期间的目标包括保持人口规模在13.3亿以下,阻止环境的进一步恶化,增加森林覆盖率到18.2%,使城镇的绿化比例达到35%。

所以说,中国已经建立了一套全面的法律体系和开展了一系列工程,旨在保护和发挥森林的环境功能,并且对这些法律和工程的实施也很有力。不过,这些措施是在森林所面临的压力不断加大的时候实施的。人口增长、经济发展和全国范围的道路系统扩张正在增加对林产品和林地的需要。政府分权增加了地方政府发展经济的压力,而保护森林的公共品生产能力的配套措施却没有到位。本文的余下部分将讨论增加森林和保护森林资源的政策与森林利用的压力是如何相互作用取得平衡的。

二、保护区

关于保护区面积的信息要比关于森林面积的信息清楚一些。政府意识到需要建立保护区来保护生物多样性,由此导致了保护区在中国的快速增长。1982年中国建立了第一家国家森林公园,即张家界国家森林公园。许多早期的保护区是专门为保护国宝大熊猫而建立的,但很快地,为保护景观、湿地或者生态价值以及其他物种而建立的保护区也得到了发展。到1999年底,1118个自然保护区得到建立,面积达 $8641 \times 10^4 hm^2$,或者8.6%的国土面积。最终的目标是达到国土面积的10%以上(BWG,1997;SEPA,1998;FAO/UN,2001;Harkness,1998)。这些保护区由各级政府所属的机构所管理。

中国东南部的大多数保护区都很小,因为适合保护的土地面积不大,人口压力很高。相反,中国西部的有些保护区很大。不过,这些保护区主要是沙漠和高山,森林很少,生物多样性也有限。例如,新疆的阿尔金山保护区总面积达45 800km²,比整个瑞士都大。西藏的羌塘保护区更大,面积达 247 120km²。

自然保护区的扩张理应给生物多样性保护、生态旅游和流域水土保持方面带来一系列的好处。关于这些保护区的保护状况的信息有限,有些是零星的信息,但是,有证据表明管理的状况差别很大,总体上不好(MacKinnon et al.,1995,SEPA,1998)。一个主要的问题是,尽管保护区有财政拨款,但通常是一次性的投资,日常性的经营资金一般都没有。保护区的各个单位被鼓励去开展盈利性活动创收以维持日常经营,结果是保护区内开展了各种经营性活动。这包括繁养濒危野生动物出售、开动物园、建游乐园、出售珍稀野生动物标本、非法采伐和经营木材、偷猎野生动物,以及不加控制地生态旅游开发。这些活动都有可能与保护区的目标相背离。

例如，四川的卧龙自然保护区和大熊猫繁育中心多年来一直得到了中央的财政拨款经费。但是，在保护区内还是建立了小城镇、水坝、一系列餐馆和纪念品店。福建的武夷山保护区是另外一个例子。武夷山是中国一个管理得比较好的保护区，主要是受益于一个相对富裕的省份的投资和世界银行管理的一个全球环境基金项目。武夷山保护区经营的一项创收活动是把保护区内的土地改造为毛竹林，然后由保护区经营的小工厂把采伐的毛竹材加工成筷子和其他产品。虽然这项活动能赚钱从而使保护区能够在没有外来支援的情况下维持日常经营，但种植毛竹林让保护区内的生物多样性下降。1993 年对保护区内的鸟类的一项研究表明，这些竹林内的鸟类种类比附近村社林、农用林或者茶园中的鸟类都少。这些竹林把整个保护区瓜分成几片相互隔绝的森林，它们阻碍了保护区内随纬度迁徙的鸟类在夏季山上的栖息地与冬季山下栖息地之间的迁徙[①]。

第二个问题是保护区的工作人员通常都生活在离保护区数公里之外的镇上，它们不能经常地到保护区内巡逻。尽管非法活动、采伐、偷猎和采矿活动的痕迹到处可见，很少有从事违法活动者被逮捕和起诉。保护区人员一般无权也无条件逮捕和关押违法者，也缺乏起诉违法者的必要经费。

三、生物多样性

生物多样性的损失是中国面临的一个严重问题。一个被普遍接受的关于全球生物多样性损失的估计是 10%。在中国，这一比例是 15% ~ 20%（陈，1993）。建立和管理自然保护区是一个正确的步骤，尽管我们已经提到这一步本身也有自己的问题。中国对国际贸易的进一步开放给生物多样性带来的好处是有限的，而近 1/4 世纪的林业政策对森林生物多样性的影响本身是有争议的。

（一）野生动植物贸易

20 世纪 80 年代的对外开放对中国南方在药用和食用野生动植物方面产生了深刻的影响。与邻国的贸易增加了，中国的富裕阶层变得有能力消费进口食物。相应地，农民们开始花更多的时间来猎取野生动物和采集野生植物出售。有些情况下，他们还开始种植野外已经不能采集到的植物和养殖野外已经绝迹了的野生动物。

在广西壮族自治区，传统的野生动物猎取渠道已经由于过猎而行不通了，人们开始更多地依赖野生动物进口，这种进口增长迅猛。1994 年年中对中越边

---

① J. R. McKinnon，个人通讯

境两个口岸的监测表明,每天从这两个口岸入关的野生动物多达 14t 以上。仅这两个口岸每年的野生动物进口量就达到 5 亿人民币以上 (5800 万美元),而同期中越边境类似的口岸达 10 个以上 (李和李,1997)。

进口野生动物的种类繁多,包括各种各样的蛇类、巨蜥、淡水龟、猴子、灵猫以及其他野生动物。其中有许多 CITES 名录上的物种,尽管中国早在 1981 年、越南也在 1993 年加入了 CITES。在香港、中国南方和澳门的野生动物交易市场的监测表明,这类贸易涉及 375 种鸟类、13 种哺乳动物、79 种两栖动物和 278 种爬行动物。这类贸易的主要目标地是香港。到 1994 年进口到香港的海龟大幅度增加。1977 年是 139 200kg;1991 年大约是同样水平,即 110 574kg,但到 1993 年增加到了 680 582kg,到 1994 年的头 10 个月增加到了 1 800 024kg (Lau et al.,1997)。

大多数野生动物被食用了,不少用来生产中国传统的中药材。在中国,中药材与现代药物一起使用,每年出口到海外华人社区的中药材高达数十亿美元。郭等 (1997) 研究过野生动植物在中药材中的使用范围和可及度。至 20 世纪 80 年代中期,在 17 种广泛药用的野生动物制品中,除了虫子、蛇、天牛、珍珠、鹿茸、蜈蚣和蟾蜍毒之外,其他都已经不能完全满足需要了。许多其他物种例如穿山甲、麝、熊、豹子、猴子、海马、壁虎等在中国都已经濒危了。熊胆、麝香、鹿茸只能靠人工养殖,其他物种则更为稀有,只能更多地依赖替代品。植物方面的情况也类似,有些嫩芽都被从树上拔下来生产止咳药。高山草甸被开采,采集各种药用植物。

市场经济和国际贸易的开放也导致了人们大量猎取中国国内的野生动物出口。从中国西北部猎取猎隼出口到中东地区和猎杀藏羚羊获取昂贵的羊绒出口到印度都是非法的贸易,而通过合法渠道出口的鸣禽贸易数量也十分巨大。Melville (1982) 年记载通过香港的鸣禽出口,主要是北京知更鸟、画眉、Mesia,Magpie Robin and White Eyes,在 70 年代末期和 80 年代初期达到了一年 50 万只左右。以后的监测结果是 1990 年为 20 万 ~ 30 万只,不过当时的出口渠道大为增加,所以实际总出口量也许要大得多 (Nash,1993)。以前常见的鸟类如北京知更鸟和画眉也上了 CITIES 濒危物种名单。

针对外界就中国不断增加国际上濒危物种的消费的批评,中国 1993 年全面禁止了老虎和犀牛产品的销售,仅此一项就导致药业在当年损失了 2.4 亿美元。中国还在 1995 年主办了一个特别的国际研讨会讨论野生动物贸易问题。20 个邻国参加了这次会议,会议就严格跨国野生动物贸易达成了一般性的协议。这些措施在保护生物多样性方面产生了立竿见影的效果。监测表明,跨国野生动物贸易在 1995 年降为前一年的 1/4 左右。另外,在华南的餐馆里和野生动物市场上能够看到的受保护的物种也减少了。

同时，中国国际贸易的增加也导致外来入侵物种成为对生物多样性另一大威胁。这些入侵性物种进入中国并繁殖，既有意外输入的因素，也有有意引进的因素。例如，每一支进入上海港的巨型运粮船都携带有大约 20t 外来杂草种子。人们还进口外来草种，因为这些草容易在新铺的公路边上生长。热带杂草如水葫芦和飞机草在中国南方已经变成常见的害草。

（二）林业和森林经营的效果

在 1978 ~ 1981 年的第二次资源清查和 1989 ~ 1993 年的第四次清查期间，中国新造了 $600 \times 10^4 hm^2$ 防护林，$500 \times 10^4 hm^2$ 果园和其他经济林，还新建了 $200 \times 10^4 hm^2$ 保护区和薪炭林。中国的林业工作者还营造了 $1400 \times 10^4 hm^2$ 工业人工林，有些是在荒山上造的，有些则是在以前的农地上或者牧场上。最后，中国还更新了 $900 \times 10^4 hm^2$ 原有林地。有些是皆伐后重造的，更多的是择伐后天然更新或者补植，还有些是采伐掉一个地方的森林然后用在别的地方新造的森林来顶替。

同时，中国损失了至少 $900 \times 10^4 hm^2$ 天然林。收支相抵令人印象深刻，新增森林面积达 $1800 \times 10^4 hm^2$ （参见 ROZELLE 等在第二章中的估计）。

$900 \times 10^4 hm^2$ 天然林的损失是公认的在乡土自然环境方面的损失。除此之外，人们的意见就不一致了。世界自然基金会中国项目 2000 年年报的序言中提到在离北京几个小时车程的新造林中出现了 25 年来所未见的鸟类（Harkness，2001）。可以肯定地说，在一些新造林中，野生动物种群数量在增加。

但是，有些观察家对由于采伐天然林、皆伐和营造树种单一的工业人工林而造成的对于生物多样性的影响更为关心（Smil，1993；Rozelle *et al.*，1997；Harkness，1998）。在我们到中国的林区参观时能够看到的天然林已经很少了。实际上，今天中国剩下的天然林已经寥寥无几了。大多数天然林早就被砍光了。我们现在能够看到的森林大多是次生林，通常是天然次生林，总之，不是原始林了。第二，如果采伐的目标是商品材的话，人们一般会倾向于择伐而不是皆伐。实际上，木材采伐中最常见的方法是拔大毛。拔大毛导致商业价值最低的树木和树种被保留下来。所以，林业部门的业务人员反对拔大毛的做法，因为它导致以后可以砍伐的树木的商业价值越来越低。但是，拔大毛也会保留下那些分叉老朽的树木以及商业价值低的树种；这些树木对野生动物是良好的栖息地。第三，许多新造林只有 1、2 或者 3 个树种，有时还是引进的外来树种；这些新造林一般会造在被拔大毛采伐过的林分中，或者在荒山上。在第一种情况下，拔大毛对生物多样性的好处还会得到保留。在第二种情况下，即使这样树种单一的新造林也会在其林下和林冠层为野生动物的生存创造条件。世界自然基金会中国项目 2000 年的年报中提到的新造林也许就是这一类。

天然林的净损失 最后，大多数采伐和造林都发生在两个不同的时期。也有例外，但在中国一般都是如此，尤其是1979年改革开放以来[①]。所以，天然林的实际损失也许比上面提到的 $900 \times 10^4 hm^2$ 要大得多——这方面的损失也许最值得我们关注。也许是 $900 \times 10^4 hm^2$ 加上抵消采伐的另外 $700 \times 10^4 hm^2$，总共 $1600 \times 10^4 hm^2$。即使 $900 \times 10^4 hm^2$ 也是一个大数字，相当于1978年中国森林总面积的7.9%，占中国天然林总面积的百分比不清楚，但肯定要高得多。这个7.9%（甚至更多）是在仅仅15年内损失掉的！

用人工林替代天然林与在新的地方重新恢复天然林是不同的。当然，从真正意义上讲，后者基本上是做不到的。新造人工林能为未来提供商业性的木材资源，就是说，人工林是一种能在将来某个时候代替天然林生产木材的资源。今天的人工林实际上能减少未来对天然林和生物多样性的压力。没有人工林，未来的环境也许更缺少多样性。

也许看待中国森林面积变化的一种更好的方法是承认自然资本如森林的减少是经济发展的一个公认的组成部分。不仅如此，在一定程度的发展之后大多数国家都更为关注起自然环境，包括森林。就是说，在自然环境和生物多样性方面最大的损失会发生在经济发展的初期，所以，在这个时期特别需要确定和保护重要的生境和受威胁最严重的森林。这也是为什么有必要建立一套优秀的关于重要生境和可持续林业的指标体系的原因。对于中国来说，这意味着目前的森林损失将比未来要大。从某种意义上说，这是值得庆幸的。但是，这也意味着今天需要对保护生物多样性给以更多的关注，因为今天比未来更为困难[②]。

森林面积的增加 天然林的损失是一个重大问题。森林面积的增加本身不是一个真正的问题，但是它让我们关心另外一个问题的重要性。2/3以上的新增森林面积是由于集体农户在集体土地上造林实现的（第一章表2）。这些新造林替代了农作物或者放牧地，还有荒山。农民一般不会像经营农地那样来集约经营这些新造的林地。因此，这些新造林上的生物多样性也许比它们原来用作农地或者牧场时的生物多样性为高。

但是，从我们自己在中国农村旅行的经验来看，我们注意到在中国农村鸟类似乎比许多其他国家少得多。近年新增加的森林应该能够带来更多的鸟类。这些新造林是不是带来了更多的生物多样性呢？如果不是这样的话，原因是不是这些新造林比以前的农地或者放牧地更缺乏生物多样性，或者是不是野生动物贸易导致农民们把所有能够抓到的野生动物都抓走了，或者是不是在中国比较高产的农业中农民们用了更多的农药呢？我们不知道答案，但是，这个问题

---

① 海南岛砍掉天然林造橡胶林也许是最著名的一个例外。那场毁林发生在编入员20世纪50年代
② 附件A提供了一个关于这种顺序的经典案例：四川的案例

对于中国的长远环境健康至关重要。

四、非木材林产品

可以肯定地说，中国的改革以及居民家庭收入的巨大增长对非木材林产品产生了影响。但是，这方面的资料有着与关于生物多样性的资料相似的问题。多数非木材林产品的消费都是发生在正常的市场之外的；即使那些通过正常市场交换的非木材林产品，也是既有从森林里采集的，也有农民种植的，或者是与农民种植的相似。人们没有办法通过市场来区分。因此，我们所能做的，就是把这些产品分成三类从总体上加以考虑：特产如草药、蘑菇和中药，薪柴以及牲畜饲料。

对特产和中药的需要随着中国消费者的不断富裕而增加了，同时，也受到中国开放国际贸易的推动。在有些情况下，例如第八章 Ruiz–Perez 等提到的竹子的情况，尽管农民们仍然从天然林中采集，他们已经开始更多地人工种植。在别的情况下，例如草药和中药，大多数的供应仍然从天然林中来。这两种情况带来的净效果仍然不得而知。实际上，消费对森林是否有严重影响，天然供应减少之后会发生什么事，对这些问题我们只能推测。农民们会开始大规模种植许多这些产品吗？消费者会学习使用这些产品的替代品吗？或者他们会放弃使用这些产品吗？这对天然林的影响又是什么？对诸如此类的问题，我们甚至连推测都没有办法做。

对于薪柴，推测起来要容易些，因为在全球许多地方的农村都有类似的经验。总体上说，低收入农村家庭对薪柴的需求是缺乏弹性的。但是，一旦他们的收入增加到一定程度，他们就开始使用液化天然气、煤油和其他成品燃料，对薪柴的总需求就变得有弹性起来。同时，一旦天然林能供应的薪柴稀缺到一定程度，农村家庭就开始种植薪柴林自用并销售。这种一般性的规律对中国的森林和农村人口意味着什么，仍然只能是一种推测。有必要研究中国各地市场开始大规模替代薪柴消费的拐点何在，也有必要研究农民们会在什么时候开始自己种植薪柴林。可以肯定的是，在像中国这样广大的国家里，这些拐点在不同的地区是不一样的；但是，这些消费或者生产方面的变化是否会对中国某些人的生计造成困难，我们全然不知，并且就我们所知，中国林业和农业方面的相关文献似乎也没有涉及过。

中国的牲畜对森林和林地的影响又不一样。同样，家庭收入的增加导致了对肉食的增加，相应地导致了对牲畜饲料的增加；同样地，这种增加对森林的影响，我们还不得而知。但是，这里我们能够确定两个重要的政策影响。

第一，中国的粮食安全政策导致了限制肉类进口，依赖国内生产。这种限制对猪肉的影响不大,因为猪肉的国内生产量一直很大。这种限制对不断增加的牛肉和羊肉消费影响很大。它意味着限制对这些产品从中亚低价进口,而同时在中国西部那些在经济上边缘化、在环境方面十分脆弱的草地上放牧更多的牲畜。这方面的环境影响有多大?同样地,我们只能推测。但是,我们确实知道,扩大草地利用导致了在成千上万亩牧场上播撒毒鼠剂,防止鼠类和 picas 对产草量的影响。进一步的研究表明,实际上 picas 是一种关键物种,对保持草地的健康、肥力和生产力至关重要,而过牧才是草场退化的主要原因。

第二,无论是农地的还是林地的家庭联产承包责任制都没有涉及公共草场。在整个 80~90 年代,这些草地的使用权就没有改变过。这些草场没有像农地和森林一样得到农户的长期保护性投资。这些草场一直处于退化状态,直到 1998 年西部大开发允许将一些草地和灌木林的经营权承包给当地农户和天然林保护项目对陡坡耕地退耕还林为止。这是一些大项目。观察他们未来的进展十分有意义。

五、森林游憩和环境旅游

森林游憩和环境旅游是能从我们前面讨论过的保护区得到的一种好处。一般来说,这些活动随着个人收入的增加而发展,中国的情况也是如此。中国的宏观旅游统计资料显示,到森林公园的游客 1982 年有 777 710 人次(中国统计年鉴,2002),到 2001 年增加到 8300 万人次(国家林业局,2002)。到 2001 年这种旅游创造了 373 亿元总收入(比 2000 年增加 25%)和 350 万个工作岗位。

这是一种爆炸性的增长,相应的管理问题也出现了。管理层的注意力一直放在增加收入而不是保护环境上,有些保护区目前饱受污染和其他破坏之苦。

六、流域管理和河流的水文功能

中国是世界上水土流失最为严重的国家。每年中国因为风蚀和荒漠化损失的面积达 2000km^2。为此,中国开始了一场浩大的群众造林运动,包括 1979~1993 年期间营造的至少 600×10^4hm^2 防护林,以及面积更大的农民造的农林间作林。著名的三北防护林就属于这一类。对于这些新造林的成活率人们还有疑问,但是,人们对于这些新造林所产生的正面环境影响,则是很少有异议的(Rennstrom,2000)。

另一方面,中国的河流也受到了上游水土流失的影响,直到 1998 年的灾难性洪水这个问题都没有得到重视。上游伐木和修路是造成下游洪水和其他环境破坏的原因之一。它们影响河流流量的变化以及中国湖泊和河流淤积的增加。黄海下游支流和湖泊的水文变化尤其令人担心。复杂的水流格局和水位上涨导致鱼在不同的季节在各个湖泊和主河流之间迁徙。这个地区鱼类资源丰富，出产量大，尤其是四大家鱼。有个时期这一地区的鱼产量占到全国淡水鱼产量的66%。目前，有些鱼类已经绝迹，有些濒危（全国共有偿使用2种鱼类处于濒危状态，还有其他野生动物如扬子鳄和白鳍豚）。由于泥沙淤积，两个最大的湖泊即洞庭湖和鄱阳湖的面积已经减少了一半，深度也只有原来的25%。其他湖泊则由于围垸和围湖造田而与长江主河流相分离。淤积还造成了水的能见度降低，微生物减少，相应地导致草食性鱼类的减少。有关洪湖的资料显示，年鱼产量已经从50年代的$1 \times 10^4 t$减少到80年代的$3000 \sim 4000 t$。同期 洞庭湖的鱼产量也从$4.5 \times 10^4 t$减少到了$1.5 \times 10^4 t$。洪湖以前共有90种鱼类。这一数字到1964年时减少为74种，1982年时54种，其中只有33种实际上生活在洪湖中（谢和陈，1997）。在三门峡截断黄河引水到华北的计划将对下游河流系统产生进一步的影响。最后，入海后流沙淤积的增加还导致了近海渔业的损失，窒息了南部的珊瑚礁。

中国不断增长的木材加工工业是另外一个严重的环境问题的根源。自从1982年以来，制浆和造纸工业都以两位数增长。这个工业排放的废水已经占到中国工业废水排放的10%，占整个化学氧需要量的1/4。这是中国农村环境污染的首要污染源（黄和白，1992；国务院，1996）。这个工业增长最快的部分是数以千计的小乡镇企业。它们也是污染最为严重的。在制浆和造纸工业中，污染防治措施都是为大型厂（$10 \times 10^4 t$以上）设计的，但大多数乡镇企业的设计能力都在$1 \times 10^4 t$以下，它们对非木浆的使用量3倍于木浆。政府于90年代关掉了1000多家污染防治不达标的这类企业（徐，2000）。随着中国加入WTO，相应的会有资本流入，使中国的造纸工业向更大规模、污染较少并且依赖进口木材的方向转移。但是，天然林资源保护工程实施的禁伐也许会迫使许多内地保留下来的小厂使用更多的草浆——进一步破坏中国的水资源。因此，山区的禁伐也许有助于保护山区的环境并改善中国河流的水文功能。它对造纸工业的影响也许会在下游造成严重的未曾预料到的负面影响。这是一些严肃的权衡工作，解决之道并不明显。

七、展望

与许多快速发展的经济体一样，在过去的近30年中，中国社会的许多成员、中国经济的许多成分和中国环境的许多方面都获得了巨大的进步。但是，森林环境已经损失不小并且在继续遭受损失。为了中国的长远利益，必须针对这些损失的根源和这些损失本身采取措施，加以解决。

1999 年中国政府启动了一项宏大的西部大开发项目,旨在让西部和内陆地区获得在沿海和东部地区已经取得的经济发展水平,并防止山区的环境进一步恶化。这个计划包括三大林业项目:封山育林、荒山造林和退耕还林还草。这些项目将需要巨大的政府和国际投资,以及地方农民在土地和劳力方面的巨大牺牲。

西部大开发计划的全面实施还面临某些不确定性,其效果也要有一段时间才能显现。这个计划能否控制天然林和相关的生物多样性的减少以及上游经济活动对下游水文的影响,目前尚不得而知。西部大开发计划是一项大胆的行动,它必然要产生益处。就我们目前所知,密切观察这个计划的实施是必要的,并且我们也不能指望它能解决中国所有森林方面的环境问题。有些老的问题(譬如荒漠化以及低地森林生境和物种的损失)将会长期存在,有些问题如造纸工业的污染问题也许会加重。

从中国的经验我们能学到的最为重要的经验与林业政策方面的政治决策有关。中国森林最大的损失发生在著名的大跃进和文化大革命期间。就是说,政治方面的因素而不是经济发展(商业采伐)一直是天然林破坏的首要原因。从经济或者财务角度讲,开荒和造梯田种粮之类的活动当时和现在都说不通。这些活动都是为了政治考虑而开展的。许多通过开垦森林而成的农地根本没有生产多少粮食,许多开垦的农地后来又还了林,只是现在还的林已是面目全非了。当前政府在西部大开发计划下实施的两大工程,即天然林保护和退耕还林工程,正在颠倒以前的做法。然而,尽管变化的方向是对的,成本却很高,许多地方的原生植被再也不可能恢复了,不论成本有多高,这是不幸的。值得庆幸的是,全世界都可以从中国的教训中得益,我们有理由希望绝大多数其他国家都不会重复中国过去所犯的由政治因素所导致的错误。

附录 A:四川的经验

直到 20 世纪 60 年代长江中游地区森林的覆盖率还有 45% 左右,木材采伐量适中。但是,随着经济的发展出现了毁林加速的趋势。四川的木材采伐量从 20 世纪 50 年代的 $10 \times 10^4 \mathrm{m}^3$ 增加到 60 年代的 $300 \times 10^4 \mathrm{m}^3$ 以及 80 年代的 $500 \times 10^4 \mathrm{m}^3$。

1980 年之后,林场在木材采伐之外又增加了与农业扩张、薪柴和建房有关的采伐。到 1985 年森林总覆盖率下降到了 16%。同期,该省的大熊猫生境减少了 40%(De Wulf 等,1988)。森林覆盖率的减少极大地影响了河流系统的水文功能,保留下来的森林被严重片断化,影响生物多样性。打猎、采药和采集其他林产品的压力继续增加,但森林面积继续减少。

80 年代以来，木材采伐和森林经营方面有了一些改变；更近一段时间以来荒坡造林的力度大大加强。森林面积目前在增长，已经达到全省土地面积的 24% 左右。但是，大多数新造林都还未成熟，还不能有效地防止水土流失。

人们把 1998 年的洪水当成下游泥沙淤积和森林吸水储水功能丧失的原因。接下来政府禁止了长江上游地区的森林采伐。此外，政府还开始实施了一项重大的退耕还林项目来恢复森林及其水文功能。政府计划到 2005 年把森林覆盖率提高到 28.4%。

参考文献

BWG (Biodiversity Working Group). 1997. *Conserving China's Biodiversity: Report of BWG to the China Council for International Cooperation on Environment and Development (CCICED)*. Beijing: CCICED

CCICED (China Council for International Cooperation on Environment and Development). 2000. Report of the First Meeting of the CCICED, Forest/Grasslands Task Force. July 18 – 21, 2000. Beijing

Chen Lingzhi. 1993. *China's Biodiversity: Current Strategy and Its Conservation Strategy*. Beijing: Science Press

China Statistical Yearbook. 2002. [in Chinese]. Beijing: China Statistical Press

FAO (Food and Agriculture Organization of the United Nations). 2001. *Global Forest Resources Assessment* 2000. Forestry paper 140. Rome: FAO

Gluckman R. 2000. The Desert Storm. *Asiaveek*, October 13, 36 – 40

Guo Yinfeng, Xeying Zou, Yan Chen, Di Wang, and Sung Wang. 1997. Sustainability of Wildlife in Traditional Chinese Medicine. In *Conserving China's Biodiversity: Report of the Biodiversity Working Group to the China Council for International Cooperation on Environment and Development (CCICED)*. Beijing: CCICED, 190 – 216

Harkness J. 1998. Recent Trends in Forestry and Conservation of Biodiversity in China. *The China Quarterly* 156: 911 – 934

Harkness Jim. 2001. Introduction. In *WWF China Ammal Report* 2000. Bejing: World Wide Fund for Nature

Huang Qinan, and Donghai Bai. 1992. *Development Strategy of China's Paper Industry*. Beijing, China: China Light Industry Publishing House

Lau M W N, G Ades, N Goodyer, and F Zou. 1997. Wildlife Trade in Southern China Including Hong Kong and Macao. In *Conserving China's Biodiversity: Report of the Biodiversity Working Group to the China Council for International Cooperation on Environment and Development (CCICED)*. Beijing: CCICED, 141 – 159

Li Yiming, and Dianmo Li. 1997. Status and Strategies for Control of Live Wildlife Trade Across the Sino – Vietnamese Border. In *Conserving China's Biodiversity: Report of the Biodiversity Working*

Group to the China Council for International Cooperation on Environment and Development (CCI-CED). Beijing: CCICED, 128 – 140

MacKinnon John, Meng Sha, Catherine Cheung, Geoff Carey, Zhu Xiang, and David Melville. 1996. *A Biodiversity Review of China.* Hong Kong: World Wide Fund for Nature

Melville D S. 1982. A Preliminary Survey of the Bird Trade in Hong Kong. *The Hong Kong Bird Report* 1980: 55 – 102

Nash S V. 1993. *Sold for a Song: The Trade in Southeast Asian Non – CITES Birds.* Cambridge, U. K. : Traffic International

Rozelle Scott, V Bezinger, Jikun Huang, and Li Guo. 1997. The Rise of Forests and the Fall of Diversity: Assessing the Role of Tenure, Policy and Markets. Paper presented at MacArthur Foundation Workshop on Biodiversity in the Himalayan Region. April 7 – 10, 1997, Kunming, China

Runnstrom M C. 2000. Is Northern China Winning the Battle Against Desertification? *Ambio* 29 (8):468 –476

SEPA (State Environmental Protection Agency). 1998. *China's Biodiversity: A Country Study.* Beijing: China Environmental Sciences Press

Smil Vaclav. 1993. China's Environmental Crisis: An Inquiry into the Limits of National Development. New York: M. E. Sharpe

State Council. 1996. Resolution on Several Issues in Environmental Protection [in Chinese]. Unpublished document no. 37

SFA (State Forest Administration). 2002. Press conference release for First China Forest Landscape Resource Exhibition and Tianmu Mountain Forest Festival. June

WCFSD (World Commission on Forests and Sustainable Development). 1999. Final Report. Cambridge. U. K. : Cambridge University Press

Xie Ping, and Yiyu Chen. 1997. Biodiversity Problems in Freshwater Ecosystems in China: Impact of Human Activities and Loss of Biodiversity. In *Conserving China's Biodiversity: Report of the Biodiversity Working Group to the China Council for International Cooperation on Environment and Development (CCICED).* Beijing: CCICED, 160 – 168

Xu J. 2000. China's Paper Industry: Growth and Environmental Policy during Economic Reform. Ph. D. thesis. Blacksburg: Virginia Polytechnic Institute and State University

Zhang Y, G Dai, H Huang, F Kong, Z Tian, X Wang, and L Zhang. 1999. The Forest Sector in China: Towards a Market Economy. In *World Forests, Society, and Environment,* Vol. 1, edited by Matti Palo and Jussi Uusivuori. Dordrecht, the Netherlands: Kluwer Academic Publishers, 371 – 393

第十章　结论和政策含义

William F. Hyde，*徐晋涛*，Brian Belcher，*尹润生*，*刘金龙*

自 1978 年的农业改革以来，中国发生了巨大的变化。改革的效果是众所周知的：连续 20 年年均经济增长率超过 10% 以及翻了四番的人均收入。紧随农业改革进行的工业、金融以及贸易的改革，使得中国所有的社会阶层都得到了好处[①]。

探讨经济体制改革对中国森林和林业部门的影响，以及中国林业部门自身改革的效果，为理解当代中国乃至世界林业政策中的许多问题提供了独特的信息。

当前，人们对森林功能的认识，从涵养水源、保持水土和提供经济福利等地区性功能扩展到了温室气体效应、生物多样性和濒危物种保护等全球性问题。这种转移，加强了人们对林业政策的关注。

由于中国在寻求一个最好的方式来维持它非凡的经济成长，所以中国的经验对于世界上其他国家，也是十分重要的。中国的变化对世界森林有很大影响。中国的人口占世界的 1/4，人均森林面积只有 $0.1 hm^2$，接近世界最低水平。中国目前需要从其他国家进口来满足它的木材产品需求。中国的原木进口从 1999~2001 年几乎增长了 3 倍，从 $480 \times 10^4 m^3$ 上升到 $1360 \times 10^4 m^3$（中国海关统计年鉴，1999~2001）。

中国的经验教训对世界其他国家的政策设计都有借鉴意义。当前，许多东欧国家和亚洲国家正在进行类似的从中央计划经济到市场导向经济的转型。其他国家如印度尼西亚和菲律宾，正在经历从高度集中的政治和市场权力到较宽广的经济权力和较少管制的市场转变；印度也在试图扩大其市场开放的范围。所有这些国家都可以借鉴中国的改革经验。

中国的经验其实有更广泛的含义。类似于许多发达国家和发展中国家，中国一半以上的森林是中央管辖的国有林。也和当今很多国家一样，中国面临着在存在强势地方利益的情况下如何进行中央集中管理森林的难题。实际上，林业管理的分散化以及发展一套能对地方经济和社会压力做出迅速反应的森林管

[①]　伯金斯（1990），麦克米兰和诺顿（1992）对中国的经验提供了相近的描述

理体系,是国际上现代林业政策讨论中最热门的议题。分散化的管理形式,在美国、加拿大和芬兰叫做"社区参与",在印度叫做"联合森林管理";在乌干达叫做"合作林业";在玻利维亚、哥伦比亚、墨西哥、尼泊尔、菲律宾、坦桑尼亚、赞比亚等国家,叫做"社区林业"或者"以社区为基础的资源管理"。类似的字眼被很多国家使用。

这方面一个常见的问题是,对于森林,在它仍满足广泛的公共利益的同时,政府在分权甚至私有化方向能走多远。分权化的反对者会说,农民种树的经验太少,即使他们有种植经验他们也不会种树。持这些言论者过于短视了一些。现在中国有 20 年的经验来驳斥这一根深蒂固的观念。一个相关的讨论是,个体农户对再造林的自然环境效益缺乏兴趣,因为这些效益是社会共享的。这些效益的受益者主要是周边地区农户和远距离的人们,他们对林业生产者的行为是没有影响的。因此,结论是,个体行为是不可行的,而一定程度的公共行为对于提供这些环境服务是必要的。中国的经验对这一个观点提出了挑战。中国在将某些中央化的管理以及土地使用权转移到地方管理甚至个体家庭管理的过程中,有着比其他国家更多的经验。

政策制定者以及政策分析家对农业政策以及整个经济发展对于林业的影响多有争论。中国的经验在这些问题上也有一定的启发性。农产品价格的上升以及农业扶持政策会不会像在可特迪瓦(Lopez,1998)和伯里兹(Chomitz and Gray,1996)那样引起森林的破坏呢,或者像在印度的旁遮普(Singh,1994)那样,农业的发展对森林覆盖率有一个有益的影响呢?经济改革和经济发展能不能改善森林状况呢?对于这些问题的分析很少且结论含混(Jepson *et al.*,2001;Pandey and Wheeler,2001)。中国的经验覆盖了一个比其他绝大多数发展中国家更大范围的发展历程,而且有一定的数据。所以它能提供在其他国家难以得到的证据。

实际上,我们因此获得了最后一个观点,即中国的经验是具有说服力的,因为证据很确切。中国广阔的地理幅员、快速的经济成长以及务实又有开创性的改革(被称为"摸着石头过河")都意味着其资料包含了很大的空间上和时间上的变化性——资料的多样性导致对比样本以及统计上有意义的结果。也因此,在世界其他地方有用的经验在中国的背景中往往可以更加清晰地反映出来。

本章回顾了从中国的经验得出的一些基本的见解,这些见解可以归纳为现代林业政策中的 6 个重大议题:

①产权以及土地权属的改善,事关农民的林业行为;

②产权以及各种制度安排——在国有林、集体林和私有林之间的选择;

③对森林的广义政策效果——包括政策实行中的不确定性,农业政策的溢

出效果以及总体宏观政策环境的影响；

④林业作为一个经济发展载体所具有的潜力；

⑤林业的采伐活动产生的环境影响；

⑥林业数据。

前5个议题引起了我们对最后一个议题——"林业数据"，以及对林业政策采取合适的调查分析方法等问题的注意，这些问题通常会被忽视。这些见解对于全球森林政策来讲，是很重要的，而其中一些对于中国本身来讲尤其重要。

最后，我们将会以对 21 世纪中国林业面临的新议题以及保持中国林业部门发展和森林环境改善所必须采取的措施的讨论结束本章内容。

一、私人产权以及土地权属的改善

1978 年之前，中国农业生产是由集体和生产队来集中组织的。即使在中国最高产的北部平原，年均产量也只有每公顷 800kg 谷物，并且耕地面积在持续下降。集体中的人均年收入仅为 63 元（接近 25 美元）（中国农业年鉴，1985；Zhong et al.，1991）。其间，中国的森林由集体和国有林业机构对半管理。森林覆盖了中国领土面积的 8.6%，但是大部分森林都严重退化。国有土地上的立木蓄积量大约为 100m³/hm²，然而集体森林则平均少于 50m³/hm²——世界森林平均水平是 100m³/hm²（FAO，2001）。

农业改革在安徽省以家庭联产承包责任制（HRS）开始，农业土地使用权从集体转移到了私人家庭。联产承包制的合同相对来说是短期的，一般是 3~15 年。农民可以把超过定购量之外的粮食以市场价出售。这些改革对政府部门来说也是具有吸引力的，因为那是一种减少他们集中管理的交易成本和风险的方式。改革也提高了当地家庭的积极性和生产力，因此迅速传播，并于 1980 年 9 月得到了中央政府的官方批准。到 1984 年，家庭联产承包责任制扩展到了所有农村公社的 70%，农业生产力产生了飞跃式提高。比如北部平原的生产力，到 1984 年为止，增长了 7.5 倍，达到 6000kg/hm²。改革的一个内容——双轨价格体系——很难继续维持，终于在 1985 年，农民得以以市场价格出售他们所有的产品①。

以森林为生的农民看到农业改革的成功，就希望在他们的部门也进行类似的改革。终于在 1981 年，在南方集体森林区（SCFR），对林业集体和家庭实行了一个类似于家庭承包责任制的"承包责任制"（CRS）。这个体系成为了林

---

① 有大量文献记录中国农业改革，见林毅夫（1992）、Chai（1997）

业"三定"政策中第三个组成部分（稳定山权林权、划定自留山、建立林业生产责任制）。参与这个林业生产责任制的家庭比例迅速攀升，到 1983 年达到了 55%。到 1984 年，大约有 $3000 \times 10^4 \mathrm{hm}^2$ 的面积分配给大约 5700 万个家庭进行管理（中国林业年鉴，1987）（仍有不到 $2000 \times 10^4 \mathrm{hm}^2$ 林地处在集体管理之下，由国有林业企业经营的森林约 $5000 \times 10^4 \mathrm{hm}^2$）。但是林业改革并不像农业改革那样彻底，林业家庭还必须把木材卖给垄断的林业木材公司。实际上，即使在 1985 年政府放开了集体林地区市场，在很多地方，国家收购依然是一个对森林市场活动的很大限制。

尽管存在这些对于木材市场的限制，改革对于森林覆盖率还是产生了快速和实质性的影响——这些影响既发生在农业土地上，也发生在林业用地上。

由于农业改革发生在前，我们期待能发现其在农业土地上产生的影响。在第四章中尹润生发现，在中国华北平原农区，森林覆盖率从 1977 年的 5% 增加到了 1988 年的 11%，这种扩张主要体现在防护林、农林间作面积的增加，以及沿村旁、屋旁、路旁和河旁这"四旁"造林的扩大。农民在这些地方种树收到了抵御风沙的效果。尹润生用一个农业生产函数估计了家庭承包责任制、市场自由度、对树木的保护投资以及标准农业投入等因素对于农业产出的影响。他得出的结论是，在 1978 ~ 1984 年间，增长的农业产量中，至少有 60% 是来自于家庭承包责任制的影响。林业投资（对应于产权的改善）对农业生产量提高的贡献在 1984 年以前是 5%，在此之后是 20%。

然而华北平原可能是一个非典型的例子，因为农业在这个地区非常重要以至于权威人士很少关注这一地区的森林。刘大昌和 Edmunds 在第二章验证了在中国南部的经验，这是一个有鲜明对比的地区，森林在这个地区格外重要。农业和林业的改革都是从南部开始的，而且这个地区占据了中国集体林业的 85%。刘大昌和 Edmunds 回顾了对于土地转换的各种制度安排，并且警告性地提示我们要注意对权利完全转换的多边限制。他们也发现，在 1977 ~ 1984 年间，被研究的 10 个省份里面有 8 个省的森林蓄积量在下降。刘大昌和 Edmunds 有具体的证据表明，几乎所有乡村的森林蓄积量都下降了。然而就在同一时期，森林面积却增加了大约 20%[①]。从那时候起，在以后的每一个森林调查中，中国南部的森林蓄积以及家庭管理的森林面积都始终在增长（中国林业年鉴，1989，1998）。

在第五章，张道卫指出，几乎在农村的所有地区，现在都由个体家庭管理着原先集体管理的土地。随着家庭责任制的发展，集体林面积和蓄积量都在增加。在全国范围内，1988 ~ 1998 年的 10 年间，集体森林覆盖面积扩张了 40%，

---

① 10 省中森林面积最小的 2 个省数据不全

达到 $6700 \times 10^4 \text{hm}^2$。而集体林蓄积量增长了近乎 35%，达到 $29.62 \times 10^8 \text{m}^3$。蓄积量的增加比森林面积的增长来得慢的原因是，一些新增的森林面积是幼林，这些在官方林业调查中很难计算；还有一些是由果树组成的，虽然也记入中国官方的调查中，但没有形成可观的蓄积量。

总而言之，证据表明，农民确实可以种植并且经营林木。农民一旦获得有限的土地使用权，他们就会扩大森林面积，增加森林蓄积量。这个趋势从 1977年以后的三次官方森林资源清查中一直存在。尽管存在土地权属的不稳定性、林业政策的不确定性，存在采伐限额、运输证限制，存在林业部门一家收购的制度，存在较高的林业税费，集体林仍在扩大。我们会在后面继续讨论现存的制约因素，有助于找到进一步改善的措施，帮助中国林业部门保持发展势头和森林环境的稳定改善。

这是来自中国农民的第一堂课，一旦获得土地及森林的权利，并且森林能在他们的土地上产生最高价值的话，农民及其他一些小面积土地拥有者就会种植并且经营森林。

二、产权以及多种制度安排：社区权利和国家管理

第二个问题，也是第二种经验，与第一个（有关私人投资的）经验相关。第二个问题涉及到在什么级别上管理林业的问题。目前，世界各地的讨论主要涉及国家自然资源管理机构和地方社区组织职责的划分上。

支持国家管理的人所持的观点是，私人个体对森林管理缺乏长期性，森林固有的外部性以及广泛的社会效益要求由一个能兼顾全社会福利的机构来管理。然而，世界上的公有土地上存在着大量非法采伐和对公共资源的侵蚀，一些大型公共机构效率低下甚至错误百出。在地方民众对资源的权益日益受到重视的今天，地方社区资源管理的模式开始受到推崇。事实上，现在许多大型发展援助机构的林业专家和许多非政府组织对"社区管理"（"社区林业"）的新模式情有独钟。

中国的经验否定了很多简单化的答案，它有私人经营取得成功的事例，并且否定了那种认为私人经营森林缺乏远谋的观点。但是，中国长江上游水土流失和 1998 年下游洪水、连续的黄河断流，以及随之而来的全国性的天然林保护工程和天然林禁伐，似乎也否定了私人和社区管理可以替代一切的观点。最后，中国国有森工企业和集体林业的失误表明了无论是国家集中管理还是集体经营都不能单独成功。八成的国有森工企业耗竭了他们的成熟林木资源，其加工厂都难以为继。到 1997 年，国有森工企业中有 50% 是处于亏本状态的，其中 2/3 欠发职工工资（李，1996；中国林业年鉴，1998；张，2001）。最近 15～

20 年中国森林覆盖率和活立木蓄积量的增加是由于私人投资的缘故，这些增长也是在政府对集体林木的管理受到约束，集体所有林木越来越多地转由农民家庭经营后才发生的。

因此，来自中国的证据表明，对森林效益的管理，无论是市场的，还是非市场的；无论是地方性的、地区性的，还是全球性的效益，都很难选出一个最佳的管理模式。然而，中国的经验确实提醒人们，社区林业和私人经营这两种管理模式均存在一定的局限性。

（1）私有林业为减少中国北部平原水土流失做出了贡献。在这种水土流失严重但是农业生产力依然很好的地区，保护性活动强度不大，不需要采用集中统一管理的模式。

（2）尽管私人家庭管理运作得很好，由于经济规模的原因，将小规模林业实行集中连片管理也许效果更好（见第二章）。中国先前对于集体林地采用平均主义的办法进行分配，造成了林地的分散和破碎化。家庭拥有四五块小土地，有的面积只有 0.06hm^2，而加起来每户家庭的平均拥有量，也就是 0.6hm^2。由于林地破碎，边界测定以及防火防盗的成本超过了一些家庭的承受能力。这就使一些人看到了合并和转让的优点，而在一些地区确实已经出现合并。另一些地区，比如福建、贵州、浙江等地方以自发的股权体系来解决土地分散的问题（刘，2001）。这些做法整合了土地、缩短了边界、降低了保护成本、拓宽了贷款渠道，同时发挥了当地社区的优势和经营管理森林的积极性（尹润生，1998）[①]。

从中国经验中得出的总结是，管理的集中化程度取决于规模经济和特定的社会价值体系。在选择私人经营、社区集体经营环视国有企业经营模式时，没有包治百病的单一的良方。

三、国家政策对林业的影响

中国的经验为政策不确定性对于长期投资的影响提供了很好的例子。同时也为验证其他部门和总体宏观经济对于林业部门的溢出效果提供了机会。

我们都知道，很多发展中国家的土地所有权和使用权、农业支持、贸易政策等都经历过激烈的动荡，而财政政策和货币政策、政府管理，甚至国内稳定（civil tranquility）等等也有明显的变动。我们知道，财政平衡对于一个国家的森林变动是有影响的，比如巴西和印度尼西亚的情况（Young，1996；Jepson *et*

---

① 这些股份制实验的优势尚不清楚。尹润生（1998）称股份制转制多为名称转换，与过去的集体管理相比，并没有产生新的效益

al., 2001)。Deacon（1994）的研究显示，行政体系和国内不稳定是全球森林破坏很重要的决定因素。但是林业政策文献通常把重点放在特定的林业市场和政策的一些特定的效果上，很大程度地忽视了长期政策不确定性、其他部门的溢出效果以及宏观政策环境的影响。我们需要更多关于这些因素探讨，而中国的经验对此大有助益。

（一）林业政策和管理的不确定性

尹润生在第四章，张道卫在第五章，给不确定性的森林政策环境产生的影响做了互补性的分析。

在农业和林业改革之前和之后，都有频繁的政策变动，这些变动使得农户家庭在决定林业投资时格外犹豫不决。在 1978 年前的 25 年里，国家关于林地所有权和林地管理的政策有 4 次主要变动，而地方的管理政策变化得更频繁。因此农民对于政策能否持久总是持怀疑态度。所以当他们在 1980 年获得合同责任制中对林地的权利之后，他们往往迫不及待地砍掉他们所能砍的森林——在政策再次发生变化之前。

尹润生通过比较政策稳定地区（华中、华北平原）和政策变化频繁地区（南方集体林区）的农户行为，研究了政策不稳定性对于木材砍伐和森林覆盖率的影响。在华中、华北平原的经济中，林业的影响比较小，当地政府对林业活动的限制较少、林业税费负担较轻。在这些地方，农民家庭很快建立起对土地产权的信心，从而开始种树。在实行承包责任制伊始，农民的木材采伐量开始增加，并随着时间推移继续增加。增长的根源是森林投资的增加。新造林和原有林的资源都在增长。

在南方集体林区，林业占据重要的地位。林业主管部门一般认为，改革开放初期的木材采伐热说明家庭经营林业是不适宜的。因此一部分农民承包的林地被收回。这一举措增加了继续拥有责任山的家庭对政策不确定性的顾虑，使得木材砍伐量有增无减，而林业投资却有减无增。结果是，森林蓄积量下降。与此同时，森林生长量和后续木材采伐量也开始下降。

后来，林业政策和政府管制逐渐稳定下来，南方集体林区的农民对林业的投资开始逐渐增加①。1988 年之后，南方集体林区的森林面积和蓄积量都开始增加。但是大部分家庭经营者即使到现在，依旧对政策变化保持着一定程度的戒心。原因是原木采伐证和运输证的发放并不连续稳定，林业税费从微不足道上升到占木材利润的 35% ~ 60%，地方林业主管部门林业管理人员会对其管辖

---

① 在 90 年代后期，多数承包合同得以更新。1995 年，土地流转已得到官方认可。合同更新和土地流转的合法化加强了产权稳定性和农民的信心

的林区采取随意性较大的干预方式,尤其是对那些比较成功的林业经营者的干预就更为随意（第二章和第三章）。

在第五章中,张道卫用中国股票市场的最新资料来验证不确定性对于中国大型私人林业企业的影响。他发现,在1990年代后期交易的林业企业的资产净值,在整个行业水平上的风险,要比在同一市场的所有企业交易的风险大45%。这就意味着,如果森林行业想要和其他产业有一样投资机会的话,必须要比他们高45%的利润①。只要如此高的风险依旧存在,那么可以预期,在中国对于森林和林业的投资就会停留在一个比较低的水平。

(二) 来自其他部门的溢出效果

改革对林业部门的影响,还包括国民经济中非林业部门改革的溢出效果。Rozelle 等人在第六章,以及张耀启在第七章都用计量方法验证了林业和非林业的市场和政策对于森林面积的影响②。这两个作者的变量集合都包括了衡量森林产权、农业市场以及国民经济变化的因变量,张耀启等人还考虑了总体经济环境不确定性和森林政策的不确定性。他们对于这些不确定性因素的发现是和先前的讨论一致的,即不确定性的存在降低了林业投资以及森林蓄积量。

Rozelle 等人发现,国民经济增长是中国森林面积增加的重要原因。随着中国近年来的经济增长,对森林娱乐服务的需求也有了很大的增加。与此同时,随着农民进城就业的增加,收入不断增加和越来越多家庭从使用木材作燃料转换到用天然气和煤作燃料,对薪炭材的需求量开始下降。工业用材和森林观赏的需求扩张,以及薪炭材需求下降,净效果就是森林面积增加。

Rozelle 等人还发现木材与农产品的相对价格对森林蓄积量的影响甚微。这可能是因为农业对于人工林和天然林具有相互抵消的作用。也就是说,农业价格的上升会导致农业扩展到人工林区,并与之竞争。农业价格对于天然林的影响比较难以确定,但是农产品价格提高可能导致农业集约度提高,减少农业和天然林的竞争,并增加森林的面积。

在第七章,张耀启等人把人工林和天然林区分开来,把一般农业价格和边际土地上的谷物价格区分开来,来改进分析结果。这些生长在边际农业土地的谷物,是最容易跟森林抢土地的作物。他们有两个重要发现:第一个是,竞争性农作物（他们所调查的热带省份海南的橡胶和园艺作物）价格的上升导致了人工林地转化为农地,但也通过集约耕作提高了橡胶和果树的产量,减少了对天然林地的侵蚀。第二,人口和经济增长,以及木材价格提高和林地产权稳定

---

① 高风险并不必然存在于林业部门。在美国,股票市场投资方面林业的风险要低于其他行业
② Rozelle 等人还考察了活立木蓄积的影响因素。分析结果与森林面积的分析结果基本相似

性提高，导致人工林面积增加①。1957～1994 年，人工林面积的增加，一般经济要素（人口和经济增长）的影响占 25%，而农业价格和林地产权的影响占了 58%，木材市场本身的影响占 15%。

（三）总结和讨论

首先，在中国林业政策的执行过程中，政策的不稳定性对于林业投资、森林蓄积量和森林面积产生了负面影响。我们可以预测，避免林业政策的动荡以及平衡的管理手段将会是保证未来中国长期林业管理成功的一个重要部分。对于世界其他地方的国家和地区，这一点也是很重要的。

其次，我们从两项政策溢出效果的考察中也得到了许多启发。这两个研究都表明，国民经济成长是和森林面积的增长相伴随的。另外，张等人提示我们，经济成长通常伴随制度进步，而制度进步可以降低森林管理的交易成本。这是预测经济成长和森林增加之间关系的一个更深层次的原因。但是，在其他国家，这样对于国民经济对林业部门影响的研究少之又少。我们需要在世界若干国家进行这方面的研究，但是，中国的经验至少给我们提供了这样的假设，那就是，经济成长带来了森林的增加。中国的经验还为减缓全球性毁林的努力提供了一个正面的例子。

四、林业作为经济发展载体的潜力

关于林业在经济发展中扮演什么角色这个问题，在第二次世界大战之后出现了大型发展援助机构这一问题才相应产生。广阔的森林往往是和贫困以及与世隔绝的社区联系在一起，所以才产生了这样的问题。在最开始，森林的存在被看作是为了支持锯木厂、纸浆和造纸厂等产业（Westoby，1987），继而，我们看到了林业具有和其他经济活动有前前后后关联的优点，同时，在原木砍伐和加工业中，由于多样性技术的存在，资本和劳动力具有较强的可替代性（Hirschman，1978）。尽管有这些优点，林业作为一个经济发展的载体并没有显示很大的成功。而最近人们更多的是把森林看作贫苦农民所依赖的一个补充性资源（Wunder，2001）。

林业发展可以帮助贫困家庭脱贫致富吗？在中国，如果废除高税费、政府收购限制以及在木材砍伐和运输方面的限制，中国的森林发展会是一个怎样的模式呢？1980 年以来中国竹子产业的发展模式，给这两个问题提供了答案。

---

① 1985 年以前，天然林随经济增长而下降，但弹性很小。人工林随经济增长而增长的弹性很大。海南省 1985 年以后将天然林全部至于保护之下，此后的资源清查表明天然林不再随经济增长而减少

竹子和商品木材,在生产性投入方面是相似的。它们都使用农村劳动力和土地,两个都不是农业资本的有力竞争者。而竹子在很多产品市场都与木材发生竞争,为造纸业的木材需求以及各种建筑活动提供替代性原材料。竹产品的发展速度已经远远超过商品木材的发展速度——从 1980 年的 $320 \times 10^4 hm^2$ 到 1999 年的 $430 \times 10^4 hm^2$,从 1980 年的 $440 \times 10^4 t$ 到 1999 年的 $1420 \times 10^4 t$(Ruiz Perez *et al.*,2001)。竹子能够快速发展,部分原因是不受采伐限额的限制,不需要采伐证和运输证,同时享受较低的税费。竹业的发展模式预示了在木材市场更为自由的情况下商品木材的发展模式。这个论点在中国 1998 年大面积实施天然林禁伐后得到了加强。一年内竹子的价格上升了 5% ~ 10%,而种植竹子的面积增长了 17%(CFIC,1998)。

在第八章,Ruiz Perez *et al.* 回顾了 6 个县种植竹子的经验,这 6 个县的范围跨越从沿海的浙江省安吉县到内陆的湖南省和四川省。他们发现,改善竹子市场能够为许多家庭提供另一种收入来源,也为一些家庭经营的多样化和专业化提供了机会。他们把农民家庭按照收入来分类,发现所有类别的家庭都从竹子价格的上升和市场机遇中得到了好处,但是中层收入和高层收入的家庭相对来说得到的好处更多。竹子的创收是很重要的,与此相关的非农就业对于增加家庭收入作用更大一些。而中层收入和高层收入的家庭得益于后者更多一些。

竹子产量增加,但是种植农户的数量和竹子种植面积在大多数县并没有实质性的变化。农民普遍采取加强竹林经营管理强度的方式增产。

位于竹子种植地附近的竹子加工厂,可以刺激需求。家庭承包加工以及企业生产可以为农村劳动力提供就业机会。通过允许当地小企业(乡镇企业)——包括竹子加工企业——在市场出售他们配额之外的成品,以及通过为他们的成品出口提供便利(绕过效率低下的国有市场管理机构),延伸到林业部门的政策改革已经为竹子工业的发展打下了一个坚实的基础。随后 90 年代的改革,使得国内私人投资更加具有吸引力,并且允许外资进来,投资于包括竹子加工业的产业。这些改革的成效反映了竹子产业的前向关联的特性,也强化了前面章节的观点:即来自其他部门的溢出效果,对于竹子和林业发展有重要影响。

县级经济逐渐发展,也使其经济基础多元化。有了更多的非农业劳动就业机会,工资上升,土地的机会成本也上升,对于竹子生产的利润回报渐渐缩减;生产竹子的农民,为了保持在土地使用和对获得劳动力方面的竞争力,开始实行多元化、专业化和集约化经营。

总而言之,竹子工业是工业化过程中一个很好的初始产业,尤其对于市场容量较大的县。对于很多家庭,竹子提供了获得补充性收入的机会,但是很多最穷的家庭依旧贫穷,并且他们从竹子发展中获得的好处很少。

为加工行业的发展提供便利的政策，刺激了对竹子的需求以及对改进生产效率的要求，这些政策带来了就业、收入增加以及总体的发展。竹子产品以及竹子加工业在很多经济发达的县仍然健康存在。很多家庭继续从竹子生产活动中获得就业和收入。但是随着这些县的发展以及竹产品生产在县级经济中的地位越来越不重要，竹子业逐渐失去了其龙头产业的地位。

我们可以假设，如果中国进一步开放其森林市场的话，商品林也会走与竹子相同的模式。农民家庭能从机遇中获益，他们的收入会增加，并且生产会多样化，其中的一些还会逐渐专业化到一些特定的林产品。在市场途径良好的地方，这种机遇最大。我们可以预测，中国在 90 年代所进行的改善农村道路以及其他基础设施的巨大努力，对于发挥这些机会的作用是十分重要的。然而，我们也可以预计，中国最贫穷的竹农的情况还会重演。贫穷的林农家庭的收入可能会提高，但是，这些家庭难以成为这一个林产业发展的主要受益者，很多家庭在林业发展过程中，可能依旧保持贫穷。

五、在环境上的影响

中国面临着 4 个严重的环境问题，并且多多少少和树木森林及其利用有关：

① 风蚀和沙漠化；

② 洪水、农业耕地和农村基础设施造成的水土流失；

③ 和纸浆以及造纸业有关的水污染；

④ 生物多样性的消失

风蚀及沙漠化是中国西北和华北地区一个长期存在的问题，中国也是研究这一问题资料最丰富的国家。人们对森林和其他 3 个问题的因果关系的了解相对较少，数据质量较差。对于这些问题的重要文献往往是思想深刻，但事实依据贫乏。另外，我们会讨论到，这些文献的作者以及其他参与讨论的学者，往往把焦点放在一个狭小的范围而忽视了 4 个问题之间的关系，在这种情况下，要有明智的政策是很困难的。

沙漠覆盖了中国 $250 \times 10^4 km^2$ 的土地，占总面积的 27%，并且以每年 2000km^2 的速度在扩展（Gluckman，2000）。政府在 1979 年提出三北防护林计划（绿色长城）。这个种植计划现在已经延伸到了 $2430 \times 10^4 hm^2$。从 1979 年以来，政府还实施了一些较小规模的植树造林项目。义务植树面积达到了 $530 \times 10^4 hm^2$，另外很多农民都还种植了自己的防护林（见第三、第五章）。尽管取得了如此多的成绩，沙漠化仍然是一个难以克服的环境问题。

人们将森林破坏当作 1998 年长江和松花江流域大洪水的重要原因。中央政府为此实施了天然林资源保护工程（NFPP），要求禁止在这些河流的上游地区砍伐木材。国家用于农村环境改善的资金大部分被投到了森林保护方面，尤其是河流上游的森林保护。但是，造成水土流失的原因究竟是森林采伐还是上游地区修建道路，还没有明确的科学结论。相对清楚的是，通过封锁伐区道路已经成功地限制了采伐。另外，在实施天然林保护工程的山区，改善筑路方式已使水土流失大为减少①。

纸浆和造纸工业是农村环境污染最大的污染源，占据了中国工业废水排放量的10%以及化学需氧量的1/4（第九章已经讨论过）。中国政府尝试了多种污染控制机制，包括排污收费、排污权交易、关闭2000多家污染严重的小纸厂（徐晋涛，1999）。尽管如此，随着天然林保护，这样的污染问题可能会更加严重。一些纸厂可能会更加依赖农业剩余物造纸，从而加剧污染。对利用农业剩余物造纸的污染控制技术还很不完善。

最后，国际上的一些非政府组织越来越关注中国的生物多样性随天然林资源退化而日益减少的问题（见第9章）。他们是不是忽略了人工林呢？人工林是1978年以来，中国森林面积增加30%的主要原因（中国林业年鉴，1999）。当然，人工林的生物多样性要低于天然林，但人工林不是沙漠，其生物多样性要远高于其替代的农田和荒地（e.g.，Harkness，2000）。另外，人工林可以代替天然林满足人类所需。因此，人工林的发展在一定程度上减少了对天然林的破坏，但是有多少，尚是个未知数。我们对于生物多样性损失的认识，十分有限，我们也不知道对于市场和非市场产品，人工林和天然林之间的替代率是多少。用人工林代替荒地和耕地所创造的环境效益也不得而知。

中国环境管理者的任务就是把他们有限的资源以一种适当的方式进行分配，使全社会得到的净环境改善最大。这不等于在上面分析的4个环境问题上花同样的努力。需要更多的实际数据，并且更好地理解促进环境改善的激励因素。当然，中国和世界上所有其他希望改善环境的国家，尤其是发展中国家，面临相似的问题，即需要在不同环境问题上平衡自己的努力。发展中国家普遍面临巨大的环境风险，但是拥有十分有限的环境信息。

六、数据和分析

这里引出了从中国的经验中学到的最后两点，关于林业数据以及和林业问题的分析方法。

---

① 修路与水土流失的关系是2001年5月中国环境与发展国际合作委员会林草课题组年会上的重要议题

一个理论方面的观点是，为了进行有意义的分析，必须对人工经营的森林（包括种植的和处于经营状态下的天然林）以及完全没有人类干预的天然林加以区分。这两类森林对于经济激励有不同的反映方式，需要不同的监测评估和干预机制，产生有差别的环境效益。更具体一点：

（1）林产品价格提高会诱导天然林开发，但同时也刺激造林和其他营林活动，从而扩大人工林面积和蓄积；

（2）因为其分散和遥远的特点，对天然林进行监测和干预（M&E）难度较大。认为侵入十分容易；相比之下，人工林多处于容易到达的地方，一般也拥有比较大的市场价值，因此私人部门有较大的积极性进行监测和干预。对人工林进行监测和干预对任何机构都要容易得多。

（3）较远的天然林能提供较多的生物多样性和更丰富多样的非市场环境服务。实际上，第六章和第七章的作者在讨论国家政策的影响时将此作为讨论的焦点；第九章的作者在讨论生物多样性时也重点讨论了这一问题。

基于仔细研究中国情况和个人经验，就林业数据问题谈三点看法：

（1）中国的森林资源清查数据将竹子和经济林（园艺、茶以及橡胶）包括在森林范畴。在中国，竹子和经济林是很重要的，但是它们在其他许多国家，并不属于森林的范畴。中国森林资源清查也包括用于防风固沙的防护林，这些树林在其他国家往往因为密度不够而不计入官方森林资源统计中。

（2）中国在最近（1994～1998）的森林资源清查中，改变了对森林的定义，把森林郁闭度标准从30%降到了20%（森林定义中活立木蓄积量的最低标准没有变）。

（3）中国的人工林分集约经营度很低，张道卫在第五章指出了此问题的存在。新造林地总会比它先前的使用形式（耕地或者荒地）包含更多的生物多样性。中国很多的造林项目都是在退化的森林中以补植的形式完成的，这些退化的森林中高价值的树木已经被伐掉。林业工作者将此称为"拔大毛"，认为这会导致未来林分质量下降。毫无疑问，再造林会改变当地的生物多样性，但是尚没有证据表明这会减少整体的生物多样性，也没有证据表明大量低商业价值树种和病态的老树会为物种提供更适宜的生存环境。

值得总结的经验有如下两点：首先，必须将人工林和天然林分开进行研究，分别设计政策。在一种森林中生产商品性木材会减少对另一种森林的消耗。然而，在很多其他的方面，这两种森林并非相互替代。经济激励机制比如较高的价格，对这两种森林的发展会产生相反结果，促进人工林投资但是也会增加天然林采伐。第二，在采用森林发展趋势较大规模的跨期跨国比较研究的成果时，必须保持一定的怀疑态度。要对所使用的林业数据有清楚的了解，还要排除林业面积、蓄积计量标准方面的差异。中国在90年代中期改变了森林的定义，而且中国所使用的定义和其他国家的定义历来有所不同。我们在使用其他国家的森林资源数据时会遇到这样的问题吗？我们认为必须重视这两个问题。世界上有大量的分析文献对此问题视而不见，最终导致政策失误。

七、结论：四分之一世纪改革之后的新问题

随着中国经济的蓬勃发展，政府和公众对环境问题日益关注。其间，地区财富的不平均也日益引人注目。人们对侵蚀的关注已经从防风固沙和防护林建设转移到上游森林退化及其与下游洪水之间的关系了。森林和公园随着人们开始有钱享受而变得越来越重要，政府已经建立了 $760 \times 10^4 hm^2$ 的自然保护区，多数出现于 90 年代。而表现收入不平均程度的基尼系数，已经从 0.15 上升到 0.35 ~ 0.40（Chai and Chai, 1994；Chen et al. , 1995）。发展滞后（尤其是西部农村地区）、收入不平均以及在发展过程的收益不均现象，已经成为重要的政治问题。

在 1998 年，中央政府启动两个大型项目来解决这些问题，一个是西部开发计划（WRDP），一个是国有林区天然林资源保护工程（NFPP）。西部开发计划（WRDP）强调发展基础设施。在过去的 3 年里，公路和铁路几乎延伸到了中国西部我们到过的所有地方。西部开发计划中还包含一个"退耕还林工程"——国家提供粮食等补助，换取农民放弃陡坡地耕种和放牧，并在退耕的土地上种植树木。

天然林资源保护工程（NFPP）包含两个主要内容，一个是森林环境保护工作，另一个是对于国有林业企业提供资金支持。这个计划最初在 1998 年被批准进行 2 年，然后计划延长到 2010 年，资金总额将达到 965 亿元（120 亿美元），其中 80% 来自中央财政，20% 由省自筹。有 17 个省、自治区、直辖市参与了这个天然林资源保护工程（NFPP），其中 11 个同时也是西部开发计划（WRDP）的省份，剩下 6 个在北部和东北，都是传统的林产业中心。

最近，天然林资源保护工程（NFPP）已经成为西部开发计划（WRDP）的一个组成部分。这两个项目将一起推动保护长江上游和黄河中下游 $6110 \times 10^4 hm^2$ 具有生态价值但是又很脆弱的水域的保护。除此之外，华北和东北的 $3300 \times 10^4 hm^2$ 森林也纳入保护。几乎整个西部地区的一半面积在禁伐之列，主要依靠天然更新。另外一半是陡坡耕地区，主要由退耕还林工程推动。计划采伐量已经从 1997 年的 $1351 \times 10^4 m^3$ 降至 2000 年的 $113 \times 10^4 m^3$。少量的采伐主要是农民自用材。北方的计划采伐量从 1997 年的 $1854 \times 10^4 m^3$ 降到了 2001 年的 $1213 \times 10^4 m^3$。计划造林面积是 $860 \times 10^4 hm^2$，其中 $164 \times 10^4 hm^2$ 已经在 2001 年 7 月之前完成了造林。东北地区国有林业企业中，大概 740 000 名员工面临

着改行或者失业（Hyde and Liu, 2001）。

这些计划刚刚开始实施，其效果尚难预料。预期的效果是，①减轻森林压力和减少下游洪水；②国有森工企业适度转型和恢复活力。已有迹象表明森林开始恢复，农民对退耕还林工程也很欢迎，因为补助的粮食多超过陡坡地的实际产量。然而，森林禁伐和下游洪水之间的关系还不清楚，工程对当地社区的影响也还缺乏考察：包括从商品林业活动所产生的收入和就业的损失，以及损失的森林放牧机会。另外，林区的小村镇能否吸收这些国有森林企业的下岗职工以及为他们提供国有企业曾经提供的那些社会服务（医院、学校，等等）。西部和东北的经济发展水平是否足以应对这些巨大的变化和吸收新的失业呢？

这些工程的实施，必然会带来各种各样的不确定性，并导致各种各样的短期行为和给一部分人的利益带来损失。我们认为，中央政府和省政府为了减少不确定性，可以给当地国有林业企业管理者更多的自主权以使其具有应变的能力。并要阻止头脑过热的地方政府把天然林保护工程扩大到农村集体林区。

调整国有林业企业管理政策的最佳时机是价格和利率都很低的时候。此时，追求经济利益的采伐标准和政府采伐管制政策的要求导致相近的结果。幸运的是，目前恰恰出现了这样的条件（徐晋涛，2002）。政府能否抓住这个机会，以一种类似于 1978 年开始至 80 年代中期家庭联产承包责任制改革的方式实现国有林区的转轨呢？政府似乎在考虑这样的选择，而我们将拭目以待。

与此同时，如果期待私有林业有一个较大的发展，并以此弥补天然林资源保护工程给农村社区造成的负面影响，则政府必须从本章总结的经验教训中加以借鉴。目前的情况是，私有林业依旧面临大量的不确定性和负面的经济环境，这些问题必须得到纠正。

政府可以通过消除对私人砍伐和买卖木材的限制，来减少政策不确定性。我们可以预料，中国西部基础设施的改善可以降低集运材成本，允许更远距离的运输，使一些诸如纸浆业的加工厂可以利用规模经济①。政府继续实施在货物运送上的管制会限制这些成本优势——也会限制那些大型用木纸浆和造纸厂在控制污染方面的技术优势。

改善经济激励机制的另一个关键是降税。在私人林业生产上的税和费往往占总收入的 35% ~ 60%。（它们是如此的高，以至于降低税费就会降低避税，甚至会增加政府的税收水平）。相比较而言，农业税费大概只占农业收入的 10% ~ 12%，而对竹子的税费大概略微超过竹子收入的 20%（个人交谈，

---

① 北美和欧洲的造纸厂规模多在年产几十万吨至二三百万吨。相比之下，中国最大的造纸厂规模也仅 25×10^4 t。超过 3×10^4 t 即可称为大型纸厂。中国有超过 1000 家县级以上国有和集体造纸企业，还有 9 倍以上数量的其他类型的造纸企业。多数规模在 5000t 以下（CTAPI, 1993）。通过整合和扩张来节约成本的潜力巨大

Jikun Huang and Manuel Ruiz Perez, February 19, 2002)。林业部门获得的政府服务是否足以解释这些税费的差异尚不清楚。政府对此有所认识,国家林业局及一些省份正在实验性地对林业税费进行整合和降低(第3章)。然而,很多县级征税机构持反对态度,因为林业税费是行政管理机构工作人员的经费来源。

减少不确定性以及提高经济激励,会改善国内私人森林投资的总体环境,也会改善外资的投资环境。随着中国加入 WTO,外资会显得越来越重要。那么 WTO 的影响是怎样的呢?相对于林业部门的其他组成部分,WTO 对于资本密集化的纸浆和造纸工业可能有比较大的影响,这样是否会推动规模经济的实现呢?会不会给林业和农村贫困人口带来总体发展以及重要的溢出效果呢?最后,如果碳交易市场在全球得以发展,我们可以预测,许多边际林业投资会变得有利可图。可以推想,如果中国可以成功解决市场限制,包括高税费和政策不稳定等问题,对国有林业企业提供资金支持和推动重组,各种力量联合作用,必将带来森林面积和蓄积的双增长。

总之,中央政府毫无疑问有能力发动诸如天然林资源保护和退耕还林这样的大型保护工程。然而,这些工程的成本巨大——大概超过120亿美元。这个数额远远超过历史上从天然林中得到的原木的价值。而且,现有的制度框架和动力机制均不足以保证工程的经济效率和实现希望的社会转型。尽管工程上马,但南方的木材价格和税收问题并没有得到解决。南部森林的命运牵动着经济和环境,犹如天然林资源保护工程对于西部和东北一样的重要。南方目前是一个主要的林区,如果天然林资源保护工程在东北和西部得以落实,南方森林资源就会变得更加重要。

所有这些因素结合在一起表明,中国的林业政策和管理,会继续备受关注。中国的经验也证明,在细致的评估之前,不可贸然实施新的计划。学无止境,今后仍将会产生新的经验、新的教训。需要发展一个系统、严格、长期的政策分析体系,对政策进行评估,使之具有连续性,从而造福于中国社会。

参考文献

CFIC (China Forestry Information Center). 1998. *Development of China's Wood Industry*. Beijing: Chinese Academy of Forestry

Chai, Joseph. 1997. *China: Transition to a Market Economy*. Oxford, U.K.: Oxford University Press

Chai, Joseph C. H., and Karin B Chai. 1994. Economic Reforms and Inequality in China. *Revista Internationale di Scienze Economiche e Commerciali* 41 (8): 675 – 696

Chen, Shao – hua, Gaurav Datt, and Martin Ravallion. 1995. *Is Poverty Increasing in the Developing*

World? Policy Research Department, World Bank, Data Appendix, updated version. 40: 359 – 76

China Customs Office. 1999 through 2001. *China Customs Office Statistical Yearbook*. Beijing: China Customs Office Press

China Agricultural Yearbook. 1985. [in Chinese]. Beijing: China Agricultural Press

China Forestry Yearbook. 1987, 1989, 1998, 1999. [in Chinese]. Beijing: China Forestry Press

Chomitz, Kenneth, and David Gray. 1996. Roads, Land Use, and Deforestation: A Spacial Model Applied to Belize. *World Bank Economic Review* 10 (3): 487 – 512

CTAPI (China Technical Association of Paper Industry). 1993. *Almanac of China's Paper Industry* [in Chinese]. Beijing: China Light Industry Publishing House

Deacon, Robert T. 1994. Deforestation and the Rule of Law. *Land Economics* 70: 414 – 430

FAO (Food and Agriculture Organization of the United Nations). 2001. *Global Forest Resources Assessment* 2000. Forestry paper 140. Rome: FAO

Gluckman R. 2000. The Desert Storm. *Asiaweek*. October 13, 36 – 40

Harkness, James. 2001. Introduction. In *WWF China Annual Report* 2000. Beijing: World Wide Fund for Nature – China

Hirschman, Albert O. 1978. *The Strategy of Economic Development*. New York: Norton

Hyde, William, and Jinlong Liu. 2001. NFPP and Its Effect on the Forest Sector. Unpublished report completed for the Chinese Academy of Forestry (under United Nations Development Programme project CPR/00/121)

Jepson P, J K Jarvie, K MacKinnon, and K A Monk. 2001. The End for Indonesia's Lowland Forests? *Science* 292: 859 – 861

Li L. 1996. The Causes of the Loss of Public Assets in Forest Industry Enterprises. *Forest Resources Management* 4: 47 – 49

Lin Justin Yifu. 1992. Rural Reforms and Agricultural Growth in China. *American Economic Review* 81: 34 – 51

Liu, Dachang. 2001. Tenure and Management of Non – State Forests in China since 1950: A Historical Review. *Environmental History* 6 (2): 239 – 263

Lopez, Ramon 1998. The Tragedy of the Commons in Cote d'Ivoire Agriculture: Empirical Evidence and Implications for Evaluating Trade Policies. *World Bank Economic Review* 12 (1): 105 – 132

McMillan J, and B Naughton. 1992. How to Reform a Planned Economy: Lessons from China. *Oxford Review of Economic Policy*. 8: 130 – 143

Pandey K, and David Wheeler. 2001. Structural Adjustment and Forest Resources: The Impact of World Bank Operations. Policy research working paper. Washington, DC: World Bank

Perkins, Dwight. 1990. Completing China's Move to the Market. *Journal of Economic Perspectives* 8 (2): 23 – 46

Ruiz Pérez M, M Fu, X Yang, and B. Belcher. 2001. Towards a More Environmentally Friendly Bamboo Forestry in China. *Journal of Forestry* 99 (7): 14 – 20

Singh, Hemut. 1994. The Green Revolution in Punjab: The Multiple Dividend, Prosperity, Reforestation and the Lack of Rural Out – Migration. Unpublished paper. Cambridge, MA: Harvard University, JFK School of Public Policy

State Council. 1996. Resolution on several issues in environmental protection [in Chinese]. Unpublished document no. 37

Sun C, and Daowei Zhang. 2001. Assessing the Financial Performance of Forestry – Related Investment Vehicles: Capital Asset Pricing Model vs. Arbitrage Pricing Theory. *American Journal of Agricultural Economics* 83 (3): 617 – 628

Westoby, Jack. 1987. *The Purpose of Forests: Follies of Development*. Oxford, U. K. : Basil Blackwell

Wunder, Sven. 2001. Poverty Alleviation and Tropical Forests: What Scope for Synergies. *World Development* 29 (11): 1817 – 1833

Xu Jintao. 1999. China's Paper Industry: Growth and Environmental Policy during Economic Reform. Ph. D. thesis. Blacksburg: Virginia Polytechnic Institute and State University

Xu Jintao. 2002. Economic Analysis of Logging Quota System in China. Paper presented at the International Forum on Chinese Forestry Policy, Beijing, June 13 – 14 (available from China's Center for Agriculture Policy Research, Chinese Academy of Sciences)

Yin Runsheng. 1998. Forestry and the Environment in China: The Current Situation and Strategic Choices. *World Development* 26 (12): 2153 – 2167

Young, Carlos. 1996. Economic Adjustment Policies and the Environment: The Case of Brazil. Ph. D. thesis. London: University of London Department of Economics

Zhang Yaoqi. 2001. Economic Transition and Forestry Development. Ph. D. thesis. Helsinki: University of Helsinki Department of Forest Economics

Zhong M G, C Xian, and Y M Li. 1991. A Study of Forestry Development in the Major Agricultural Areas. In. *Studies on China's Forestry Development*, edited by W. T. Yong. Beijing: China Forestry Press